STRAND PRICE
07/2019
2.00 EACH

3	Mayfair und Marylebone
4	Bloomsbury
5	City
6	Chelsea
7	Kensington und Notting Hill

D1249023

London Food

GABRIELE GUGETZER

LONDON FOOD

EIN KULINARISCHER GUIDE DURCH DIE METROPOLE

mit Fotografien von Peer Kugler
und Richard Moran

unter konzeptioneller Mitarbeit
von Lesley Cohen
mit Beiträgen von Sabine Ernest-Hahn
und Roswitha Neu-Kock

KÖNEMANN

Für meine Mutter Hannelore,
die mir das Sehen und das Kochen beigebracht hat.
(G. Gugetzer)

For my mother Dinah Richardson
who is fighting a courageous battle against cancer.
(R. Moran)

Vorsatz: Stadtplan von London, © Könemann Verlagsgesellschaft mbH/
Studio für Landkartentechnik, Detlef Maiwald
Nachsatz: U-Bahn-Plan von London, © London's Transport Museum, London

© 2001 Könemann Verlagsgesellschaft mbH
Bonner Straße 126, D-50968 Köln

Verlags- und Art Direktion: Peter Feierabend

Projektleitung: Dr. Birgit Gropp
Projektkoordination: Angelika Schulz
Redaktionelle Mitarbeit: Maria Mester, Freia Schleyerbach
Lektorat: Dorit Esser (Rezepte), Josephine Grever, Petra Sparrer

Grafische Gestaltung: Lutz Jahrmarkt
Bildredaktion: Petra Ahke
Kartographie: Studio für Landkartentechnik, Detlef Maiwald

Herstellung: Petra Grimm
Reproduktionen: Niemann & Steggemann
Druck und Bindung: Neue Stalling, Oldenburg

Printed in Germany

ISBN 3-8290-7620-7

10 9 8 7 6 5 4 3 2 1

INHALT

LONDON FOOD –
WAS MIT GELD NICHT ZU BEZAHLEN IST 356

KULINARISCHES LONDON
EINE EINFÜHRUNG

Dass „London" und „Essen" gemeinsam einen stimmigen Buchtitel ergeben sollen, mag den ein oder anderen neugierig blätternden Kauflustigen verwundern. Denn nicht nur in Deutschland, auch andernorts auf dem Kontinent hält sich seit Jahrzehnten die allgemeine Überzeugung, dass die britische Küche in kulinarischer Hinsicht wenig zu bieten habe.

Im angelsächsischen Raum jedoch kennt man längst die internationale Vorrangstellung Londons, der nur Paris und New York kulinarisch den Rang ablaufen, kennt die vom „Guide Michelin" gekrönten Küchenzaren, kennt die vielen Länderküchen, die in London Seite an Seite miteinander kochen und dabei köstlich konkurrieren.

Bei einem Streifzug durch solche Länderküchen präsentiert sich London als Stadt mit neuem Gesicht – selbst jenen, die schon einmal oder auch mehr-fach an der Themse gewesen sind. Für London-Neulinge ist dieses Buch eine Einstimmung der anderen Art, und London-Liebhaber finden in diesem Buch einen Stadtführer der anderen Art. Was der Obst- und Gemüsehändler an der Portobello Road am liebsten isst, welche Tipps die Verkäufer auf dem Fischmarkt parat haben, wie viele Tassen Tee beim jährlichen Empfang der Queen auf dem königlichen Rasen ausgeschenkt werden – das Buch lüftet die letzten kulinarischen Geheimnisse, schaut Sterneköchen in die Töpfe, Stargastronomen in ihr Gästebuch und befragt ganz normale Londoner nach ihren heimlichen Favoriten.

Ein umfangreicher Serviceteil ergänzt den kulinarischen Städtetrip. Auf übersichtlichen Stadtteilkarten zwischen Notting Hill und der City, die sich im Anhang des Buchs befinden, ist alles Erlebenswerte rund um London Food eingezeichnet. Ein U-Bahn-Plan hilft bei der Orientierung, denn jedes Restaurant und Geschäft wird nicht nur mit vollständiger Adresse, sondern auch mit der nächsten U-Bahn-Haltestelle genannt. Ein kulinarischer Sprachführer klärt über die wichtigsten Begriffe und Rezeptnamen auf, die so nicht im Wörterbuch zu finden sind. Für Leser, die auf den Geschmack gekommen sind, macht eine umfangreiche und amüsant zu lesende Bibliographie Lust auf noch mehr kulinarische Lektüre.

Doch London Food richtet sich nicht nur an ausgesprochene London-Fans, sondern auch an Kochlustige. In 80 Rezepten aus fernen und nahen Länderküchen, ob aus dem Maghreb, aus Japan oder England, werden Klassiker und Trendgerichte gleichermaßen vorgestellt, die aus den Küchen berühmter Köche oder ganz normaler Menschen stammen.

So überraschend wie die Prämisse des Buches – dass nämlich kulinarische Hochkultur und London eine perfekte Symbiose eingehen – so ungewöhnlich ist seine Struktur. Die fünf Kapitel sind nach Preiskategorien eingeteilt. In jedem Kapitel erfährt der Leser in Reportagen, Geschichten und Rezepten alles über das Essen in einer bestimmten Preisklasse – ob gratis, ob zwischen ein und zehn Pfund, zehn und 50 Pfund, 50 und 100 Pfund und natürlich auch dann, wenn sich Essen nicht mehr mit Geld bezahlen lässt, sondern Kontakte oder der richtige Beruf die Voraussetzung für ein exklusives kulinarisches Erlebnis sind.

London ist und bleibt für viele Menschen die ungewöhnlichste, faszinierendste und spannendste Stadt der Welt, weil sie etwas besitzt, das kaum keine andere Metropole von sich behaupten kann: Herz, Charme, Witz und Toleranz im Übermaß.

Und – probieren Sie es aus – eine Küche von Weltrang!

YOU'VE GOT A
LONG W...

FREE

TEA

OR

GIVE WHAT
YOU CAN

LONDON FOOD FÜR NULL PFUND

Zu den schönsten Beschäftigungen in dieser an Traditionen und Geschichten so reichen Stadt gehören Streifzüge durch Londons gemütlich verwinkelte oder geradlinig prächtige Straßen. Dabei offenbart sich ein Reichtum, der nicht aus dem zweifelhaften Ruhm geboren ist, den London sich in den Statistiken seit Jahren mit Tokio teilen muss, nämlich, die teuerste Stadt der Welt zu sein. Wer sich dennoch – ganz ohne Geld auszugeben – einen Überblick verschaffen möchte, kann sich auch einfach nur umsehen: auf Märkten, in Schaufenstern, Buchläden und Supermärkten.

Die Straßenmärkte zwischen Portobello Road und Brixton vermitteln einen Einblick in den kosmopolitischen und deshalb so interessanten Charakter dieser Stadt, die zwischen afrikanischer, indischer und europäischer Küche alles zu bieten hat. Die Freundlichkeit der Londoner, gepaart mit einem handfesten Charme, bestimmt die Atmosphäre der Großmärkte, wo der harte Arbeitsalltag für Träger, Händler, Polizisten und Krankenschwestern schon mitten in der Nacht beginnt.

Auch die Glorie vergangener Tage, die London für seine Touristen gerne bewahrt, lässt sich auf Spaziergängen nachspüren: Hoflieferanten präsentieren ihre königlichen Wappen stolz an ihren Geschäften. Ein modernes Schlaraffenland findet sich in den Supermarktketten der Stadt, die sich dem Kundenservice verschrieben haben, oder in den vielen Läden rund um Tisch und -tuch, wo das Stöbern zahlreiche Anregungen für Zuhause bietet.

Und auch wer sich nur aus reiner Neugier in Londons Restaurants umsieht, versteht die neu entdeckte Vorliebe der Londoner für das Ausgehen, die teilweise auf einer Restaurantarchitektur gründet, die in dieser Perfektion und Konzentration nirgendwo sonst in Europa zu finden ist.

Unvergleichlich und kontrastreich zeigt sich London auch dem, der ohne ein Pfund in der Tasche herumbummelt, auch wenn Geld ausgeben hier ein ganz besonderes Vergnügen macht.

Der Anlass – die Aufbahrung von Sir Winston Churchill im Westminster Abbay – ist nicht fröhlich. Doch die beiden Damen, die hier freiwillig und umsonst Tee ausschenken, bewahren natürlich die Fassung.

PORTOBELLO ROAD
THE WORLD
IS MY OYSTER

Portobello Road ist eine Institution unter den über 60 Märkten im Großraum London. Jeder Tourist hat den Namen schon einmal gehört, doch auch jeder Londoner kennt und nutzt diesen Markt, der eigentlich aus fünf verschiedenen Märkten besteht und sich über knapp zwei Kilometer erstreckt. Faszinierend ist das riesige Angebot der über 2000 Stände: Antiquitäten, Kleidung im Retro-Look, Haushaltswaren, Kosmetikartikel. Der Lebensmittelmarkt liegt zwischen Colville Terrace und Lancaster Road. Donnerstags steht unter dem Westway zudem ein kleiner Biomarkt. Ganz frech haben sich preisgünstige Fisch- und Gemüsehändler direkt vor dem Eingang des einzigen Supermarkts dieser außerordentlich teuren Wohngegend postiert

und fordern wie David einst Goliath zum Kampf heraus. Auf dem schmelzenden Eis ihrer Auslagen glänzen Kalmare, Forellen und Muscheln im fahlen Licht. Gemüse und Obst kann man stückweise kaufen – alles zu Preisen, die weit unter denen des vermeintlich günstigen Supermarktes liegen; auch wandert als Zugabe mal eine Melone gratis in den Einkaufskorb.

Schon um neun Uhr morgens atmet der Käufer auf der Portobello Road echte Großstadtluft. Die vergleichsweise schmale Straße ist voll von knatternden Dreiradlastern, die den Händlern Nachschub bringen, und von hupenden Kurierfahrern, die auf Motorrädern die winzigen Musikstudios beliefern. Zwischendrin bahnt sich eine rundliche, schwarze Mami mit ihren herausge-

In London kennt ihn jeder und auch Touristen ist sein Name ein Begriff: Portobello Market. Der Markt im szenigen Stadtteil Notting Hill, nordwestlich des Hyde Park, ist mit mehr als 2000 Ständen eine Institution in London.

putzten Kindern den Weg zur Schule oder fahnden japanische Kunststudenten nach dem ungewöhnlichsten Tattoo, das sich in einem der vielen zwielichtigen Lädchen zu beiden Seiten der Straße erwerben lässt, und rutschen Jogger, die zwei Stunden später die Börse in Übersee in Aufruhr versetzen wollen, auf den ersten achtlos weggeworfenen Bananenschalen aus.

Die Händler betrachten dieses Treiben wohlwollend. Sie sind nun schon seit Stunden auf den Beinen und machen diesen Job zum Teil seit Jahrzehnten. Ihr Viertel hat heutzutage etwas von seiner farbigen Lebendigkeit eingebüßt, ist dank der Überwachungskameras aber auch sicherer geworden. Hier dreht sich das Rad des Lebens auf wunderbare Weise: manchmal zu schnell, manchmal zu laut, oft zu schmutzig, aber immer echt.

Mit seinem großen Angebot, das von Lebensmitteln über Haushaltswaren bis hin zu Antiquitäten reicht, zieht der Markt täglich viele Besucher an.

ADRESSE
Portobello Food Market, täglich außer sonntags, zwischen Colville Terrace und Lancaster Road, London W11, U-Bahn: Ladbroke Grove

EIN TAG IM LEBEN EINES OBSTHÄNDLERS
BARRY DARANGO
VOM PORTOBELLO MARKET

Der Obsthändler Barry Darango verliert nie die Nerven – auch am Samstag nicht, wenn es hektisch wird und Scharen von Touristen durch die Portobello Road strömen. Mit seinem typisch Londoner Witz meistert er die Situation.

Seit zehn Jahren betreibt Barry Darango seinen Obststand auf dem Portobello Market. Er ist eine der beliebtesten und bekanntesten Persönlichkeiten des ganzen Markts.

Eigentlich wollte Barry Golflehrer werden, aber es ergab sich anders. Sein Vater arbeitete auf dem Smithfield Fleischmarkt, während Barry sich schon ab dem elften Lebensjahr bei den Marktbetreibern in Südlondon nützlich machte, indem er Tee holte, den Stand aufräumte oder fegte. Zuerst hatte er zusammen mit einem Partner einen Stand in Chichester. Danach übernahm er von seinem Schwager vor zehn Jahren seinen Stand auf dem Portobello Market. An die langen Arbeitszeiten und den ewigen Schlafmangel hat er sich gewöhnt. Das Geschäft läuft heute zwar nicht mehr so gut, aber Barry gefällt es nach wie vor, sein eigener Herr zu sein – „my own guv'nor".

Wenn er mal Golf spielen will, packt er eben mittags schon zusammen. Samstags geht er mit seiner Frau aus, was er unter der Woche meist nicht mehr schafft. Barry Darango ist Jahrgang 1959. Heute lebt der gebürtige Südlondoner mit seiner Frau und seinen drei Kindern in Berkshire. Auf seinem drei Meter langen Obststand – leicht zu erkennen an seinem gelben Lieferwagen, der daneben parkt – verkauft er das ganze Jahr über saisonale Produkte. Barry selbst mag Bananen, Himbeeren und Kirschen am liebsten. Seine besten Kunden sind Portugiesen und Spanier, sie essen viel mehr Obst als die Engländer. Aber der Umsatz ist natürlich vom Wetter abhängig. „Wer sitzt im Sommer schon gerne in seinem Garten und isst Melonen, wenn der Regen kübelweise vom Himmel kommt!"

BARRYS TAG

2.30 Uhr: Aufstehen beim ersten Weckerklingeln, duschen. Nach einer Tasse Tee ist Barry Darango startklar.

3.00 Uhr: Barry verlässt das Haus in Richtung Großmarkt.

Barry Darango liebt vor allen Dingen handfeste Kost. Sein Lieblingsgericht ist der im ganzen angelsächsischen Raum bekannte Nudel-Käse-Auflauf „Macaroni Cheese". Von diesem Gericht gibt es zahlreiche Varianten, da es sich gut abwandeln lässt. Dafür eignen sich beispielsweise Tomaten, Lauch oder Paprika. Der Auflauf zählt zu den Klassikern der 50er- und 60er- Jahre wie auch „Seezunge à la Dover", „Krabbencocktail", „Pfirsich Melba" und „Crêpes Suzette". Das nachfolgende Rezept ist einfach zuzubereiten und für vier bis sechs Personen gedacht.

MACARONI CHEESE

| 3 EL Butter |
| 3 EL Mehl |
| 620 ml Vollmilch |
| 200 g pikanter Cheddar oder alter Gouda, gerieben |
| 1 TL Senfpulver oder scharfer Senf |
| Salz und Cayennepfeffer zum Abschmecken |
| 300 g kurze Makkaroni, nach der Packungsangabe gekocht |

FÜR DIE KRUSTE

| 100 g pikanter Cheddar oder alter Gouda, gerieben |
| 2 EL Semmelbrösel |
| 1 Msp. Rosenpaprika |
| 1 EL Butter, in feine Flöckchen geschnitten |

Den Backofen auf 190 °C (Gasstufe 3) vorheizen. Die Butter in einem mittelgroßen Topf zerlassen. Anschließend das Mehl einstäuben und ungefähr eine Minute bei Mittelhitze dünsten. Falls mit Senf gearbeitet wird, diesen in der Milch verschlagen. Die Milch nun portionsweise angießen und unter ständigem Rühren gut einziehen, bis die Sauce eindickt. Vom Herd nehmen. Falls mit Senfpulver gearbeitet wird, nun das Senfpulver zugeben, den Käse unterrühren und mit Salz und Cayennepfeffer abschmecken. Die Sauce glattrühren. Nun eine Auflaufform oder eine Gratinform, die einen Durchmesser von 21 Zentimetern hat, buttern. Die Sauce und die Makkaroni miteinander vermengen und in die Form geben. Für die Kruste alle Zutaten außer der Butter gut vermischen und über die Makkaroni streuen. Die Butterflöckchen gleichmäßig auf der Kruste verteilen. Das Ganze wird dann ungefähr 25 Minuten lang goldbraun gebacken, bis sich Bläschen bilden.

3.30 Uhr: Barry kommt im Obst- und Gemüsegroßmarkt New Covent Garden an. Manchmal bekommt er alle Produkte hier, manchmal muss er noch weitere Großhändler aufsuchen. Einen Speziallieferanten hat er für Bananen. Nach einem Schwätzchen mit den Kollegen wird das Obst verladen.

5.00 Uhr: Barry verlässt New Covent Garden in Richtung Portobello Market.

5.30 Uhr: Barry kommt auf seinem Standplatz an. Dort wartet sein Gehilfe Ozzie schon auf

ihn. Die Gestänge für den Stand hat er bereits aus dem Schuppen geholt, nun hilft er beim Entladen. Alles, was heute verkauft werden soll, kommt auf den Stand, der Rest in den Kühlraum oder in die Lagerung. Barry bemüht sich, so wenig wie möglich einzulagern, denn Obst muss frisch und appetitlich aussehen. Deshalb kauft er jeden Tag frische Ware ein.

8.00 Uhr: Der Stand wird aufgebaut.

9.00 Uhr: Barry schreibt die Preisschilder für seine Obstwaren aus; diese variieren je nach Jahreszeit und Angebot.

9.30 Uhr: Die Teepause verbringt er bei Books For Cooks, wo er frühstückt,

die Zeitung liest und sich eine kleine Verschnaufpause gönnt.

10.00 Uhr: Der Verkauf geht los.

18.00 Uhr: Der Stand wird abgebaut. Bis jetzt hat Barry ununterbrochen gearbeitet.

19.00 Uhr: Wenn er Zeit hat, trinkt er im Pub an der Ecke mit seinen Kumpels ein Bier.

19.30 Uhr: Barry setzt sich ans Steuer seines kanariengelben Lastwagens und fährt nach Hause.

20.30 Uhr: Als erstes geht er in die Badewanne. Seine Frau bereitet ihm unterdessen das Abendessen zu.

22.00 Uhr: Zapfenstreich.

Kommunikation wird groß geschrieben. Trotz Betriebsamkeit und oft auch Hektik nehmen sich die Standbetreiber für ihre vielen Stammkunden, aber auch alle anderen Käufer die Zeit für einen kleinen Plausch.

BOOKS FOR COOKS
KOCHBUCHLADEN UND RESTAURANT

Um die Ecke von Portobello Market hat sich ein Buchladen etabliert, dem es seit seiner Gründung im Jahr 1983 gelingt, einer nationalen und internationalen Klientel das Gefühl zu vermitteln, einen Insidertipp entdeckt zu haben: Books For Cooks, Bücher für Köche. Sterneköche, Großküchenköche, Familienköche und Singleköche, die aus London, San Francisco, Singapur oder München kommen, blättern Stunde um Stunde in diesem winzigen, aber hervorragend sortierten Kochbuchladen, stapeln vor dem gemütlichen Lesesofa direkt am Eingang Bücher um sich, kommen ins Gespräch mit gleichgesinnten Enthusiasten, notieren Rezepte, suchen unter den vielen kulinarisch ausgerichteten Postkarten nach einem passenden Souvenir oder erwerben die Profikochschür-

ze mit dem Markenzeichen des Buchladens, einem Koch, der stolz einen riesigen Kochtopf vor sich her trägt.

Es duftet nach Essen bei Books For Cooks. Das ist allerdings nicht der Phantasie der Leser zuzuschreiben, die ab und zu versonnen von ihrer Lektüre aufblicken und in Gedanken bereits eine feine Schokoladentorte backen oder dem Hummer beherzt den Garaus bereiten. Der Duft kommt aus der dem Buchladen angeschlossenen Küche. Nur wenige Schritte vom Eingang entfernt, am Ende des großen Büchertischs, befindet sich eine Nische, die so intelligent eingerichtet ist, dass zwei Köche gut gelaunt und inspiriert arbeiten können. Hier kochen sie jeden Mittag für wenige Auserwählte, die frühzeitig reserviert haben oder rechtzeitig gekommen sind. Books For Cooks verkauft aber nicht

Ein Paradies für Koch(buch)fans ist Books For Cooks: Gemütlicher Buchladen, Versuchsküche und Restaurant in einem. Vor der Eingangstür steht ein winziges Tischchen. Dort wird im Sommer ebenfalls eingedeckt.

19

che nach spannender Speziallektüre fahndeten. 1983 gründete sie Books For Cooks. 8000 Kochbücher drängen sich heute auf den schmalen Regalen, Heidi Lascelles ist vom verregneten London in die sonnenbeschienene Toskana umgezogen und bietet dort Books-For-Cooks-Ferienkurse an.

Die Zutaten für den Mittagstisch besorgt Eric Treuillé bei seinen Stammhändlern auf dem Portobello Market.

Phil hat nicht nur prächtige Tattoos vorzuweisen – zusammen mit seinem Bruder gehört ihm der Laden auch.

nur Bücher, sondern macht auch selbst welche. Ihre Jahresgaben „One Year at Books For Cooks" sind klug geschriebene, charmante Wegweiser durch den kulinarischen Weltstadtdschungel, der direkt vor der Ladentür anfängt. Der vierteljährlich erscheinende Newsletter mit Rezepten liegt umsonst zum Mitnehmen aus.

Nachdem die Ladenbesitzerin, die gebürtige Deutsche Heidi Lascelles, einst in ihrem neuen Wohnort London einige Kochbücher nicht finden konnte, beschloss sie, dem schlecht sortierten Angebot ein Ende zu bereiten: „In Deutschland wäre das nicht möglich gewesen, denn um einen Buchladen zu eröffnen, hätte ich eine entsprechende Ausbildung vorweisen müssen." In London geht das schon – da darf Erfolg haben, wer ein erfolgversprechendes Konzept hat. Heidi Lascelles entdeckte auf ihrer Suche nach einem deutschen Kochbuch, dass noch viele andere Köche

DER KOCH MIT DEN SCHÖNEN HÄNDEN

Mit 14 verließ er nicht ganz freiwillig die Schule, heute ist er Kochbuchautor für renommierte Verlage und ist inzwischen Besitzer von Books For Cooks. Nach einer Bäckerlehre lernte der gebürtige Gascogner Eric Treuillé bei einem *charcutier* und kochte in Paris und New York. Als die englische Autorin Anne Willan für ihr „Le Cordon Bleu Complete Cooking Techniques" einen in französischer Küche ausgebildeten Koch mit schönen Händen suchte, wählte sie Eric Treuillé als Modell, der daraufhin die Küchenarbeit hinter sich ließ. Neben eigenen Kochbüchern verfasste er eine umfassende Auflistung des Londoner Angebots an Kochkursen, inklusive der von Books For Cooks.

ADRESSE

Books For Cooks, 4 Blenheim Crescent, London W11, Telefon: 020/72211992, U-Bahn: Ladbroke Grove

CELERIAC RÉMOULADE

Ein Vorspeisenklassiker der französischen Küche. Wer es moderner mag, dem empfiehlt Eric Treuillé, Schinken und Kapern gegen Räucherlachs und Zitronenviertel einzutauschen.

FÜR DIE REMOULADE

1 Eigelb (von freilaufenden Hühnern)
1/2 TL Zucker
1 Prise Salz
mehrere Umdrehungen aus der Pfeffermühle
1 TL Dijonsenf
1 EL Rotweinessig
150 ml Sonnenblumenöl
1 TL frischer Estragon, fein gehackt
2 TL glatte Petersilie, fein gehackt
1–2 TL Kapern, gehackt

2 TL Cornichons, gehackt
1 Sellerieknolle
8 hauchdünne Scheiben Räucherschinken
1 EL Kapernäpfel ohne Stiel
Steakpfeffer
nach Belieben glatte Petersilie zum Garnieren

Für die Remoulade Eigelb, Senf und Essig mit einem Schneebesen zu einer Creme verschlagen. Öl aus einer Karaffe, mit der gut dosiert werden kann, unter Rühren erst tröpfchenweise, dann in einem dünnen Strahl einarbeiten. Kräuter, Kapern und Cornichons unterziehen und mit Salz, Zucker und Pfeffer abschmecken.
Sellerieknolle schälen und fein stifteln.

Je nach Größe der Sellerieknolle ein bis zwei Liter Wasser zum Kochen bringen, salzen und die Selleriejulienne ein bis zwei Minuten blanchieren. Abgießen und mit kaltem Wasser abschrecken, 15 Minuten abtropfen lassen. Auf einem Küchenhandtuch ausbreiten und trocken tupfen.
Sellerie unter die Remoulade ziehen. Auf vier Teller verteilen und mit Schinken und Kapernäpfeln garnieren, mit Steakpfeffer und Petersilienblättchen bestreuen.
Das Gericht lässt sich einen Tag im Voraus zubereiten und wird gut abgedeckt im Kühlschrank aufbewahrt. Zimmerwarm servieren und erst kurz vorher garnieren.

SCHOKOLADEN-TÖRTCHEN MIT KAPSTACHELBEEREN

„Ein Gericht, mit dem man Eindruck schindet, das aber viel weniger Arbeit macht, als man meinen könnte", sagt Eric Treuillé. Im Winter empfiehlt er statt der Kapstachelbeeren Süßkirschen aus dem Glas mit etwas Crème fraîche. Den Teig kann man am Vortag zubereiten. Für acht Personen.

FÜR DEN TEIG

125 g zimmerwarme Butter
100 g feiner Zucker
1 Prise Salz
Mark von 1 Vanilleschote
100 g Kakaopulver
150 g Mehl

FÜR DIE FÜLLUNG

600 ml Schlagsahne „extra" (Fettgehalt 36 %)
250 g Zartbitterschokolade oder -kuvertüre, in kleine Stücke gebrochen

ZUM GARNIEREN

250 g frische Kapstachelbeeren
1 EL Puderzucker

Butter, Zucker und Salz in der Küchenmaschine cremig rühren. Vanillemark und Kakaopulver gut einarbeiten. Mehl einstreuen und bei Intervallschaltung unterziehen. Teig zu einem fingerdicken Kreis formen und in Haushaltsfolie eingewickelt eine Stunde ruhen lassen. Springform (24 Zentimeter Durchmesser) buttern und kühl stellen.
Den Teig zwischen zwei großen Lagen Haushaltsfolie ausrollen und in die Springform legen. Rand großzügig beschneiden (der Teig zieht sich beim Backen zusammen). Teigreste aufbewahren. Mit einem Zahnstocher den Teigboden gleichmäßig einstechen und über Nacht abgedeckt im Kühlschrank ruhen lassen. Backofen auf 190 °C vorheizen. Boden zehn Minuten blind backen und abkühlen lassen. Wenn sich Risse gebildet haben, diese mit den Teigresten abdecken.
Für die Füllung Sahne bis kurz vor dem Aufkochen erhitzen, dann vom Herd nehmen. Schokoladenstücke einstreuen und unter Rühren schmelzen. Füllung mit einem Löffel auf dem Teigboden verteilen und mindestens drei Stunden abgedeckt kühl stellen.
Torte achteln und mit Kapstachelbeeren garnieren. Mit Puderzucker bestreuen.

FISCHMARKT BILLINGSGATE
FRISCHER FISCH
UND COCKNEY-CHARME

Die Arbeit auf dem Großmarkt (unten) lässt wenig Zeit für das Privatleben und ist nichts für Leute, die ein normales Schlafbedürfnis haben. Peter McCoy (rechts) hat sich daran gewöhnt. Er arbeitet seit 50 Jahren auf dem Fischmarkt Billingsgate.

Für zwei Dinge ist der Großmarkt Billingsgate berühmt: Hier werden jährlich 35 000 Tonnen Fisch und Meeresfrüchte umgesetzt – damit ist er der größte Binnenfischmarkt Großbritanniens. Und – hier herrscht eine Sprache, die in ihrer Derbheit an das Mittelalter erinnert. Versetzt mit einem ordentlichen Schuss Cockney-Charme, hat sie als „Billingsgate" Einzug in die Lexika gehalten und das Interesse der Sprachwissenschaftler geweckt. Bereits Professor Henry Higgins konnte sich diesem, verkörpert von Blumenmädchen Eliza Doolittle, bekanntlich nicht entziehen.

Schon im ersten Jahrhundert nach Christus hatten die Römer am Nordufer der Themse, östlich der heutigen London Bridge, ein Areal zum Be- und Entladen von Waren bestimmt, die mit dem Boot transportiert wurden. Logisch, so befinden His-

toriker, dass sich seit dieser Zeit auch ein Fischmarkt an gleicher Stelle befunden haben muss. Später bekam das Gebiet seinen Namen Billingsgate. Der Name stammt wahrscheinlich von einem früheren Besitzer des Areals mit Namen Beling oder Biling.

Billingsgate – das war und ist noch immer Schwerstarbeit. Schon kurz nach Mitternacht werden die Lastwagen vor der Halle entladen, ab drei Uhr morgens wird Musterware in die Halle verladen, um Viertel vor fünf wird die alte Glocke geläutet. Um Punkt fünf Uhr beginnt der Handel, der bis zwölf Uhr mittags per Gesetz erlaubt ist und von der Polizeitruppe der Corporation of London in drei Schichten überwacht wird. Hier ist die Männerwelt noch in Ordnung, und damit sie nicht ins Rutschen gerät, empfehlen sich auf dem glitschigen Fliesenparkett Gummistiefel mit Noppensohle.

1982 bezog Billingsgate ein neues Domizil: Die Fischhändler zogen aus der Lower Thames Street in eine neu errichtete und modernen hygienischen Ansprüchen genügende Markthalle in den Londoner Docklands. Trotz seiner

NO
CHILDREN

BILLINGSGATE MARKET
DRESS CODE

SALES
STAFF

VISITORS &
OFFICE
STAFF

PORTERS,
SHOP STAFF &
FISH HANDLERS

REDS

OX £15
AG £ 6/-

LARGE
£1

STOCK
£18/- BX

CROAKER
NOT ICED
£13/-

BEST
SNAPPER
£20/-

TIU

relativ kurzen Geschichte atmet auch dieser Marktplatz bereits Atmosphäre. In der riesigen Halle bahnen sich die Träger mit altmodischen Holzschubkarren den Weg durch das lärmige Menschengewirr, die Großhändler hängen an den Standtelefonen oder Handys, kaufen und verkaufen gleichzeitig. Die Intensität und Konzentration, mit der jeder seiner Arbeit nachgehen muss, um Verlusten und Verletzungen vorzubeugen, erinnert an den energiegeladenen Rausch eines anderen Parketts, den der Börse, die räumlich gar nicht weit entfernt ist. Dennoch könnte sich das edle Börsianerparkett der Londoner City von Billingsgate aus betrachtet auch auf einem anderen Stern befinden.

KLASSISCHE COCKNEY-KÜCHE: JELLIED EEL

Aus der bodenständigen und gehaltvollen Küche des Londoner East End stammt der gelierte Aal. Auf Billingsgate Market werden die Aale, die oft in der früher stark verschmutzten und mittlerweile wieder als unbedenklich eingestuften Themsemündung gefangen werden, in bewässerten Metallschubladen aufbewahrt und für den Weitertransport in Musselinnetze umgepackt.

I kg Aal, in fingerlange Stücke geschnitten	
1/2 Bund glatte Petersilie, fein gehackt	
I kleine Zwiebel, fein gehackt	
Wasser und Essig	
I Lorbeerblatt	
I Prise Muskat	
2 EL Pfefferkörner	
1/2 TL Salz	
etwas Chiliessig	

Ofen auf 130 °C vorheizen. Den Aal in kaltes Wasser geben und kurz aufkochen lassen. Abkühlen lassen; Haut abziehen. Fischstücke aufrecht in eine ofenfeste Form stellen, mit Petersilie und Zwiebel bestreuen. Für die Kochflüssigkeit Wasser und Essig im gleichen Verhältnis mischen; der Fisch muss vollständig mit Kochflüssigkeit bedeckt werden. Restliche Zutaten bis auf den Chiliessig zugeben. Zwei bis drei Stunden bei Niedrighitze im Ofen garen. Über Nacht abkühlen lassen und kalt stellen, bis die Kochflüssigkeit geliert ist. Mit Chiliessig abschmecken.

FISCH AUS ALLER WELT

Es gibt mehrere Gründe dafür, dass auf Billingsgate heute Fischarten aus der ganzen Welt verkauft werden. Da ist zum einen die drastische Überfischung heimischer Gewässer, die Kabeljau und Schellfisch zur Mangelware werden ließ, zum anderen die kulinarische Neugierde auf Gerichte aus anderen Ländern und Kulturen. Und zum dritten das Commonwealth. Seit Ende der 50er-Jahre kommen verstärkt Einwanderer aus der Karibik, Afrika und dem indischen Subkontinent nach England. Dass sie in London die Gerichte kochen können, die sie aus ihrer Heimat kennen und Roten Schnapper, Gelbgesäumten Zackenbarsch und Milchfisch bekommen, verdanken sie auch dem Fischhändler und Importeur Peter McCoy.

Seit 50 Jahren arbeitet er auf Billingsgate; seinen Sohn David – heute hat er den Stand gegenüber dem des Vaters – nahm er im Alter von zwei Jahren zum ersten Mal dorthin mit. Auf dem alten Markt, so erinnert sich Peter McCoy, waren sie die einzigen, die exotischen Fisch anboten. Die ersten Kunden stammten aus der Karibik. Später

Impressionen von einem Markt, auf dem Fische natürlich die Hauptrolle spielen. Damit aber alles reibungslos verläuft, sind die Sicherheitsvorkehrungen streng, es gibt sogar einen dress code (oben links).

25

Stolz präsentiert Roger Barton ein Prachtstück aus seinem Angebot: den Wahoo oder Kingfish, der über zwei Meter lang werden kann und aus der Karibik stammt. Gemeinsam mit seiner Ehefrau Maggie lenkt er den Stand wie eine „militärische Operation".

75 Jahre alt ist George Edward Wenderlish und seit 58 Jahren Träger auf Billingsgate. Er besitzt die Umgangsformen und die Ruhe eines Grandseigneur; dabei war er lange Jahre Gewerkschaftsboss.

begann die Nachfrage nach Fischen aus Afrika. Danach war es chinesische, später philippinische Ware. Ganz zu Anfang musste sich Peter McCoy die Fische sogar zeichnen lassen, weil er sie nicht kannte.

Stolz trägt er seinen Anstecker mit der ghanaischen Flagge, den Kunden ihm einmal anlässlich einer Feier zum Unabhängigkeitstag schenkten. Die Ghanaer zählen zu seinen besten Abnehmern; sie haben Peter McCoy sogar einen ghanaischen Namen verliehen: „Kofi", das heißt Freitag. Ghanaische Männer werden nach dem Tag der Woche benannt, an dem sie geboren wurden. Mit Nachnamen tauften sie den Fischhändler McCoy „Babuni" – er flirtet nämlich gerne und der Name bedeutet Spitzbube.

Die Internationalität seines Jobs liebt Peter McCoy sehr. Seine Fische kommen aus Neuseeland, Australien, Singapur, Thailand, Westafrika, Uruguay, eigentlich aus der ganzen Welt. Zu seinen Lieblingsfischen gehören Stachelmakrelen aus dem indopazifischen Raum wie der Trevally, der bis zu sechs Kilogramm schwer werden kann und in dortigen Gewässern auch aufgrund seines großen Vorkommens von wirtschaftlicher Bedeutung ist. Auch Zackenbarsche oder Grouper schätzt McCoy sehr, insbesondere die klein-

wüchsigeren Arten, die ein festes und süß schmeckendes Fleisch besitzen. Beide bereitet er auf einfachste Weise zu – in Alufolie und nur mit etwas Salz und Zitronensaft aromatisiert.

Wie viele der anderen Fischhändler auf Billingsgate Market arbeitet auch Roger Barton mit internationalen Lieferanten zusammen. Die Fangtechnologie ist inzwischen so hoch entwickelt, dass sich Fischschwärme bereits in 20 Kilometer Entfernung orten lassen. Das ist zwar kurzfristig gut für den Fischfang, langfristig wird allerdings auf diese Weise aber so manche Fischart fast ausgerottet. Schon heute verkauft Roger Barton Lachs, Steinbeißer, Heilbutt und Wolfsbarsch von Fischfarmen aus aller Welt und meint, dass in Zukunft der

Zuchtbereich noch stärker ausgebaut werden müsse.

Der Fischgroßmarkt Billingsgate steht dienstags bis samstags täglich zwischen 5.00 Uhr und 12.00 Uhr auch Privatpersonen zum Erwerb von Fisch offen. Im Erdgeschoss der Markthalle befindet sich die Handelshalle mit 98 Ständen und 30 Geschäften, darunter zwei Cafés, ein Raum, in dem Krustentiere gekocht werden, einigen Kühlräu-

„Was ich mit den Wellhornschnecken mache? – Naja, ich koche und esse sie." (Fischhändler Mick vom Stand seines Namensvetters Mick's Eels Supplies Ltd.)

WELLHORNSCHNECKEN

Die Wellhornschnecken gelten als Gesundheitspolizei des Meeres. Einige Arten ernähren sich vorwiegend von Aas. Andere bohren die Schalen anderer Weichtiere aus und haben sich dabei zu regelrechten „Austernspezialisten" entwickelt. Das hübsche kegelförmige Gehäuse der *common whelk* (*Buccinum undatum*) wird zwischen zehn bis 15 Zentimeter hoch; typisch sind die konzentrisch verlaufenden Rippen und eine Färbung zwischen zartrosa bis grün. Klassisch zubereitet werden sie einfach 30 Minuten in Salzwasser gegart und mit scharfem Essig, dem *chili vinegar*, der oft aus englischem Branntweinessig unter Zusatz von frischen kleinen Chillies gewonnen wird, serviert. Sie sind äußerst schmackhaft, aber meist nur in gut sortierten Fischgeschäften erhältlich.

Tony Lyons beliefert Cateringfirmen und Restaurants mit allem, was schwimmt. Damit Seezunge, Makrele und auch Exoten abends frisch serviert werden können, muss Tony Lyons erst einen anstrengenden und harten Arbeitstag hinter sich bringen.

men, einem Tiefkühlraum mit einer Kapazität von 800 Tonnen, einer riesigen Eismaschine und 14 verschließbaren Läden, die speziell von Zulieferern für Caterer benutzt werden und zur Aufbewahrung von lagerfähiger Ware dienen. Die Verwaltung ist im Stockwerk darüber untergebracht. Jährlich werden auf Billingsgate Market Waren im Wert von 180 Millionen Pfund umgesetzt.

WIE IM ECHTEN LEBEN – GROSSMARKT-CHARAKTERE

George Wenderlish arbeitet seit fast 60 Jahren als Träger auf Billingsgate und war lange Jahre Gewerkschaftsboss. Heute ist die Arbeit leichter geworden und die Arbeitszeiten humaner – vielleicht auch sein Verdienst. Aus dem wohlverdienten Ruhestand kehrte der selbsternannte Großvater von Billingsgate – im richtigen Leben ist er Urgroß-

vater – zurück, als seine Frau vor einigen Jahren starb und er der Einsamkeit auf diese Weise am besten entgehen konnte. Tony Lyons beliefert Cateringfirmen und Restaurants. Vier Angestellte hat er, seine Frau arbeitet mit und auch die Kinder müssen mit anfassen, wenn Not am Mann ist. Doch selbst in der größten Hektik kommen bei ihm Humor und ein freches Mundwerk nicht zu kurz. Über seinen beruflichen Werdegang befragt, gibt er an, früher mal ein gefragter Pornodarsteller gewesen zu sein. Wie seine Crew auf diese wohl im Bereich des Wunschtraums angesiedelte Auskunft reagierte, passt nicht in diesen jugendfreien Führer. Sie schockte auch den Constable George Parry gehörig, der als Vertreter der Polizeitruppe der Corporation of London auf Billingsgate Market für Ruhe und Ordnung zu sorgen hat und deshalb von den Marktbetreibern mit viel gut gemeinter, allerdings nur vordergründig respektloser Aufmerksamkeit bedacht wird. Eine kleine Welt für sich ist Billingsgate. Angenehmerweise bleibt sie Außenstehenden, die einen Blick dafür haben, nicht verschlossen.

ADRESSE
Billingsgate Market, Trafalgar Way, London E14, Telefon: 020/7987 1118, U-Bahn: Poplar

GESCHICHTE DER LONDONER MÄRKTE

Bereits der römische Geschichtsschreiber Tacitus wusste im ersten Jahrhundert nach Christus von einem florierenden Markt im damaligen Londinium zu berichten, der sich unweit des heutigen Markts Leadenhall in der Londoner City befunden haben könnte. Mit dem Rückzug der ungeliebten Römer einige Jahrhunderte später ging dann jedoch ein wirtschaftlicher Niedergang einher, und es wurde still in der Hauptstadt Britanniens. Erst als Alfred der Große im 9. Jahrhundert die Herrschaft übernahm, blühte auch London wieder auf. Im Mittelalter gab es einen großen Bedarf an Märkten, hatte sich London doch auch dank der günstigen geographischen Lage zur reichsten und größten Stadt Englands entwickelt. Alle möglichen Waren aus dem In- und Ausland wurden auf mehreren Marktplätzen rund um Eastcheap und Cheapside (*ceap* ist das angelsächsische Wort für „Markt") feilgeboten. Noch heute erinnern Straßennamen wie Bread Street, Milk Street, Poultry oder Garlick Hill an die kulinarische Vergangenheit des heutigen teuren City-Viertels.

Welche hygienischen Zustände wohl auf diesen Märkten inmitten all der engen Straßen und Gässchen geherrscht haben? Die Historikerin Reay Tannahill berichtet von Klagen darüber, dass Innereien auf dem Weg zum Markt durch den Straßendreck gezogen wurden und Hunde am Fleisch leckten, das nur wenige Minuten später einen Abnehmer fand. Doch im Gegensatz zur Hygiene bei Schlachtung und Verkauf, der man folglich nur wenig Aufmerksamkeit zu schenken schien, nahm man es mit der Organisation der Märkte recht genau.

Die Händler ließen sich in der unmittelbaren Nähe des Hofes nieder. Damit musste von königlicher Seite für die Einhaltung des Marktfriedens und einer allgemeinen Marktordnung gesorgt werden. Schon in der Antike hatten die Griechen das Konzept des Marktfrie-

Auch für die Träger war der Großmarktalltag ein hartes Brot. Man stärkte sich, wie sich das für richtige Männer gehört, mit nahrhafter Kost, nämlich einem Dunkelbier, das nach ihnen benannt wurde: *porter*.

dens mit eigener Gesetzgebung durchgesetzt, dass sich auch im Mittelalter noch als praktikabel erwies und Händler vor Raub, Diebstahl und handgreiflichem Protektionismus schützte. Nun symbolisierte ein Marktkreuz die religiöse Ausrichtung der Märkte. Die Briten übernahmen dabei ein System, das sich in Asien entwickelt und über Byzanz auf der Handelsroute den Weg nach Europa gefunden hatte, und richteten für verschiedene Warengruppen unterschiedliche Verkaufsplätze oder -orte ein. Von den drei heute noch existierenden Großmärkten Londons stammen zwei aus jener Zeit und damals wie heute sind sie spezialisiert: Billingsgate ist größter Binnenfischmarkt des Inselreichs, Smithfield größter Fleischmarkt Europas, New Covent Garden liefert Schnittblumen und landwirtschaftliche

Die Nacht zum Tage machen – diese Maxime hat auf Großmärkten eine andere Bedeutung. Hier herrscht ein geschäftiges Treiben, das fast einem Rausch vergleichbar ist. Das unwirkliche Licht tut sein Übriges.

Erzeugnisse in großem Umfang. Nach der Feuersbrunst von 1666, der wegen ihrer Holzbauweise mit Ausnahme weniger Häuser sämtliche Gebäude innerhalb der Stadtmauer zum Opfer gefallen waren, wurden mit der umfassenden Neugestaltung auch die Märkte neu reguliert. Straßenstände galten als Sicherheitsrisiko, überdachte Markthallen lösten die mittelalterlichen Plätze ab, einige Märkte wurden ganz geschlossen.

London wuchs stetig und gehörte bald zu den größten Städten Europas. Seine Märkte gewannen weiter an Bedeutung, denn nicht nur die Einwohner der Stadt kauften hier ihre Waren, sondern auch die Versorgung des restlichen Landes wurde über diese Märkte abgewickelt. Spitalfields – heute ein Biomarkt – und Covent Garden – heute als New Covent Garden Market nach Südlondon umgesiedelt – gehörten im ausgehenden 17. Jahrhundert zu den ersten neuen Märkten der Stadt.

Mit der Bevölkerungsexplosion im industriellen Zeitalter wuchs London und damit die Anzahl seiner Märkte immer weiter. 37 Märkte zählte die Stadt, als der englische Autor Henry Mayhew Mitte des 19. Jahrhunderts eine Sozialstatistik Londons aufstellte. Anfang des 20. Jahrhunderts wohnten hier sechseinhalb Millionen Menschen, die alle mit Lebensmitteln versorgt werden wollten.

BETRÜGEREIEN AUF LONDONS MÄRKTEN IM MITTELALTER

Kreativität oder schiere Not? Die Historikerin Reay Tannahill berichtet von Fällen, in denen Fleisch vor dem Abwiegen durch das Aufpusten des Bindegewebes schwerer gemacht, an mageres Fleisch die begehrte Fettschicht einfach angenäht und Brot mit falschem Gewicht verkauft wurde. Wer dabei erwischt wurde, dem drohten wahrhaft drakonische Strafen, von denen jene, die man betrügerischen Bäckern auferlegte, noch zu den Harmloseren gehörten: Sie wurden mitsamt dem zu leicht befundenen Brotlaib auf einer Art Pranger durch die schmutzigsten Straßen der Stadt gezogen und durf-

ten mit allem beworfen werden, was die aufgebrachte Bevölkerung für angemessen hielt.

Erst in den vergangenen Jahrzehnten nahm die Bedeutung der Märkte ab. Supermärkte und riesige Einkaufszentren, die in London – wie in anderen Metropolen – am Stadtrand angesiedelt sind, beliefern nun die Bevölkerung, auch wenn ihre Preise oft nicht mit denen der Marktbetreiber konkurrieren können. Die traditionellen Märkte stecken heute in der Krise. Diese Entwicklung ist bedauerlich, denn sie bieten nicht nur ein vielseitiges Nahrungsangebot, das in Preis und Auswahl allemal mit den Supermärkten mithalten kann, sondern stehen gleichzeitig für ein Stück Londoner Geschichte und Tradition – auch wenn die Märkte der Stadt im Lauf der Jahrhunderte immer wieder ihr Gesicht veränderten und sich in den vergangenen Jahren sogar einem neuen Trend angepasst haben. Denn die Londoner haben das Essen entdeckt und gehen mit Begeisterung und großem Appetit auf Entdeckungstour. Und so findet man auf Londons Märkten die gesamte Palette an Zutaten, die innovative wie auch traditionsbewusste Köche für ihre Gerichte brauchen.

BRIXTON MARKET
EINFLÜSSE AUS AFRIKA, ASIEN UND JAMAICA

Brixton Market liefert alles für die exotische Küche. Wer sich zwischen Okra und Tarowurzel nicht zurechtfindet, fragt einfach die Verkäufer. Vielleicht gibt es noch ein Rezept dazu.

Nicht länger als 15 bis 20 Minuten dauert die Fahrt vom West End ins Herz von Brixton auf der anderen Seite des Flusses. Mit der Flussüberquerung erschließt sich eine andere Welt. Der klassische Multikulti-Mix der Weltmetropolen – in London ist er hier beheimatet, wo zwischen arabischen Djellabahs, ghanaischen Togas und nigerianischen Dashikis leuchtender Stretchlycra und urbane Guerillamode aufblitzen. „Come Home To Jesus", diese Einladung buhlt mit dem Angebot von Straßenhändlern, Tarotkartenlesern und *halal*-Schlachtern um die Aufmerksamkeit von Marktgängern und Schlenderern.

Auf dem Brixton Market, der sich über mehrere Straßen und Arkaden hinzieht, lassen sich für wenig Geld die Zutaten für westafrikanische oder karibische Gerichte erwerben, ob Schweineschwanz, ob ganze Hühner, ob Brotfrucht oder Taropflanze. Gute Nerven sind beim Einkaufen empfehlenswert, denn die reizüberflutende Vielfalt arabischer und asiatischer Musik wetteifert lautstark mit der reichlichen Auswahl an Esswaren, die so manchem Marktbesucher eine Spur zu ungewöhnlich ist. Wer getrockneten Fischköpfen ungern in die trüben Augen blickt, freut sich jedoch über das große Angebot an Ge-

Electric Avenue: So schön altmodisch bietet kein Supermarket seine Schleckereien an.

müse aus aller Welt, ob Papaya oder Blätter der Kassava-Wurzel. Ein Marktbummel kommt in Brixton eher einem Kulturprogramm gleich. Das lässt sich hinterher stilvoll fortsetzen – gleich um die Ecke liegt das zweitälteste Kino Londons, das „Ritzy", im Jahr 1911 erbaut.

GRÜNE PAPAYA (CARICA PAPAYA)

In ihrer Heimat im tropischen Afrika oder Südamerika wird die Papaya (*pawpaw*) auch im grünen Zustand geerntet, dann allerdings als Kochgemüse verwendet, denn sie ist roh noch ungenießbar. In diesem Zustand ist der Anteil am verdauungsfördernden Enzym Papain besonders hoch, während der Vitamin-C-Gehalt mit der Reifung der auch als Baummelone geführten Frucht deutlich ansteigt. Grüne Papayas werden geschält und entkernt und dann ähnlich wie helles Gemüse gedünstet.

DIE GESCHICHTE DES STADTTEILS BRIXTON

Auf der Südseite der Themse liegt der Stadtteil Brixton, der eine über tausend Jahre alte und sehr abwechslungsreiche Geschichte aufweist. Im 11. Jahrhundert standen hier „Die Steine von Brihtsige", ein Treffpunkt der damaligen Bevölkerung. Bis zur Industriellen Revolution und der damit verbundenen Erschließung durch die Eisenbahn war das Gebiet mit dem mittlerweile zu Brixton verkürzten Namen ausschließlich Agrarland und wenig erschlossen. Im Jahr 1880 wurde die Electric Avenue – heute Marktplatz – als eine der ersten Straßen im gesamten Gebiet elektrifiziert; daher ihr Name. Mit der Anbindung an das Verkehrsnetz entdeckte die Mittelklasse den nicht weit vom Londoner Innenstadtgebiet gelegenen Vorort für sich. Den Vorteil der kurzen Anreise ins West End mit seinen vielen Theatern erkannten Theaterschaffende, die sich um die Wende zum 20. Jahrhundert ebenfalls in Brixton niederließen.

Nach dem Zweiten Weltkrieg erlebte England eine Immigrationswelle aus den Kolonien. Sie war nicht nach jedermanns Geschmack: Untertanen der Königin schwarzer Hautfarbe, die aus den Westindischen Inseln ins Mutterland einwanderten, hatten Schwierigkeiten, in ihrer neuen Wahlheimat eine Woh-

wallen. Selbst heute kommt es noch immer zu Übergriffen, die eindeutige rassistische Züge tragen. Auch dem Drogenproblem konnte die Stadtverwaltung von Brixton noch nicht Herr werden.

Dennoch ist das Leben – etwas gesunden Menschenverstand vorausgesetzt – in der multikulturellen Gesellschaft von Brixton ausgesprochen interessant. Den von Großkonzernen noch nicht dominierten, pulsierenden Charakter einer echten Großstadt, der Brixton so lebensecht, ursprünglich und intensiv macht, findet man selbst in London selten.

Die ganze Karibik an einem Stand: In der Granville Road findet man viele dieser hervorragend sortierten Lebensmittelhändler.

nung zu finden. Sie wurden anfangs in Kriegsbunkern im nahen Clapham untergebracht und siedelten sich in größeren Gemeinschaften bald in Brixton an, wo die Mieten erschwinglich waren.

Doch das Aufeinanderprallen zweier Kulturen verlief nicht reibungslos. In den vergangenen Jahrzehnten war Brixton zweimal Schauplatz von gewalttätigen Auseinandersetzungen und Kra-

ADRESSEN

Brixton Market, Electric Avenue, Pope's Road und Brixton Station, täglich außer sonntags, U-Bahn: Brixton
Ritzy Cinema, Brixton Oval, Coldharbour Lane, London SW2, Telefon: 020/7733 2229, U-Bahn: Brixton

CALLALOO AUS ST. LUCIA

Dieser Klassiker der karibischen Küche ist nach den Blättern der Dasheen- oder Taropflanze, die als *callaloo* bezeichnet werden, benannt. Auf den jeweiligen Inseln kann das Gericht durchaus unterschiedliche Zutaten enthalten. Für sechs bis acht Personen.

Saft von 2 Limetten
1 EL Salz
500 g Lammfleisch
500 g Hühnerfleisch
500 g Rindfleisch
1 EL Pflanzenöl
1 EL brauner Zucker
1 Zwiebel, fein gehackt
2–3 Knoblauchzehen, fein gehackt
1 Zweig Thymian, gerebelt
1/2 Bund Petersilie, fein gehackt
1/2 Bund Schnittlauch, fein gehackt
250 ml Weißwein

250 ml Wasser
1 grüne Papaya, gewürfelt
500 g Yamswurzel, gewürfelt
1 1/2 kg aromatischer Kürbis, gewürfelt
6 grüne Feigen oder Kochbananen
8 Dasheenblätter, fein gehackt
8 Tanniablätter, fein gehackt
8 Süßkartoffelblätter, fein gehackt
8 Kürbisblätter, fein gehackt
15 Okraschoten
250 ml Kokosmilch

Limettensaft mit Salz verrühren. Fleisch damit bestreichen und in mundgerechte Stücke schneiden. Öl in einem tiefen gusseisernen Topf erhitzen, den Zucker darin karamellisieren. Fleisch zugeben und anbraten. Alle Würzzutaten beigeben, Weißwein und Wasser angießen und das Fleisch abgedeckt bei Niedrighitze 30 Minuten weich garen.

Papaya und Yamswurzel blanchieren. Kürbis weich garen. Feigen oder Bananen weich garen und nach dem Abkühlen schälen. Alle Zutaten bis auf die Kokosmilch in den Topf mit dem Fleisch geben, Kokosmilch angießen und 20 Minuten abgedeckt garen bis sich das Aroma entfaltet. Bei Bedarf noch Wasser angießen, bis das *callaloo* die Konsistenz eines Eintopfes hat.

ORANGENMARMELADE

Die klassische englische Orangenmarmelade wird mit Pomeranzen zubereitet, die nur für kurze Zeit zwischen Januar und Februar erhältlich sind. Im Gegensatz zu anderen Marmeladensorten, den *jams*, werden als *marmalade* diejenigen Konfitüren bezeichnet, die noch Obstschale – meist von einer Zitrusfrucht – enthalten. Schon im Mittelalter und während der Herrschaft der Tudors waren Zitrusfrüchte erstmals nach England importiert worden. Im 18. Jahrhundert kam dann der Vorläufer der heutigen Orangenmarmelade auf – eher an Gelee erinnernd und mit fein geschnittener Zitrusschale versetzt. Zum klassischen englischen Frühstück gehört die Orangenmarmelade dazu. Dabei wird unterschieden in *golden shred* (mit geringem Anteil an fein geschnittenem Zest), *chunky*, die einen großen Anteil an grob gehackter Schale enthält, ebenso wie in helle oder dunkle Marmelade mit höherem Schalenanteil. Interessanterweise zählt neben Barbecuefleisch oder den *curries* auch die *marmalade* zu den Zubereitungen, die in der heimischen Küche oft den Männern obliegt.

Wird langsam auch auf dem Kontinent heimisch: die typisch englische Orangenmarmelade, im Gegensatz zu anderen Marmeladen nicht als *jam*, sondern als *marmalade* bezeichnet.

POMERANZEN

Die Pomeranze oder *Seville orange* (*Citrus aurantia*) wird, wie der Name schon andeutet, vorrangig in Spanien angebaut. Zum überwiegenden Teil wird die Ernte nach Großbritannien exportiert, dem weltweit führenden Hersteller von Orangenmarmelade. Die aromatische Schale der Pomeranze sorgt für den unverwechselbaren und intensiven Geschmack einer richtigen *marmalade* und hilft bei der Gelierfähigkeit. Deshalb ist der in Deutschland übliche Gelierzucker bei der Herstellung kein Muss. Pomeranzenschale wird ferner zu Orangeat verarbeitet und dient zur Aromatisierung von Likören. In Deutschland sind Pomeranzen, auch Bitterorangen genannt, bei gut sortierten Obsthändlern und auf Wochenmärkten erhältlich.

ENGLANDS KOCHENDE NATIONALIKONE

Seit über 30 Jahren schreibt Delia Smith Kochbücher und hat damit nicht nur ein ansehnliches Vermögen von schätzungsweise 24 Millionen Pfund erworben, sondern auch den nachhaltigen Respekt ihrer Landsleute, die von ihr reden wie von einer guten Freundin. „Das Rezept stammt von Delia", ist eine oft gehörte Erklärung in Londoner Küchen. Auch wenn eine neue Generation von Köchen sie zu gerne vom Podest stoßen würde – es wackelt noch lange nicht. Ihr schlicht und einfach „How to Cook Book One" betiteltes Buch, mit dem sie allen denjenigen, die zu Hause noch nicht einmal die Zubereitung eines weichen Frühstückseis gelernt hatten, die Grundzüge der Küche beibringen wollte, entwickelte sich zum bestverkauften Kochbuch des Jahres 1998. Die Fortsetzung war ähnlich erfolgreich. Über 11,5 Millionen ihrer Bücher von der Singleküche über die Jahreszeitenküche bis zu Rezeptvorschlägen für die Weihnachtszeit gingen bis heute über den Ladentisch. Das Erfolgsgeheimnis: Die Rezepte sind idiotensicher.

Angeblich begann Delia Smith mit dem Kochen, um einen Mann zu beeindrucken. Ob sie damit Erfolg hatte, bleibt ihr Geheimnis. Als Kochbuchautorin machte sie jedenfalls eine sensationelle Karriere.

ENGLISCHE ORANGENMARMELADE

Orangenhaut und -kerne in einem Tuch auskochen.

Orangenschalen nach Geschmack in dünne Scheiben schneiden.

Wichtig: Die Marmelade sollte die richtige Konsistenz haben.

Die Marmelade zum Schluss in saubere Gläser abfüllen.

Der Polarforscher Robert Scott hatte Marmelade der Firma Frank Cooper im Expeditionsgepäck; ein noch unversehrtes Gefäß wurde später bei ihm gefunden und wird heute stolz im Firmengebäude ausgestellt. Marmelade ist typisch englisch. Allerdings war James Keiller, der sie erstmals kommerziell in größerem Rahmen vertrieb, ein Schotte. Und darauf sind seine Landsleute bis heute noch stolz. Neben Keiller und Cooper gehören Wilkins of Tiptree und Chivers zu den landesweit bekannten Marmeladeproduzenten, aber auch die Hausmarken von Supermarktketten wie Tesco sind das Probieren wert. Orangenmarmelade gehört nicht nur auf den Frühstückstisch und zum Nachmittagstee, sondern in den klassischen Obstkuchen (Dundee fruit cake) und an Fleischmarinaden. Das folgende Rezept enthält Single Malt – in Gedenken an ihren schottischen Ursprung.

Für sechs bis acht Gläser.

6 Seville-Orangen
1 1/2 l Wasser
1 1/2 kg Zucker
80 ml Melasse, nach Wunsch
50 ml Single Malt

Die Orangen in einem großem Topf in einem Liter Wasser kurz aufkochen lassen und dann bei Niedrighitze köcheln, bis sie nach ungefähr einer Stunde weich sind. Nun die Orangen mit einem Schaumlöffel aus dem Wasser heben und etwas abkühlen lassen, bis sie sich gut anfassen lassen. Mit einem scharfen Messer längs halbieren und mit einem scharfen Löffel Fruchtfleisch und Kerne herausschaben und auf einen Teller geben. Fruchtfleisch und Kerne in einem Mousselintuch zusammenbinden und in einem halben Liter Wasser aufkochen und dann zehn Minuten bei Niedrig-

hitze köcheln lassen. Anschließend den Beutel gut ausdrücken und die Kochflüssigkeit aufbewahren.

Dieser zweite Schritt lässt sich auch umgehen, indem die Pomeranzen bereits halbiert in das heiße Wasser gegeben werden und die Kochzeit ungefähr verdreifacht wird.

Unterdessen die Pomeranzenschalen in dickere Stücke schneiden. Wie dick, das bleibt dem eigenen Geschmack überlassen. Wer sich an diese Marmelade erst gewöhnen muss, sollte mit dünnen Julienne-Streifen in Größe und Dicke von Streichhölzern anfangen; Fortgeschrittene mögen es vielleicht kinderfingerdick. Die weiße Innenhaut sollte dabei nicht entfernt werden; sie enthält das zum Gelieren notwendige Pektin. Schalen, Zucker und Melasse werden nun im Kochwasser des Fruchtfleisches und der Kerne erhitzt. Dabei am besten ständig umrühren, denn auf diese Weise löst sich der Zucker am besten. Nach dem Aufwallen sollte die Marmelade 30 bis 40 Minuten köcheln, bis sie zu gelieren beginnt. Eventuell eine Gelierprobe nehmen. Dazu etwas Marmelade auf einen tiefgekühlten Teller geben und im Kühlschrank abkühlen lassen. Bleiben Falten auf der Oberfläche, wenn man die Masse mit dem kleinen Finger schiebt, dann ist sie fest.

Marmelade 20 Minuten abkühlen lassen. Unterdessen die Gläser sterilisieren. Dabei sorgfältig arbeiten, um Schimmelbildung und Fäulnis zu vermeiden. Gläser mit Geschirrspülmittel waschen, heiß ausspülen und in heißem Wasser zehn Minuten auskochen. Dann umgekehrt auf ein frisches Küchenhandtuch stellen und an der Luft trocknen lassen. Alkohol unter die Marmelade ziehen und die Gläser bis knapp unter den Rand füllen.

DER BERWICK STREET MARKET
ÄPFEL, ADAMS
UND EVAS IN SOHO

itten im Rotlichtbezirk liegt der Berwick Street Market. Pralle Auslagen mit knackigen Äpfeln und saftigen Birnen konkurrieren hier auf einzigartige Weise mit Accessoires aus Lack und Latex. Direkt hinter den Marktständen liegen Geschäfte wie Sensual Thoughts, Girls! Girls! Girls! oder Adult Centre und geben den Gedanken eine eindeutige Richtung vor. Ein bisschen verrucht geht es zu, so zwischen schmalen Hauseingängen, schief hängenden Leuchtkästen, grellen Dessous und abgewohnten Häusern, die nur stundenweise Mieter finden. Besonders während der dunklen, feuchten Wintermonate herrscht auf Berwick Street Market schon am frühen Nachmittag eine laszive Atmosphäre. Auf dem ganztags geöffneten Markt weicht das nachmittägliche Zwielicht langsam der Dunkelheit, an den kleinen

Zwischen Eros-Centern und Geschäften mit eindeutigen Auslagen liegt der West End-Markt Berwick Street. Hier werden Produkte aus dem Umland angeboten – zu Preisen, die noch Spielraum für andere Vergnügungen lassen.

Das Angebot an Obst und Gemüse, Fisch und Käse setzt sich in der Rupert Street fort, wo CDs und Videos verkauft werden. Dank der verwinkelten Gässchen nicht leicht zu finden, aber die Suche lohnt sich.

Ständen werden wackelige Lampen entzündet, Waren und Gesichter sind in ein unwirkliches Licht getaucht.

Billigkeit prägt die Atmosphäre. Und der Eindruck trügt nicht. Denn so billig wie hier lässt sich Obst und Gemüse im Londoner West End sonst nirgendwo erwerben. Erotika und Exotika dominieren den Markt: Wer würde in Soho anderes erwarten? Neben Nashi-Birnen, Sharon-Früchten und Kakis glänzen Handschellen, Ledermasken und Reizwäschestücke mit Reißverschlüssen.

Zartes englische Gemüse wurde in Soho schon angeboten, bevor der etwas handgreiflichere Sex sich hier niederließ. Mitte des 17. Jahrhunderts hatte

sich in dieser Ecke ein Markt etabliert; seit Anfang des 19. Jahrhunderts ist Berwick Street Market fest im innerstädtischen Erscheinungsbild verankert. Die Anzahl der Stände ist zurückgegangen, doch Auswahl und Preis-Leistungs-Verhältnis stimmen: Es gibt hochwertige Ware, die allerspätestens gestern hätte verkauft werden müssen, heute zum Schleuderpreis noch Abnehmer findet

ADRESSE

Berwick Street Market und Rupert Street Market, zwischen Broadwick und Peter Street bzw. Brewer Street und Archer Street, London W1, U-Bahn: Oxford Circus, Piccadilly Circus, Tottenham Road

und nach Marktschließung in Körben zur kostenlosen Selbstbedienung feilgeboten wird.

Anwohner aus Sozialbauwohnungen und edel gekleidete Angestellte, die aus den mehrstöckigen Bürogebäuden eilen, beriechen und betasten das reife Obst und Gemüse, kritisch beäugt von Händlern, die nicht auf den Mund gefallen sind. Freundlich schäkern diese auch mit den Damen und Herren des Rotlichtdistrikts, die sich auf den Schichtwechsel und den Beginn ihres Arbeitstages vorbereiten. Touristen verirren sich selten hierher. Berwick Street Market – das ist Alltag. Nicht nur die Bürobediensteten, auch jene mit Sexappeal und herzhafter Schlagfertigkeit müssen leben.

Der Markt öffnet morgens um acht Uhr, liegt in der Nähe der drei belebten U-Bahnstationen Oxford Circus, Piccadilly Circus und Tottenham Court Road und ist täglich (außer sonntags) zwischen 8.00 Uhr morgens und 18.00 Uhr abends geöffnet. Der auf Nahrungsmittel spezialisierte Markt setzt sich in der anliegenden Rupert Street fort, wo CDs und Videos angeboten werden. Den Markt in Sohos verwinkelten Gassen aufzustöbern, ist die Mühe wert.

SCHWERKRAFT ODER DER APFEL FÄLLT NICHT WEIT VOM STAMM

Der Apfel gehört zu den Obstsorten, die am frühesten kultiviert wurden. Zwischen 7000 und 8000 Varietäten sind mit Namen bestimmt; natürlich werden nur die wenigsten Sorten noch verzehrt. In England haben sich die Unterschiede zwischen Koch- und Tafeläpfeln stark herausgebildet. Ein klassischer Kochapfel ist der wenig exportierte Bramley, zu den traditionellen Tafeläpfeln gehört der Pippin-Apfel mit seinen verschiedenen Züchtungen, darunter dem auch auf dem Kontinent bekannten Cox's Orange Pippin. Es war der große, grüne Flower of Kent, dessen Fall vom Baum Isaac Newton sein Gravitationsgesetz formulieren ließ. So zumindest erzählte es der Begründer der klassischen theoretischen Physik bis zu seinem Lebensende in allen Salons der Insel, was heutige Physiker mit einer gewissen Skepsis ob der genauen Apfelsorte erfüllt. Jedoch hat wie Newtons Erkenntnisse zur

Schwerkraft, der einen anderen anzieht wie die Erde den Apfel, auch der Flower of Kent überlebt. Erst kürzlich präsentierte die University of York stolz drei Nachfahren des Baums, der dem Wissenschaftler einst Schatten gespendet haben soll.

NUR ZUM ANSCHAUEN
FOOD-STILLLEBEN IN DER NATIONAL GALLERY

Gustave Courbet, Stillleben mit Äpfeln und einem Granatapfel, 1871. Obwohl die Darstellung auf nur wenige Gegenstände konzentriert ist, fasziniert sie durch die Eindringlichkeit des Ausdrucks. Der dunkle Hintergrund, eine Reminiszenz an die niederländische Malerei, bringt die Farben zum Glühen.

Dass Künstler ihren Hunger gelegentlich durch das Malen appetitanregender Bilder zu stillen versuchten, ist keine bloße Erfindung. So soll Gustave Courbet (1819–1877) mehrere Stillleben während seiner Gefängnishaft in Sainte-Pélagie gemalt haben. Eines von ihnen, eine Schale mit

Äpfeln und einem Granatapfel, hängt heute in der National Gallery und lässt die Begeisterung nachempfinden, die der Künstler in seiner dunklen Zelle beim Anblick der kräftigen Rot- und Grüntöne der reifen Früchte empfunden haben muss. Mit ihrem Realismus markiert die Darstellung einen Höhe-

punkt in der Entwicklungsgeschichte jener Kunstgattung, die im 16. Jahrhundert erfunden wurde und heute wieder eine große Anhängerschaft hat – das Stillleben mit Lebensmitteln, das so genannte Viktualien-Stillleben. In der Bildgattung „Stillleben" nimmt diese Gruppe den größten Raum ein und ist mit etlichen bemerkenswerten Beispielen in der National Gallery vertreten.

Der Zeitpunkt der Entstehung dieser Bildgattung ist kein Zufall. In der Renaissance kam eine intellektuelle Auseinandersetzung mit dem Thema „Essen" in Gang, die nicht auf die gehobene Gesellschaft beschränkt war. Die ehemals handgeschriebenen Kochbücher wurden durch Druckwerke mit einem größeren Verbreitungsgrad ersetzt; es erschienen zahlreiche moralphilosophische Abhandlungen zur Diätetik und satirische Lehrstücke, die in unterhaltsamer Form Maßregeln zum richtigen Verhalten bei der Mahlzeit propagierten. Zu ihnen gesellten sich die Stillleben als visuelle Ergänzung. Mit üppig beladenen Bankettafeln, bescheiden gedeckten Frühstückstischen, mit Kücheninterieurs und Speisekammern voller Zutaten für Festmähler und mit Marktbildern, die alles, was Land, Luft und Meer zu bieten hatten, demonstrierten die Maler den Wandel. Sie entwickelten neue, kunstvolle und

spannungsreiche Kompositionen und brillierten mit feinster realistische Wiedergabe der Objekte, die sie zugleich mit raffiniert verschlüsselten inhaltlichen Aussagen verknüpften. Damit kamen sie dem Geschmack und dem intellektuellen Ehrgeiz des finanzkräftigen Publikums entgegen, das sich mit solchen Bildern Salons und Speisezimmer dekorierte.

Ein frühes und bemerkenswertes Beispiel für die neue Gattung besitzt die National Gallery mit einem vierteiligen, 1569 bis 1570 entstandenen Bildzyklus von Joachim Beuckelaer (um 1533 bis 1575). Typisch für die frühe Entstehung ist die Kombination von stilllebenhaften und erzählerischen Elementen; die Bilder faszinieren durch ihren Detailreichtum.

Joachim Beuckelaer, Fischmarkt. Allegorie auf das Wasser, 1659. Die verschiedensten Fischarten, vom einfachen Hering bis zum selteneren Rochen, sind in Körben, Bottichen und Schüsseln unmittelbar vor den Augen des Betrachters ausgebreitet.

Jedes Bild dieses Zyklus widmet sich einer anderen Warengruppe: Gemüse und Obst, also Früchte des Landes, Fische als Ertrag des Wassers, Geflügel als Tiere der Luft und schließlich Schlachtvieh, das erst durch Braten im Feuer genießbar wird. Die Auswahl lässt erkennen, dass die Bilder als Allegorien auf die vier Elemente verstanden werden sollen. Seit langem weiß man außerdem, dass auch erotische Andeutungen und moralische Appelle in ihnen verborgen sind. So verweisen Kohlköpfe und Vögel auf Sexualität und Erotik, während mit der drastischen Darbietung zerlegter Tiere vor Völlerei und Maßlosigkeit gewarnt wird. Mit kleinformatigen Hintergrundszenen, die Episoden aus dem Neuen Testament wiedergeben, wird deutlich gemacht, dass der wahre Sinn des Lebens in einer christlichen Lebensführung liegt.

Die kleinformatigen Bilder des Niederländers Gerrit Dou (1613–1675) führen eine stille Welt vor, die von Kleinhändlern und bürgerlicher Käuferschaft bevölkert ist. Seine Spezialität, von zahlreichen Künstlern imitiert, waren beispielsweise „Schaufenster" der Lebensmittelhändler.

Eine steinerne Brüstung, überfangen von einem hohen Bogen, dient, wie der „Geflügelladen" von 1670 zeigt, als Theke, auf

Gerrit Dou, Ein Geflügelladen, um 1675. Das Bild verbindet die Bereiche von Leben und Tod. Das Leben wird durch die beiden Frauen und den Hahn im Korb, der Tod durch das Wild repräsentiert, wobei der Pfau wiederum ein Auferstehungssymbol ist. Die meisterliche Malweise ist charakteristisch für den Rembrandt-Schüler Dou.

der verschiedene Geflügelsorten und einige Gerätschaften ausgebreitet sind. Alles ist in ein stimmungsvolles, seitlich einfallendes Licht getaucht, so dass die Bildrequisiten und die handelnden Personen eine kompositorische Einheit bilden und gleichzeitig die materielle Unterschiedlichkeit geradezu greifbar wird.

Das Spiel mit unterschiedlichen Materialien ermöglichte den Malern eine Demonstration ihres Könnens. Entsprechend wurden die Gegenstände für die Bilder ausgesucht: Kostbare Gefäße aus glänzenden Metallen oder Glas, dazu Speisen, die besonders beliebt waren, und zu den ausgefallenen Festspeisen einer reichen Klientel zählten. Wie Willem Kalf (1619–1693) in einem „Stillleben mit Hummer und Trinkhorn" vorführt, war der Gegensatz zwischen dem roten, eher stumpfen Panzer und den glänzenden Gefäßen, ergänzt durch die Gewürze, den kostbaren Teppich sowie durch die fast unerlässliche Zitrone, für den Maler besonders reizvoll. Das Trinkhorn existiert noch heute. Es weist das Gemälde als Auftragsarbeit für die Amsterdamer Sebastiansschützengilde aus. Die Kundschaft kaufte solche Bilder gerne, weil

sie als Spiegel des eigenen Wohlstandes verstanden werden konnten. Sie sind demnach in der Sammlung der National Gallery ebenso häufig wie die andere beliebte Stillleben-Spezies, das Jagdstillleben, das mit seiner dekorativen Ausbreitung der Jagdbeute als besonders repräsentativ galt.

ADRESSE

The National Gallery, Trafalgar Square, London WC2N 5DN, U-Bahn: Charing Cross, Telefon: 020/77472885, Öffnungszeiten: Täglich 10–18 Uhr, mittwochs bis 21 Uhr. Der Eintritt in die ständige Sammlung ist frei.

Willem Kalf, Stillleben mit Hummer und Trinkhorn, um das Jahr 1653. Hummer werden im 17. Jahrhundert wegen ihrer markanten Farbe gerne in den Mittelpunkt der Komposition gesetzt.

DER BETHNAL GREEN MARKET
HERZ DES EAST END

"Das Herz des East End" wird der Wochenmarkt Bethnal Green auch genannt und das ist nicht nur geographisch gemeint. Der Besucher spürt, dass das Geld hier knapp ist und schon immer war. An Atmosphäre hingegen fehlt es nicht. Auf einigen Ständen wird noch heute mit altertümlich anmutenden Waagen gearbeitet und die Waren für die herzhafte Hausmannskost auf alten Holzschubkarren gestapelt, wie sie längst nicht mehr hergestellt werden. Kartoffeln, Äpfel und Kohlgemüse werden feilgeboten, dazwischen flattern Nachthemden im Wind und baumeln an hochgehängten Masten die Billigversionen von Markenhandtaschen von Prada und Vuitton.

Über die genauen Grenzen des über die Landesgrenzen bekannten East End, das sich, da die Slums des letzten Jahrhunderts und die Ruinen des letzten Weltkrieges geräumt sind, zum salonfähigen Anziehungspunkt für Künstler und andere Kreative entwickelt, ist eine Aufgabe, der sich Puristen und East Ender widmen, ohne zu einem übereinstimmenden Urteil zu kommen. Ob die klassische Definition eines Cockney, der in Hörweite der Kirchenglocken von St. Mary Le Bow in Cheapside geboren werden muss, zur geographischen Bestimmung taugt, ist umstritten, denn das East End zieht sich weit gen Osten hin. Unumstritten jedoch bilden Bethnal Green, Shadwell, Stepney, Hackney, Whitechapel und Bow das Kern-

Hier im East End wohnen die Londoner, die sich die Immobilienpreise der Innenstadt nicht leisten können. Marktbetreiber Norman Otgian beliefert die Bewohner des Viertels mit heimischen Grundnahrungsmitteln.

49

in den 60er-Jahren im eleganten italienischen Zwirn für Aufsehen sorgten, trieben hier ihr Unwesen. Der Elefantenmensch wurde hier gegen Geld in einer Freakshow ausgestellt, bis der engagierte Chirurg Sir Frederick Treves den missgestalteten Joseph Merrick, dessen Kopf einen Umfang von fast einem Meter besaß, 1884 unter seine Fittiche nahm. Und die Schwarzhemden des Hitlerfans Oswald Mosley wurden in den 30er-Jahren erfolgreich zurückgedrängt. Romantisch verbrämt kommt das einstige Proletarierviertel in der Soap „EastEnders" daher, die die BBC mittlerweile auch in das staunende Amerika exportiert.

Hölzerne Schubkarren (rechts) und anachronistische Waagen (oben) – leider heute kaum noch hergestellt – passen zum Lokalkolorit von Bethnal Green Market. Im West End mögen sie als Antiquität gehandelt werden; im East End sind sie Gebrauchsgut.

stück dieses Stadtteils mit bewegter und langer Geschichte.

William Booth gründete im East End seine Heilsarmee, die *Salvation Army*, und die Kommunisten ihre Partei. Jack the Ripper und die berüchtigten Gangsterbrüder Ronny und Reggie Kray, die

KARTOFFELN

Viele englische Standardsorten sind Knollen, die außerhalb des Königreichs eher selten zu finden sind. In den Supermärkten sind in Beutel verpackte Sorten wie die Maris Piper (zum Frittieren) oder die abgebildete King Edward (zum Backen) mit diesen Kochhinweisen versehen; der Unterschied zwi-

schen mehlig, vorwiegend fest kochend und fest kochend wird eher auf Märkten gemacht. Die Duke of York ist eine neue Sorte, in den Salat wandert die Ratte, für Bratkartoffeln eignet sich die rotschalige Desirée und zum Kochen oder Dämpfen die gelbfleischige Wilja.

PIE, MASH, LIQUOR AND BANGERS

Nicht nur „Fish and Chips" ist ein echtes East-End-Gericht. Der *pie*, ein teigummantelter Fleischauflauf, wird mit *liquor* serviert, einer Sauce, die zwar keinen Alkohol, dafür aber viel Petersilie enthält. *Mash* heißt der kalorienreiche Kartoffelbrei, der zu Auflauf oder zu Würstchen (*bangers*) gereicht wird.

Das nachstehende Rezept stammt aus dem Restaurant M. Manze, einem der typischen *kaffs*, die traditionelle Londoner Küche servieren: Gut für die Seele, schlecht für die Taille.

ADRESSE

Bethnal Green Market, Bethnal Green Road zwischen Wilmot Street und Vallance Road, London E2, U-Bahn: Bethnal Green
M. Manze, Tower Bridge Road, London SE1, Telefon: 020/7407 29 82, U-Bahn: London Bridge

TRADITIONAL MINCED BEEF PIE

2 EL Mehl
250 g Rinderhack, mit der Gabel aufgelockert
3 EL Pflanzenöl
1 kleine Zwiebel, fein gehackt
250 ml Rinderbrühe
Salz und Pfeffer aus der Mühle
250 g TK-Blätterteig
2 EL Milch

Ofen auf 200 °C vorheizen. Hackfleisch in eine Plastiktüte geben, Mehl darüber stäuben, gut verschließen und schütteln, bis das Fleisch gleichmäßig bemehlt ist. Öl in einer Pfanne erhitzen, Fleisch anbraten sowie Zwiebel darin goldgelb dünsten. Rinderbrühe angießen, mit Salz und Pfeffer abschmecken und drei Minuten köcheln lassen.
Blätterteig halbieren und eine Pastetenform mit einer Hälfte auskleiden. Fleischfüllung in die Form geben. Teigrand anfeuchten. Mit der zweiten Teighälfte abdecken, dabei mit den Fingern die Teigränder zusammendrücken. Überstehenden Teig mit einem stumpfen Messer abschneiden. Teigdeckel mit Milch bestreichen. In der Mitte des Deckels mit einem scharfen Messer einen Einschnitt machen, damit der Gardampf entweichen kann.
In 20 Minuten goldbraun backen.

LIQUOR

1 Bund glatte Petersilie oder Menge nach Geschmack, fein gehackt
3 EL Butter
3 TL Mehl
300 ml Wasser, Milch oder Rinderfond
Salz und schwarzer Pfeffer aus der Mühle

Butter in einem Topf zerlassen. Mehl einstäuben und zu einer Mehlschwitze verarbeiten. Flüssigkeit angießen und zu einer dünnen Sauce verrühren. Petersilie unterziehen. Mit Salz und Pfeffer abschmecken.

DIE HOFLIEFERANTEN
FEINSTES
FÜR DIE KÖNIGSFAMILIE

Einzelpersonen oder Firmen, die seit mindestens fünf Jahren ein Mitglied des Königshauses mit Waren beliefern oder Dienstleistungen zur Verfügung stellen, so die offizielle Definition, kommen für eine Eignungsprüfung auf den Titel Hoflieferant in Frage. Verläuft diese erfolgreich, erhält der Hoflieferant das Recht, das Wappen „seines" Royals auf den hauseigenen Produkten abzudrucken oder damit im Laden zu werben. Der Titel Hoflieferant ist nicht käuflich oder wiederverkäuflich, wird nur zeitlich begrenzt – im Normalfall auf zehn Jahre – vergeben und der Inhaber in regelmäßigen Abständen einer Überprüfung unterzogen.

Erwartungsgemäß stehen auf der Liste der Hoflieferanten, wie sie die Königin, ihr Mann, ihr Sohn Charles und die Königinmutter aufstellen, traditionsreiche und qualitativ herausragende Geschäfte. Der älteste Weinlieferant des Landes, Berry Bros & Rudd, darf sich mit dem königlichen Wappen schmücken, das Käsegeschäft Paxton & Whitfield liefert – vielleicht seine Spezialität, den „stinkenden Bischoff" – an die Kö-

Natürlich ist Berry Bros & Rudd im Internet vertreten. Aber genauso stolz pflegt der älteste Weinlieferant des Landes seine Traditionen – sowohl seine knarrenden Holzfußböden als auch seine schwarze antike Ladenfront, die 1698 gebaut wurde.

niginmutter, auch der Kaffeelieferant H. R. Higgins ist Inhaber eines *royal warrant*. Weitere Hoflieferanten sind Jeroboams, die mehrere hundert Sorten Käse in ihrem Geschäft anbieten, sowie das alteingesessene Geschäft Partridge's of Sloane Street, das hauseigene Salatsaucen und Marmeladen vertreibt. Der kleine Großhändler Hyams & Cockerton, der Londons Toprestaurants mit Trüffeln beliefert, darf die Königin mit ihren Wildpilzen verwöhnen. Selbst ausländische Küche ist derart geadelt. So beliefert Carluccio's in der Neal Street Prince Charles mit italienischen Leckereien. 800 Hoflieferanten erbrachte die letzte Zählung, darunter eine ganze Reihe von Geschäften, die auf eine jahrhundertealte Tradition zurückblicken. Doch auch königliche Dramen können

mit der Verleihung der Titel verbunden sein. Was sich zum Beispiel hinter dieser lapidaren Palastverlautbarung versteckt, muss leider Spekulation bleiben: „Nach der üblichen Überprüfung wurde ein über mehrere Jahre andauernder merklicher Rückgang in den Geschäftsbeziehungen zwischen dem Haushalt des Prinzen Philipp und dem Hause Harrods

Stolz wie einen Ritterschlag präsentieren die Hoflieferanten ihre königlichen Wappen und sind nicht minder stolz, wie es die Verkäufer von Paxton & Whitfield (links) eindrucksvoll beweisen, auf ihre eigene Leistung.

festgestellt. Somit wird der Titel nicht wieder vergeben". Vielleicht hat Prinz Philipp tatsächlich seinen Geschmack in Sachen Mode verändert (das Patent war 1956 für Bekleidung vergeben worden) oder aber sein Haushaltsvorstand hat ihm den Sparkurs diktiert, zu dem mittlerweile alle Mitglieder des Königshauses verpflichtet sind. Oder sollte ein Zusammenhang mit der öffentlich geäußerten Vermutung von Mohamed Al Fayed, dem Inhaber von Harrods, bestehen, hinter dem tödlichen Unfall seines Sohns Dodi und der Prinzessin Diana stecke ein Mordkomplott von Prinz Philipp? Das Harrods-Pressebüro kommentierte den Verlust des Titels jedenfalls gelassen: „Die Konsequenzen schätzen wir als geringfügig ein. Eine Schirmherrschaft des Königshauses ist nicht mehr das Gütesiegel, das es einst war." Im Jahr 1913 wurde das Traditionshaus mit seinem ersten Titel geehrt, und bis vor kurzem prangten dort noch alle vier königlichen Wappen in Schaufenstergröße. Ungeachtet dieser Tatsache bleibt die prächtige Food Hall mit ihrem Jugendstildekor weiterhin die Hauptattraktion des Hauses Harrods.

FRANZÖSISCH-ENGLISCHE FREUNDSCHAFT

Die Beziehungen zwischen dem Hause Charbonnel et Walker und dem Königshaus gehen über ein Hoflieferantenpatent hinaus. Edward VII., der Sohn von Queen Victoria, hatte Madame Charbonnel bei einem *chocolatier* in Paris kennen gelernt und sie dazu ermutigt, ihre Heimat zu verlassen und in London mit Mrs. Walker als Partnerin ein Geschäft zu eröffnen. 1875 wurde das Praliné in der Royal Arcade mitten im vornehmen Stadtviertel Mayfair gegründet. Noch heute finden Naschkatzen und betuchte Liebhaber sowie Ehemänner hier Außergewöhnliches und Charmantes, darunter ein Schokoladen-ABC, mit dem man silberpapierumwickelte süße Grüße verschicken kann.

Und solange bei Charbonnel et Walker die handgeschöpften Pralinen aus dem Rezeptbuch der Gründerin Madame Charbonnel gefertigt und mit weißen Handschuhen appetitlich für die Queen und für jedermann verpackt werden, hat die traditionsreiche Welt der königlichen Hoflieferanten noch keinen wirklichen Schaden genommen.

Schon von außen verlockend: Das Traditionshaus Charbonnel et Walker. Auch hier wird das königliche Wappen selbstbewusst vorgezeigt. (Rechte Seite) Plastiktragetasche von Fortnum & Mason in unverwechselbarem Türkis.

BY APPOINTMENT
TO HER MAJESTY QUEEN ELIZABETH II
GROCERS AND PROVISION MERCHANTS
FORTNUM & MASON PLC, LONDON

BY APPOINTMENT
TO HM QUEEN ELIZABETH THE QUEEN MOTHER
SUPPLIERS OF LEATHER AND FANCY GOODS
FORTNUM & MASON PLC, LONDON

BY APPOINTMENT
TO H.R.H. THE PRINCE OF WALES
TEA MERCHANTS AND GROCERS
FORTNUM & MASON PLC, LONDON

Since 1707

Fortnum & Mason
London
www.fortnumandmason.co.uk

Während wenige Straßen entfernt der Minirock und die Jugendrevolution die Welt eroberten, besann man sich bei Fortnum & Mason weiterhin auf Tradition: Die Uhr, ein Wahrzeichen des Hauses, wirkt wie aus einem anderen Jahrhundert.

FORTNUM & MASON

Es gibt Tüten, die sind zum Transport bestimmt. Getragen wird Abfall zur Mülltonne, Bierdosen, Zigaretten und Chips nach Hause. Es gibt Tüten, in denen lassen sich Dinge gut tragen. Sie haben einen Schulterriemen und einen verstärkten Boden und sind so lange verwendbar, bis in ihnen das Leergut zur Tonne wandert. Es gibt Tüten, die so exklusiv sind, dass sie jeder hat. In London sind diese dunkelgrün, aus hauchdünnem Plastik, mit Tunnelzug und goldenem Aufdruck. Doch die Tüten aus dem Hause Fortnum & Mason sind etwas Besonderes. Sie signalisieren Farbgefühl und unverkennbaren Stil. Diese Elemente setzen sich in der Fensterdekoration fort. Die Straßenfronten sind im Türkiston der Tüten gehalten, das Türkisgrün und Gold der Schaufenster strahlt etwas Heiter-Beschauliches aus. Erst als sich 1964 nur wenige Straßen entfernt auf der Carnaby Street das Swinging London ankündigte, wurde die beeindruckende, tonnenschwere Uhr, die wie aus einem anderen Jahrhundert wirkt, an der Fassade installiert. Ihr verspielter Pastellstil hat heute auch auf dem Catwalk längst wieder Einzug gehalten. Wenn Fortnum & Mason etwas macht, überdauert es ein paar Moden. Auch die Verbindungen zum Königshaus halten sich hier schon länger.

Gegründet im Jahr 1707 von dem Gebrauchtkerzenhändler William Fortnum und seinem Vermieter und Freund Hugh Mason, stand das Haus von Beginn an in königlichen Diensten, denn William war Hoflakai von George III. sein Enkel später im Gefolge von Königin Charlotte. Dann wurden die *royal warrants* verliehen, die einem Lieferanten das Recht erteilen, den Hof zu beliefern. Das erste Patent kam 1863 vom damaligen Prince of Wales. Fortnum & Mason hält derzeit drei dieser Patente – für die Königinmutter, die Königin und Prinz Charles. Bereits bei der Belieferung der Truppen im Krimkrieg hat sich das Traditionshaus auf Luxusartikel konzentriert. Anlässlich einer Truppenparade, die Queen Victoria im Jahr 1851 im Hyde Park abnahm, wurden essfertige Enten und Erbsen angeboten und daraufhin dauerhaft Fertiggerichte ins Sortiment aufgenommen. In der Belieferung der Armee Ihrer Majestät hatte Fortnum & Mason eine ebenso traditionelle wie auch außergewöhnliche Marktlücke entdeckt. Natürlich nur für die Truppenteile, die es sich leisten konnten, ihr Heimweh nach englischer Erde mit Honig, Trockenobst, Marmeladen und Tee aus dem Hause Fortnum & Mason zu stillen. Die luxuriösen Traditionsprodukte aus dem Haus Fortnum & Mason schätzen heute auch viele Touristen besonders aus dem asiatischen Raum, die sich verzückt dunkelgrüne Teeköcher in besagte türkisfarbene Tüten packen lassen.

Wer es sich leisten kann, ordert reichhaltig bestückte Picknickkörbe. Zumal von den Inhalten der Picknickkörbe von Fortnum & Mason nicht nur Menschen satt werden. Eindrucksvolle Wandbilder von Michael Dillon im Haupthaus berichten beispielsweise von einem wohl im Land der Phantasie angesiedelten Zwischenfall. Danach wären die beiden Namensgeber, Fortnum und Mason, während ihrer Weltreise auf der Suche nach Delikatessen beinahe einem Tiger zum Opfer gefallen. Der Tiger wähnte sie schon als fette Beute, als sein gieriger Blick plötzlich auf den Picknickkorb der beiden Herren fiel. Das rettete, so zumindest geht es aus dem Bild hervor, den Genießern das Leben und sie kamen mit einem bloßen Schrecken davon.

ADRESSEN

Berry Bros. & Rudd, 3 St. James's Street, London SW1, Telefon: 020/73 96 96 00, U-Bahn: Green Park
Charbonnel et Walker, 1 The Royal Arcade, 28 Old Bond Street, London W1, Telefon: 020/74 91 09 39, U-Bahn: Green Park
Fortnum & Mason, 181 Piccadilly, London W1, Telefon: 020/77 34 80 40, U-Bahn: Piccadilly
H. R. Higgins (Coffeeman) Ltd, 79 Duke Street, London W1, Telefon: 020/76 29 39 13, U-Bahn: Bond Street
Hyams & Cockerton, 41-44 Southville, London SW8, Telefon: 020/76 22 11 67, U-Bahn: Stockwell
Jeroboams, 96 Holland Park Avenue, London W11, Telefon: 020/77 27 93 59, U-Bahn: Holland Park
Partridges of Sloane Street, 132-134 Sloane Street, London SW1, Telefon: 020/77 30 06 51, U-Bahn: Sloane Square
Paxton & Whitfield, 93 Jermyn Street, London SW1, Telefon: 020/79 30 02 59, U-Bahn: Piccadilly

LONDONS SUPERMÄRKTE
EIN HYPERMODERNES
SCHLARAFFENLAND

Die Schnell-
kühlanlage für
Weine verrät,
dass sich die
Supermarkt-
kette Waitrose
Gedanken über
Kundenwün-
sche gemacht
hat. Und auch
die Auswahl
stimmt: Neben
französischen
und italieni-
schen Weinen
gibt es auch
Neue-Welt-
Weine.

Der neueste Clou in der Chelsea-Filiale des feinen Supermarkts Waitrose ist eine kostenlose Schnellkühlanlage für Weine, Champagner und Spirituosen. Kühl, kalt oder eisgekühlt sind die Varianten, unter denen der Kunde auswählen kann. Die gewünschte Flasche wird in den Automaten gesteckt, das Ziel anprogrammiert und nach einigen Minuten ertönt ein Signal. Dann entnimmt der Kunde die wunschgerecht gekühlte Flasche, bezahlt und wundert sich, warum nicht andere Supermärkte schon längst auf diese kluge Art des Kundenfangs gekommen sind.

Die Kette Waitrose ist der Rolls Royce unter den englischen Supermärkten. Doch auch der prosaischere Riese Sainsbury offeriert seinen Kunden kostenlosen Service, von dem sich auf dem Kontinent nur träumen lässt: wiederverwendbare Kartons zum Transport von Weinflaschen, ein kostenloser Weinglas- und Champagnerflötenverleih, saisonal geprägte Kochtipps auf Kärtchen zum Mitnehmen, Nahrung ohne genmanipulierte Zusätze, eine riesige Auswahl an Bionahrung. Lange Öffnungszeiten, selbst am Sonntag, sind selbstverständlich. Marks & Spencer bietet im Kühlbereich, den die Angestellten nur mit wattierten hauseigenen Jacken bewirtschaften, denn es herrscht ein sibirisches Klima, unterschiedlich vorgereiftes Obst und Gemüse, womit das Betasten der Ware unterbleiben kann. Im Bereich Fertigkost ist Marks & Spencer besonders aktiv. Ansprechend gestaltete Gerichte wie Backhähnchen, *mezze* oder Exotika, die man noch nach Büroschluss bekommt, retten einen spontanen Abend mit Freunden. Aufreißen, anwärmen, anrichten – fertig.

Noch ist das Abendessen – Fertiggerichte – appetitlich verpackt.

In dieser Küche haben sich für morgen früh die Maler angesagt …

… und heute Freunde zum Essen. Deshalb ist bereits gedeckt.

Wie praktisch! Ready Made Dinner – auch für Männer leicht.

Und so kann sich die Gattin schon mal um die Gäste kümmern.

Suppen als Fertiggerichte sind auch in England beliebt.

Mit der richtigen Küchenausstattung kann nichts schiefgehen.

Die Gäste sind zufrieden. Das Essen war so gut wie selbst gekocht.

Teller und Besteck wandern in die Geschirrspülmaschine.

HARRODS
DER MYTHOS LEBT

Einige Kaufhäuser mit prachtvollen Lebensmitteletagen sind in der Londoner Innenstadt angesiedelt. Unangefochtener Marktführer ist neben Harvey Nichols und Selfridges das Kaufhaus Harrods, dessen *food halls* sich auf 3250 Quadratmeter erstrecken. Vielleicht kein Zufall, dass das Traditionskaufhaus vor über 150 Jahren als Lebensmittelgeschäft begann. Das Angebot in reinen Zahlen verkörpert die Gigantomanie des siebenstöckigen Kaufhauses, dessen Lebensmittelhallen sich im Erdgeschoss befinden: Hunderte von Käsesorten, um die 150 Sorten Brot und ebenso viele Tees, über 1000 Weine und Spirituosen, regionale Fleischspezialitäten. In der besonders ansprechend gestalteten Fischhalle besteht je nach Saison die Wahl zwischen 50 unter-

Leider eine Seltenheit: So leer sehen Harrods nur die Angestellten kurz vor der Öffnung. Harrods ist ein Mythos und man sorgt nach Kräften dafür, dass dieser erhalten bleibt. Für die Dekorationen in der Fischhalle ist das Kaufhaus besonders berühmt.

61

schiedlichen Fischsorten und zwischen 20 bis 30 Arten von geräuchertem Fisch. Zudem gibt es alle Kaviar- und mehrere Austernsorten.

Der Geschmack macht beim Angebot nicht halt. Die wunderschön gefliesten, geschickt ausgeleuchteten Hallen sind mit verglasten Mahagonitresen bestückt, hinter denen das Personal mit aparten Strohhüten bedient. Auf großen Prunktellern werden geschickt dekoriert die seltensten und teuersten Spezialitäten jeder Halle dargestellt.

Vor Weihnachten und Ostern gerät die Kundschaft in einen wahren Kauf-rausch. 90000 verkaufte *christmas puddings* oder 20000 verkaufte Schokoladen-eier sind dann keine Seltenheit.

Wen ob des Angebots direkt bei Harrods der Heißhunger befällt, kann ihn auf vielfältige Weise stillen. Es gibt eine *chocolate bar*, eine Pizzeria, einen Sushi-Imbiss, Pökelfleisch und Bagel aus der traditionellen jüdischen Küche, eine Austernbar, einen Pub, ein Restaurant, eine Pizzeria ...

Und es gibt eine Kleider- und Verhaltensordnung. Shorts und Oberteile dürfen nicht zu knapp sein, Fotografieren ist untersagt und das Vordrängeln an

Die Illusion eines exklusiven, wohlsortierten Krämerladens wird perfekt aufrecht erhalten. In den *food halls* werden feines Naschwerk, ausgesuchte Käse und Brotsorten aus der ganzen Welt angeboten.

CHRISTMAS PUDDING

Der „Christmas Pudding" muss gut durchziehen und hält sich lange. Wer ihn Weihnachten servieren möchte, sollte ihn spätestens Anfang November zubereiten. Das nachfolgende Rezept ergibt drei Kilogramm „Christmas Pudding"; deshalb am besten in kleine Förmchen abpacken.

500 g brauner Zucker
500 g frische Semmelbrösel
80 g Mandeln, gemahlen
150 g Zitronat
80 g kandierte Cocktailkirschen
500 g Korinthen
250 g Rosinen
250 g Sultaninen
1 Karotte, fein geraspelt
1 ungespritzte Zitrone (Zest und Saft)
1 ungespritzte Orange (Zest und Saft)
7 Eier
1/4 l Guinness
2 EL Mehl
200 ml Whiskey
je 1 TL gemahlener Zimt, geriebene Muskatnuss, Gewürznelkenpulver
Butter für die Förmchen

Zucker, Semmelbrösel und Mandeln in einer großen Schüssel vermengen. Zitronat, Cocktailkirschen, Korinthen, Rosinen, Sultaninen und Karotte hinzufügen. Alles gut durchmischen. In der Mitte der Schüssel eine kleine Mulde formen; darin die Zitronen- und Orangenschale sowie den Saft und die Gewürze geben und alles miteinander verrühren. Eier mit Guinness verquirlen und nach und nach der Masse beifügen, dabei auch das Mehl einrühren. Whiskey angießen und verrühren.
Die Puddingförmchen mit Butter ausstreichen, die Mischung bis etwa zwei Zentimeter unter den Rand einfüllen und mit dem Backpapier abdecken, anschließend mit einem Deckel, Aluminiumfolie oder einem Tuch verschließen. Im Wasserbad mindestens sieben Stunden bei 95 °C garen.
Den Deckel abnehmen, damit der Dampf entweichen kann, die Förmchen dann vorsichtig aus dem Bad nehmen und abkühlen lassen. An einem kühlen, dunklen Ort aufbewahren. Vor dem Servieren eineinhalb Stunden im Wasserbad erwärmen.

Der *christmas pudding*, den die Königin alljährlich zu Weihnachten als Präsent des Königshauses verschickte, kam lange Jahre aus dem Hause Harrods. Mittlerweile ist das Geschenk „demokratisiert" und kommt nun von einer Supermarktkette.

den Tresen erst gar nicht möglich. Jeder Kunde zieht eine Nummer und wartet dann geduldig, bis sie aufleuchtet oder aufgerufen wird. Immerhin wurde das Kaufhaus im Viktorianischen Zeitalter gegründet und praktiziert noch die englische Tugend des fairen Anstellens.

ADRESSE

Harrods, 78–135 Brompton Road, London SW1, Telefon: 020/77301234, U-Bahn: Knightsbridge
Harvey Nichols, 109-125 Knightsbridge, London SW1, Telefon: 020/72355000, U-Bahn: Knightsbridge
Selfridges, 400 Oxford Street, London W1, Telefon: 020/76291234, U-Bahn: Marble Arch

THE GEORGE INN

Nicht weit von der London Bridge liegt der älteste noch bewirtschaftete Pub Londons, The George Inn.

The George Inn, südlich der Themse gelegen, gilt nicht zu Unrecht als einer der berühmtesten Pubs der Stadt. Nach dem Großen Feuer von London wurde er 1667 als *coaching inn* errichtet. Zum damaligen Zeitpunkt entstanden im ganzen Land Poststationsherbergen. In den nächsten Jahrhunderten spielten diese eine wichtige Rolle – hier lagerte nicht nur die Post, hier konnten Reisende sicher übernachten und wurden verpflegt, während die Pferde Futter bekamen oder gewechselt wurden. Die alten Relaisstationen Londons waren meist mehrstöckig gebaut, manchmal um einen Innenhof, und wiesen auf jeder Etage Galerien auf – so auch das George Inn. Bis heute existiert die frühere Relaisstation an gleicher Stelle, und die Wurzeln des George Inn reichen sogar noch weiter zurück. Bereits William Shakespeare kehrte hier ein, denn ein Gasthof befand sich seit dem 16. Jahrhundert hier. Später standen Samuel Johnson und Charles Dickens, der sie in seinem Roman „Klein Dorrit" erwähnte, an der Theke des Pubs, der sich heute im Besitz des National Trust befindet. Denkmalpflege auf englisch also: Auch Pubs gelten den Hütern der klassischen englischen Kultur als schützenswert.

DER NATIONAL TRUST

Im Jahr 1895 gründeten drei viktorianische Philanthropen, Octavia Hill, Sir Robert Hunter und Canon Hardwicke D. Rawnsley, einen Verein, der sich im Zuge der fortschreitenden Industrialisierung und der damit einhergehenden Zerstörung ganzer Landstriche und vieler alter Anwesen, Gärten und Häuser, deren Bewahrung verschreiben wollte. Das ist erfolgreich gelungen. Heute obliegt dem National Trust in England, Wales und Nordirland die Oberaufsicht über fast 250 000 Hektar Land und Küste sowie 200 Gebäude und Gärten, die als schützenswert eingestuft sind. Die gemeinnützige Stiftung, die sich durch Spenden und die Beiträge ihrer über 2,6 Millionen Mitglieder finanziert, hat aber ebenso Hotels und Pubs im ganzen Land unter Denkmalschutz gestellt.

ADRESSE
The George Inn, 77 Borough High
Street, London SE1, Telefon: 020/
74072056, U-Bahn: London Bridge

CONRAN, CARLUCCIO'S & CO.
APPETITLICHE KÜCHENOPTIK

Vom schweren Messerblock über Jasper Ware, von kunstvoll verpackten, handgezogenen Spaghetti zu Trinkbechern aus Indien, von Schäferszenen auf Feldspat bis zu minimalistischem Porzellan – ein solcher Querschnitt an Küchenutensilien und -dekoration ist bei einem Schaufensterbummel durch das Londoner West End und die hochpreisigen Wohngebiete von Chelsea und South Kensington zu entdecken.

Der Conran Shop sei ein eindeutiger Beweis dafür, befand die Londoner Stadtzeitung Time Out, dass sich guter Geschmack durchaus kaufen ließe. Das Wort „eklektisch" beschreibt den typischen Conran-Stil am treffendsten. Er mixt gekonnt das Ethnische ferner Kulturen mit dem Klassischen aus Europa, bietet Zeitgenössisches, Überbordendes, Nüchternes und sogar Praktisches. Getreu der Maxime von Firmengründer Sir Terence Conran, was das Wichtigste in (s)einer Küche sei: „Ein gutes Messer".

Gegensätzlicher könnte das Porzellanimperium Wedgwood nicht sein. Auf bald 250 Jahre klassische englische Tradition kann die Manufaktur zurückblicken und bietet diese in ihrem Haupthaus auf der Regent Street in der ganzen Bandbreite zwischen der Jasper Ware des Gründers Josiah Wedgwood, edlen Designs aus dem vorletzten Jahrhundert und modernem Alltagsgeschirr an. Auch Kristall von Waterford und feinstes *china* von Minton und Royal Doulton für den prächtigen Tisch ist, gekonnt beleuchtet und immer sorgfältig abgestaubt, ausgestellt.

Wer das Moderne mag, für den entwirft wohl David Mellor das schönste Küchengerät Londons. Edles Silberbesteck oder perfektes Design von Gebrauchsgeräten wie Muskatreiben sind in einem der bekanntesten Zubehörgeschäfte Londons zu finden. David Mellor beeinflusste andere Geschäfte wie Jerry's Home Store und bis zu einem gewissen Grad vielleicht auch einen Namensvetter königlicher Abstammung: David Linley ist der Sohn von Prinzessin Margaret und hat sich als studierter Designer mit speziellem Augenmerk auf Holz einen hohen Grad an Anerkennung erarbeitet.

Stolz auf das Heimatland verrät die Dekoration von Carluccio's. Handgezogene Spaghetti, Saucen, Kaffeebohnen und Kochbücher, vom Inhaber Antonio Carluccio verfasst (auch in Deutschland erhältlich), bestimmen das Angebot.

Metra console table £750
Sinua chair £179...

Wem der Küchen-Sinn nicht nach David Linleys handgedrechselten Obstschalen, sondern nach dem größten Schneebesen oder den kleinsten Petit-Fours-Förmchen steht, entdeckt bei Pages auf der Shaftesbury Avenue, das vorrangig Großküchen beliefert, aber auch an Einpersonenhaushalte verkauft, ein riesiges Sortiment.

Carluccio's gehört zu den Neuankömmlingen unter den italienischen Delikatessgeschäften. So geht es hier auch nicht urig zu wie beispielsweise in den winzigen italienischen Läden Sohos, sondern dezent geschmackvoll. Die Gestaltung der Verpackungen von Pasta, Reis oder Kaffee verdient durchaus eine Auszeichnung. Doch die kann bislang nur Antonio Carluccio selbst, Gründer, Inhaber und Namensgeber des Geschäfts sowie Kochbuchautor mit internationaler Auflage, vorweisen. Er

ist *Commendatore* der Italienischen Republik, eine Auszeichnung, die ihm von der italienischen Regierung als Dank für seine Verdienste um die italienische Kultur verliehen wurde.

In der Regent Street bei Wedgwood lässt sich klassisch englisches Tafelgeschirr (oben) bestaunen. In den Conran Shops (links) dagegen liebt man es moderner.

ADRESSEN

Carluccio's, 28a Neal Street, London WC2, Telefon: 020/72401487, U-Bahn: Covent Garden
Jerry's Home Store, 163–167 Fulham Road, London SW3, Telefon: 020/75810909, U-Bahn: South Kensington
David Linley, 60 Pimlico Road, London SW1, Telefon: 020/77307300, U-Bahn: Sloane Square
David Mellor, 4 Sloane Square, London SW1, Telefon: 020/77304259,

U-Bahn: Sloane Square
Pages Catering Equipment, 121 Shaftesbury Avenue, London WC1, Tel.: 020/75655959, U-Bahn: Tottenham Court Road
The Conran Shop, Michelin House, 81 Fulham Road, London SW3, Tel.: 020/75897401, U-Bahn: South Kensington
Waterford Wedgwood, 158 Regent Street, London W1, Telefon: 020/77347262, U-Bahn: Oxford Circus

KUNST AM BAU
LONDONS RESTAURANT-ARCHITEKTUR

Julyan Wickham gehört zu den einflussreichsten Restaurantarchitekten der Stadt. Sein Büro in der Edgware Road ist im Gegensatz zu seinen durchgestylten Lokalen angenehm unaufgeräumt.

Mit der wachsenden Lust am Dinieren in Restaurants – früher ein Privileg der Oberschicht – stieg in London in den vergangenen drei Jahrzehnten die Nachfrage nach gutem und innovativem Restaurantdesign. Britische Architekten und Designer wie Sir Terence Conran, Lord Rogers, Rick Mather, Linzi Coppick, Anouska Hempel, Keith Hobbs, David Collins und Julyan Wickham brachten frischen Wind in die Gastronomie-Szene. Die originellsten Restaurants Londons stammen von dem französischen Designer Philippe Starck und befinden sich in den Trendhotels The Sanderson und St. Martin's Lane.

VERNARRT IN STÜHLE– JULYAN WICKHAM

Das Design eines Restaurants hält Julyan Wickham neben der Qualität des Essens und dem Service für einen der drei Grundpfeiler moderner Restaurantkultur. Spätestens mit seinem Entwurf für das Restaurant Kensington Place gelang Wickham 1987 mit seinem Büro „Wickham & Associates Architects" der Entwurf für einen Bautypus, maßgeschneidert für Restaurants des ausgehenden 20. Jahrhunderts. Die Architekturkritikerin Samantha Hardingham beschreibt diesen Stil als „Kombination verschiedener Elemente europäischer Designtradition, [gewählt] in der Absicht, das populäre Konzept der französischen Brasserie neu aufzulegen." Ob Kensington Place, Bank, fish! oder 5th Floor at Harvey Nichols – Julyan Wickhams moderner und gleichzeitig traditionsreicher Stil ist unverwechselbar

Kensington Place: Eine voll verglaste Fassade, Parkett, Holzstühle und drei vom Boden bis zur Decke reichende, frei stehende Arbeitsstationen für die Bedienung sind markante Designmomente dieses beliebten Restaurants.

und verleiht selbst weitläufigen Restaurants eine gewisse Intimität.

Für wichtig beim Innendesign eines Restaurants hält Wickham insbesondere die Stühle. „Wenn man ein Restaurant mit 100 oder 200 Sitzplätzen entwirft, bedeutet das, es gibt 100 oder 200 Stühle. Und wenn die nicht gut aussehen", so der arrivierte Architekt in der ihm eigenen, sehr saloppen Wortwahl, „ist man ziemlich angeschmiert." Seine sehen so gut aus, dass sie nun in Serie gehen. Ein Design aus den frühen 70er-Jahren, das er damals nicht weiter verfolgte, weil er sich als Architekt und nicht als Möbelbauer sieht, wurde wie-

der aufgegriffen, als ihn der Kunde für das Kensington Place bat, auch einen Stuhl zu entwerfen. Jetzt gibt es das Objekt von der Stange zu kaufen.

Mittlerweile ist dieses Stuhldesign – unverkleidetes, etwas sperrig und dennoch leichtfüßig wirkendes Holz mit geometrischen Aussparungen – zu einem seiner Markenzeichen geworden. Auch Wandbilder findet der aufmerksame Besucher in mehreren von Julyan Wickham gestalteten Restaurants wieder. „Ich halte gerne alle Fäden in der Hand. Und wenn ich meiner Tochter oder meinem Bruder den Auftrag zu einem Wandbild gebe, habe ich damit si-

cher gestellt, dass die Restaurantbetreiber leere Wände später nicht mit diesen schrecklichen Kunstdrucken voll hängen." Denn Wandbilder funktionieren seiner Ansicht nach wie Fenster. Sie sollen einen Blick auf die Welt draußen vor der Tür freilegen.

VOM HIPPIE ZUM DESIGNER

Aus Zufall ist Julyan Wickham Restaurantdesigner geworden – und weil es in den 60er-Jahren in London noch keine gute und gleichzeitig erschwingliche Küche gab. Wickham und seine Freunde hatten die Idee, ordentliches Essen in einem ansprechenden Umfeld zu liefern. „Damals hielt uns jeder für verrückt. Alle waren viel zu sehr mit dem Kiffen beschäftigt, um sich Gedanken über das Essen zu machen."

Aus einem Rockpub in Camden Town entwickelte sich ihr erstes Projekt Dingwall's Dance Hall. Pubs betrat man zu dieser Zeit meistens nur mit dem Ziel, bis abends um elf Uhr sinnlos betrunken zu sein. Wickham schwebte etwas anderes vor. Dingwall's Dance Hall besaß eine Bar, eine große Bühne, auf der Rockbands auftreten konnten, und eine Tanzfläche. Serviert wurden Hamburger. Augenzwinkernd erinnert sich Wickham an diese Gründerjahre: „Wir

fish!: Ein Pavillon aus viktorianischer Zeit, unweit der ehrwürdigen Southwark Cathedral und der Tate Modern, wurde von Julyan Wickham optisch für das neue Jahrtausend gerüstet. Die klare Architektur setzt sich im eindeutigen Angebot fort: Es gibt Fisch.

Der Opulenz vergangener Tage wird im Restaurant Criterion gehuldigt. Decke und Wände sind mit Halbedelsteinen verkleidet.

hatten anfangs alle keine Ahnung vom Kochen und waren völlig überrascht, dass Hamburger, wenn man sie richtig macht, kein Plastik enthalten müssen. Rindfleisch schmeckt viel besser."

Sein großes Vorbild ist noch heute die Pariser Brasserie La Coupôle, in der man wegen ihrer enormen Größe nie reservieren muss, höchstens mal ein paar Minuten warten. Man trifft sich dort mit Freunden, lernt vielleicht neue Leute kennen und isst gut. „Es gibt Architekten, die glauben, Restaurantdesign sei anspruchslos und unter ihrer Würde. Ich finde das überhaupt nicht. Restaurants sind sozialer Raum. Das macht es so spannend, sie zu entwerfen." Und schwierig.

FIFTH FLOOR AT HARVEY NICHOLS

Julyan Wickham ist es als einem der wenigen Architekten gelungen, mit seinen Restaurants wirkliche Sozialräume zu schaffen, inspiriert von der Kaffeehauskultur anderer europäischer Länder. So entwarf er 1992 im fünften Stock des berühmten Kaufhauses Harvey Nichols, zu dessen Stammkundinnen einst Prinzessin Diana gehörte, ein wahres Schlaraffenland für Gourmets und Leckermäuler. Auf 3000 Quadratmetern gibt es alles, was das Herz begehrt: ein Café, eine Cocktailbar, einen Büchertisch, ein Restaurant und sogar einen Supermarkt. „Der Auftrag war, eine Markthalle im fünften Stock zu entwerfen. Ein ungewöhnliches Ansinnen, denn Märkte sind normalerweise ebenerdig. Deshalb haben wir versucht, der Abteilung die Atmosphäre eines Straßenmarkts – Briefkasten inklusive – zu verleihen. Alles sollte dem Einkäufer suggerieren, er befände sich auf der Straße", erklärt Julyan Wickham die Konzeption dieses edlen Marktplatzes, der dank eines separaten Aufzugs direkt von der Straße aus erreichbar ist.

Der Zweiteingang erfüllt daneben auch noch einen weiteren Zweck: Auf diese Weise kann das Restaurant noch geöffnet bleiben, während die darunter liegenden Etagen mit den Geschäften für Designermode und Luxuskosmetik schon längst geschlossen sind. Das Problem mit der Beleuchtung wurde mittels einer großen Aussparung in der Decke gelöst, durch die das natürliche Licht in den überdimensional großen Raum fluten kann und eine angenehme Atmosphäre schafft.

Im Mezzo kann man zu Jazz-klängen speisen und sich als Teil der *in-crowd* fühlen. Die unterkühlte läs-sige Eleganz ist ein Marken-zeichen des Designteams von Sir Terence Conran, der gleichzeitig auch als Restau-rantbetreiber verantwortlich zeichnet.

Fröhlich radelt das Markenzeichen von Michelin schwer bereift die Fassaden des Bibendum-Gebäudes entlang. Auch die Innenausstattung ist edel mit einem Schuss Humor. Den Reifen nachempfunden ist beispielsweise ein Weindekanter.

STREIFZUG DURCH RESTAURANTS

The Criterion hat die verführerische Opulenz vergangener Zeiten. 1874 baute Thomas Verity das Criterion am Piccadilly Circus. Es gehört bis heute zu den schönsten Restauranträumen der Metropole und vielleicht Europas. Mittlerweile steht es unter Denkmalschutz. Die berühmte Mosaikdecke und die mit Lapislazuli, Rosenquarz, Malachit und anderen Halbedelsteinen verkleideten Wände verleihen dem Restaurant einen festlichen Glanz oder, wie es Square Meal, einer der vielen Restaurantführer beschreibt, „unglaublich viel Sex".

Das Mezzo war bei seiner Eröffnung im Jahr 1995 in Soho Stadtgespräch. Ein weiteres Mal hatte Sir Terence Conran als Betreiber und Designer einen Coup gelandet. Diesmal mit einem Restaurant, das durch seine schiere Größe beeindruckte. 700 Sitzplätze auf zwei Etagen zählt das Restaurant, mehr als 100 Köche arbeiten hier, 14 Telefonleitungen stehen für Tischreservierungen zur Verfügung. Täglich ab 10 Uhr abends spielt auf der kleinen Bühne im unteren Stockwerk eine Jazzband – passende Musik für dieses coole Ambiente.

Nunc est Bibendum: 1911 errichtete der Reifenhersteller Michelin im feinen Stadtteil South Kensington seinen englischen Firmensitz im Jugendstil, ähnlich wie auch das berühmte bereifte Männchen. 1985 gab das Unternehmen diese Niederlassung auf, die prompt von Sir Terence Conran und Buchverleger Paul Hamlyn gekauft wurde. Diese beiden errichteten dort das nach dem Michelinmännchen benannte Restaurant Bibendum. Die Austernbar im Foyer rundet das Bild stilvoll ab. Das Michelin House gilt im Übrigen als „das französischste unter den edwardianischen Gebäuden Londons".

ADRESSEN

Bank, 1 Kingsway, London WC2, Telefon: 020/73 79 97 97, U-Bahn: Aldwych

Bibendum, Michelin House, 81 Fulham Road, London SW3, Telefon: 020/75 81 58 17, U-Bahn: South Kensington

fish!, Cathedral Street, Borough Market, London SE1, Telefon: 020/72 34 33 33, U-Bahn: London Bridge

Kensington Place, 201-208 Kensington Church Street, London W8, Telefon: 020/77 27 31 84, U-Bahn: Notting Hill Gate

Mezzo, 100 Wardour Street, London W1, Telefon: 020/73 14 40 00, U-Bahn: Piccadilly Circus

The Criterion, 224 Piccadilly, London W1, Telefon: 020/79 30 04 88, U-Bahn: Piccadilly

The Fifth Floor Restaurant at Harvey Nichols, Knightsbridge, London SW1, Telefon: 020/72 35 50 00, U-Bahn: Knightsbridge

OSTEUROPÄISCHE PRÄGUNG

In Golders Green gibt es noch heute Traditionsrestaurants wie das Bloom's, die die jüdische Ashkenasim-Küche pflegen. Die Öffnungszeiten vorher erfragen, denn oft richtet man sich hier noch nach den Sabbath-Vorschriften.

Bereits Ende des 11. Jahrhunderts waren die ersten Juden mit William the Conqueror aus Frankreich nach London gekommen, wurden aber ein Jahrhundert später wieder vertrieben. Erst unter Cromwell wurde im Jahr 1656 die Ausübung der jüdischen Religion in England zugelassen. Ursprünglich siedelten sich die Juden im East End an; in den 20er- und 30er-Jahren begann dann ein Exodus in Vororte wie Dalston und Golders Green, die noch heute über eine vielköpfige jüdische Gemeinde verfügen. Anfangs siedelten vorrangig Juden aus dem sephardischen (orientalen) Kulturkreis in London an; zwischen 1881 und 1914 folgten über 100 000 Ashkenasim-Juden aus Mittel- und Osteuropa, wo die klassische jiddische Küche beheimatet ist.

Im Gegensatz zur handfesten ostjüdischen Küche ist die sephardische Küche für ihre Raffinesse und Vielfalt berühmt. Sie lässt sich in vier Richtungen aufteilen – die Judeo-Spanische, die Küche des Maghreb, die Judeo-Arabische und die jüdische Küche des Iran und Irak. Anders als die Ashkenasim-Küche wurde die sephardische Küche lange Zeit den entsprechenden Länderküchen zugeordnet – beispielsweise denen des Vorderen und Mittleren Orient – und findet erst jetzt ihre eigene kulinarische Identität.

In allen Ländern der Welt, in denen sich Juden niederließen, verbanden sie einheimische Zutaten, Gewürze und Kochgewohnheiten mit den Speisevorschriften des jüdischen Glaubens und schufen, ob in Italien, Jemen oder Polen, Israel oder Spanien, Deutschland oder Amerika, eine unverwechselbare Küche. So ist die jüdische Küche trotz der religiösen Speisevorschriften eine beeindruckend vielseitige. In London ist diese stark von der Küche des Ostens geprägt, Polen und Russland finden sich kulinarisch auf den Speisekarten wieder. Viele religiöse Feste, die auch immer Familienfeste sind, sorgen dafür, dass die jüdische Esskultur ihre Eigentümlichkeiten bewahrt.

WAS IST KOSCHER?

Der Überlieferung nach wurden Mose auf dem Berg Sinai mit den Zehn Geboten auch die Grundlagen für die koschere, also reine Ernährung des jüdischen Volkes übergeben. Diese wurden, wie die Zehn Gebote auch, in der Folgezeit interpretiert und erweitert. Im 15. Jahrhundert veröffentlichte Joseph

© Hulton Arch

Diesen Berg Matze buken zwei Bäcker um 1930. Das ungesäuerte und hefefreie Brot aus der klassichen jüdischen Küche wird traditionell zum Pesach-Fest gegessen.

gebildeter Schächter muss große Schlachttiere mit einem einzigen Schnitt töten, um ihnen so wenig wie möglich Schmerz zuzufügen. Blut gilt nicht als koscher, bei der Schlachtung muss auf eine sorgfältige Ausblutung geachtet werden. Milch- und Fleischprodukte werden getrennt voneinander zubereitet; in vielen Haushalten gibt es zur koscheren Zubereitung sogar zwei vollständige Kochsets, die nicht verwechselt werden dürfen. Obst und Gemüse dürfen ohne Einschränkung verzehrt werden. Das gilt allerdings nicht für Fleisch. Wiederkäuer und Tiere mit gespaltenen Hufen, die in diesen keine Beute halten können und deshalb eindeutig keine Raubtiere sind, sind koscher. Schweine, Kaninchen, Pferde und Jagdvögel führen in der jüdischen Religion deshalb ein sicheres Leben. Wegen der vorgeschriebenen rituellen Schlachtung sind auch die Tiere *terefah*,

Caro die wichtigste Sammlung jüdischer religiöser Gesetze, von denen sich ein Abschnitt mit der „richtigen" Ernährung befasste. Die Grundzüge: Ein aus-

DER JÜDISCHE DACHVERBAND BETH DIN

Der Dachverband Beth Din hat mehrere Niederlassungen in London. Er kümmert sich um eine ganze Bandbreite von religiösen und juristischen Themen, um legale Probleme oder Familienrecht, ob Adoption, ob Glaubensvertretung – bis hin zur koscheren Ernährung. Das *Kashrut Department* ist für die Überprüfung

der Einhaltung von Speisevorschriften zuständig. Diese beziehen sich nicht nur auf die vorschriftsmäßige Schächtung von Tieren, sondern auch auf Lebensmittelprodukte, sei es israelischer Chardonnay, englische Ingwermarmelade oder amerikanische Erdnussbutter. Entsprechende Listen sind auf Anfrage erhältlich.

also unrein, die mit Gewehren erlegt wurden oder eines natürlichen Todes starben. Für Fische gelten ähnlich eindeutige Vorschriften – nur Tiere mit Schuppen und Flossen sind koscher. Dank der Erfindung des Mikroskops, mit dem man auf einigen Fischen Schuppen ausmachte, die vorher mit bloßem Auge nicht zu erkennen gewesen waren, werden diese Vorschriften teilweise neu diskutiert. Eindeutig ist jedoch das Verbot von Krustentieren, Kalmaren, Steinbutt, Drachenkopf, Glattrochen oder Aal. Über die Jahrhunderte wurden für diese strengen Vorschriften unterschiedliche Gründe angeführt; heute ist man der Meinung, dass diese Auflagen auch ganz realen Fragen der Lebensmittelsicherheit entsprangen und gesundheitlichen Risiken vorbeugen sollten. Die großen Restaurants der Welt haben übrigens aus hygienischen Gründen die strenge Trennung zwischen Fleisch- und Milchprodukten übernommen.

Soul food in Golders Green

Rund um Golders Green, einer jüdischen Enklave im Norden Londons, haben sich mehrere Restaurants etabliert, die heimische Küche aus dem osteuropäischen Raum anbieten. Wer sich an jüdischer Seelennahrung gestärkt hat, kann danach einen schönen Spa-

STANDARDS DER OST-JÜDISCHEN KÜCHEN

Heute hat sich in London die russisch-polnische Ausrichtung in der jüdischen Küche durchgesetzt.

Chopped liver: Gehört auf jeden Sabbath-Tisch und soll Vorreiter der *pâté de foie gras* sein.

Gefilte fish: Jüdischer Klassiker mit Weißfisch, sehr zeitaufwendig, aber köstlich.

Lokshen pudding: Ein Nudelauflauf, dessen Form an Mädchenlocken erinnert.

Blintzes: Süße gefüllte Pfannkuchenröllchen.

Kneidlach: Dem Wort Knödel entlehnt sind die Bällchen aus Matzemehl.

Latkes: Fritierte Kartoffeln, die besonders zum Hanukkah-Fest serviert werden.

Borscht: Süßsaure Suppe mit roter Bete, einem Lieblingsgemüse der jüdischen Küche.

ziergang nach Hampstead Heath unternehmen. Es sind zwar einige Kilometer zu bewältigen, doch die Aussicht von Kenwood House oder Parliament Hill lohnt sich auch aus dem Grund, weil die jüdische Küche nicht als kalorienarm gilt.

ADRESSEN

Bloom's, 130 Golders Green Road, London NW11, Telefon: 020/84551338, U-Bahn: Golders Green

Solly's Exclusive, 146–150 Golders Green Road, London NW11, Telefon: 020/84552121, U-Bahn: Golders Green

HAMANOHREN

Die Hamanohren stammen aus dem sephardischen Kulturkreis und werden zum Purim-Fest verzehrt. Sie erinnern an den persischen Beamten Haman, der während des babylonischen Exils ein Dekret zur Vernichtung der Juden durchsetzen wollte. Gleichzeitig gedenkt man mit dieser Speise allen späteren Versuchen, das jüdische Volk auszulöschen. Die Aschkenasim backen Hamantaschen, gefüllte dreieckige Kekse. Das nachstehende Rezept fand Claudia Roden in der Türkei.

3 Eier
2 EL Brandy oder nach Belieben
1 Prise Salz
300 g Mehl
Sonnenblumenöl zum Ausbacken
Puderzucker und Zimt zum Bestäuben

Eier, Brandy und Salz in der Küchenmaschine leicht verschlagen. So viel Mehl einarbeiten, bis man einen weichen Teig erhält. Dann zehn Minuten von Hand zu einem glatten und elastischen Teig verkneten. Ist er zu klebrig, weiteres Mehl einarbeiten. In Frischhaltefolie wickeln und 15 Minuten bei Zimmertemperatur ruhen lassen. Teig halbieren und beide Häften auf einer bemehlten Arbeitsfläche mit einem bemehlten Nudelholz so dünn wie möglich ausrollen, dabei von der Mitte nach außen arbeiten. In vier mal zehn Zentimeter breite Streifen schneiden, jeden Streifen in der Mitte so zusammendrücken, dass eine Schmetterlingsform entsteht – das soll an die Ohren Hamans erinnern. In fünf Zentimeter tiefem, gut heißem Öl goldgelb frittieren. Auf Küchenkrepp abtropfen lassen. Mit Puderzucker und Zimt bestäuben und abgekühlt servieren.

CHOPPED LIVER

Wer ein Geheimrezept für chopped liver besitzt, hat ausgesorgt. Denn die Kunst, aus den einfachen Zutaten Hühnerleber, Zwiebeln und Eiern etwas wirklich Leckeres zu zaubern, beherrschen nur wenige Köche, die deswegen eine gehörige Portion Anerkennung genießen. Das nachstehende Rezept stammt von Suzanne Norman, deren gehackte Leber nicht nur von ihrer charmanten jüdischen Großfamilie, sondern auch von Michael Winner, der früher als Regisseur von bedenklichen Actionfilmen und heute als laut tönender Restaurantkritiker des Inselreiches tätig ist, zur besten von ganz London erhoben wurde. Suzanne Norman war so großzügig, die Erlaubnis für den Abdruck zu erteilen. Das ist beileibe nicht selbstverständlich.

In jüdischen Großfamilien kursieren schaurige Geschichten über die Zubereitungsarten von gehackter Hühnerleber, die mitsamt ihren Schöpfern ins Grab wanderten ...

200 g Hühnerschmalz mit Fleischanteil
7 Eier, in 10 Minuten hart gekocht
500 g Hühnerleber, ohne Sehnen
1 große Gemüsezwiebel, in feine Ringe geschnitten
Salz und Pfeffer
Salatgurke nach Belieben für die Garnitur

Schmalz bei Mittelhitze in der Pfanne zerlassen, alle nicht geschmolzenen harten Stücke entfernen. Die Zwiebel im Fett goldgelb und glasig dünsten. Hühnerleber dazugeben und bei Niedrighitze unter mehrfachem Wenden weich braten, salzen und pfeffern. Mit Gabel und Messer zerhacken, aber nicht pürieren, denn die glatte Konsistenz verändert den Geschmack. Kurz abkühlen lassen. Sechs Eier hacken und unter die Leber heben. Nochmals abschmecken. Das letzte Ei in Scheiben schneiden und für die Garnitur verwenden; dafür eignet sich auch Salatgurke gut. Zur chopped liver werden entweder der jüdische Brotzopf chollah oder Cracker gereicht.

Suzanne Norman in ihrer geräumigen Küche. Die chopped liver der Modejournalistin (und stolzen Großmutter) gilt nicht nur in der eigenen Großfamilie als unerreicht. Sie wurde auch als beste der ganzen Stadt ausgezeichnet. Als Dekoration verwendet Suzanne Norman ein gehacktes Ei oder Scheiben von der Salatgurke.

Eier, Hühnerleber und Zwiebeln sind die Grundzutaten von *chopped liver*.

Feine Zwiebelringe im Schmalz bei leichter Hitze dünsten, bis sie goldgelb und glasig sind.

Die Hühnerleber gehackt dazu gegeben und bei Niedrighitze braten. Mit Salz und Pfeffer abschmecken.

Das Ganze mit Gabel und Messer hacken: So bekommt sie die richtige Konsistenz.

Die hartgekochten Eier mit der Reibe zerkleinern.

Die hartgekochten Eier unter die *chopped liver* ziehen.

DER BIOMARKT BOROUGH
MIT KOCHBUCHAUTORIN
LYNDA BROWN UNTERWEGS

„Ein Meisterwerk" nannte der Kochkollege Nigel Slater Lynda Browns „Modern Cook's Handbook", als es vor einigen Jahren erstmals in Großbritannien erschien. Das unumwundene Lob der Konkurrenz ringt der zierlichen und engagiert ökologisch lebenden Lynda Brown ausnahmsweise nur ein verschämtes Lächeln ab, normalerweise strahlt sie, besonders auf Märkten. Märkte sind für Lynda Brown ein Paradies, das sie mit Entdeckerfreude und Wissbegier zu erkunden weiß. Der Biomarkt Borough interessiert sie ganz besonders.

Kundig und prüfend geht sie von Stand zu Stand, interessiert konversiert sie mit den Betreibern, die oft auch Erzeuger sind, nur zu gerne lässt sie sich von deren Enthusiasmus anstecken. Allerdings weiß Lynda Brown auch sehr genau, was Qualität ist und hat diese Er-

Lynda Brown in ihrem Element: mit Marktbetreibern diskutieren. Das Lammfleisch von diesem Stand kommt aus dem Lake District im Nordwesten des Landes. Die lange Anfahrt nach London nehmen die Züchter in Kauf.

fahrung in mittlerweile sechs Büchern an ihre Leser weitergegeben. Wer lieber Radio hört: Sie arbeitet auch als Funk-journalistin.

Interesse am Essen hatte Lynda Brown schon immer. Der Gedanke, nicht kochen zu können, kam gar nie auf. Aber erst ihr Mann Rick, Teilhaber in einer Beraterfirma, hat sie dazu gebracht, das Kochen wirklich ernst zu nehmen. Zu kochen begonnen hat sie mit einem alten „Cordon Bleu"-Koch-buch und der englischen Kochbibel „Good Things" von Jane Grigson. Irgendwann stellte sie fest, dass sie die ganze Zeit entweder in der Küche oder beim Stöbern durch Kochbücher ver-brachte. Dann hatte sie ihren ganzen

Mut zusammen genommen und Jane Grigson einen Artikel geschickt. Der wurde veröffentlicht, Lynda Brown gewann einen Kochwettbewerb, schrieb ein Buch, bekam eine tägliche Zeitungs-kolumne im „Daily Telegraph", schrieb noch ein Buch und so ging es weiter. Ihre neueste Veröffentlichung in England beschäftigt sich mit Bionahrung: „Organic Food" ist ein Wegweiser durch das große Angebot, dass sich mittlerweile auch auf der Insel finden lässt.

LONDONS SPEISEKAMMER

Ganz begeistert ist Lynda Brown, als sie auf dem Borough Market, auch *London's larder*, die Speisekammer Londons genannt, Lammfleisch aus dem Lake District im Nordwesten des Landes entdeckt. „Ganz selten sind diese Herdwick-Läm-mer", erklärt sie, „sie sind anspruchslos, grasen bergige Hänge ab und liefern süß schmeckendes Fleisch." Die Erzeuger sind jedes Wochenende auf dem Markt, obwohl die Anfahrt nach London sieben bis acht Stunden dauert. Solch Engagement beeindruckt auch die „Beinahe-Vegetarier".

Faszinierend einfach sind Lynda Browns Tipps für den Einkauf. Bei Frischfisch achte man auf glänzende Haut, klare Augen und rote Kiemen. Das Fleisch darf nicht wabbelig wirken, dafür aber ruhig noch etwas Schleim

„Coca-Cola-Jungfrau" sei sie, lächelt Lynda Brown. Das scheint ebenso gut für die schlanke Linie zu sein, wie täglich zu kochen, zu gärtnern, über Essen zu schreiben und Rezepte zu probieren.

aufweisen – und natürlich nie nach Fisch riechen.

Und Eier schmecken am besten, wenn sie aus einer kleinen Hühnerschar stammen. Das hat laut Lynda Brown nichts damit zu tun, ob die Schar auf biodynamische Weise gehalten und ernährt wird. Sie glaubt ganz einfach an das noch aus den 70er-Jahren stammende Credo *small is beautiful*: Ab einer gewissen Größe leidet ihrer Meinung nach die Qualität: Bei einem guten Ei zeichne sich das Eigelb durch eine stärkere Dichte aus. Bei der Herstellung von Mayonnaise merke man das sofort. Sie wird immer fest, bekommt mehr Glanz und einen appetitlichen Goldton. Auch das Eiweiß wird nie glibberig,

selbst wenn es nur für kurze Zeit gekocht wird. Lynda Brown ist davon überzeugt, dass diesen Standard nur kleine Betriebe erreichen.

Borough Market gehört zu den ältesten und geschichtsträchtigsten Märkten einer an geschichtsträchtigen und alten Plätzen reichen Stadt. Bereits im Jahr 1014 war auf der damals von König Knut errichteten London Bridge in unmittelbarer Nähe des heutigen Marktplatzes ein Markt urkundlich verzeichnet. Seit 1756 hat der Borough Market seinen heutigen Platz – der einzige Obst- und Gemüsegroßmarkt Londons, der seinen ursprünglichen Standort beibehalten konnte. In der architektonisch ansprechenden Halle, die durchschnittlich einmal in der Woche auch für Filmaufnahmen genutzt wird, findet von montags bis donnerstags in den frühen Morgenstunden der Großmarkt statt.

Fangfrische Jakobsmuscheln vom Stand der Shell Seekers, die früh morgens ihre Bänke abernten und die Ausbeute hier verkaufen. Am besten am Stand öffnen lassen. Nur wenige Minuten grillen; dazu ein Basilikumpüree aus frischen Blättern und Olivenöl.

Auf dem Biomarkt werden auch Fertiggerichte, vom Eintopf bis hin zum süßen Nachtisch, angeboten. Wer möchte, kann sie gleich essen oder sie sich für zu Hause einpacken lassen.

Freitags von 12.00 Uhr bis 18.00 Uhr und samstags von 9.00 Uhr bis 16.00 Uhr sind die Öffnungszeiten angenehmer: Nun orientiert sich das Angebot am innerstädtischen Alternativ- oder Yuppiegeschmack und Einzelpersonen oder Familien durchstöbern den Markt. Gleich nebenan liegen Pubs und Spezialitätengeschäfte wie Neal's Yard Dairy oder Konditor & Cook. Nur wenige Gehminuten entfernt steht die im Jahr 852 als Priesterseminar begründete Southwark Cathedral, daneben das Globe Theatre und Londons neuer Publikumsmagnet, die Tate Modern.

Ein Tipp: Die Touristenattraktion des Horrorkabinetts London Dungeon mit seinen nachgestellten Folterstätten und nachgebauten viktorianischen Straßenzügen kann sich sparen, wer über etwas Vorstellungsvermögen verfügt. Unter dem Markt befinden sich noch heute zwei historische Gefängniszellen.

ADRESSEN

Borough Market, 8 Southwark Street, London SE1, Telefon: 020/74 07 10 02, U-Bahn: Borough
Konditor & Cook, 22 Cornwall Road, London SE1, Telefon: 020/72 61 04 56, U-Bahn: Borough
Neal's Yard Dairy, 6 Park Street, London SE1, Telefon: 020/76 45 35 54, U-Bahn: Borough

LYNDA BROWNS REZEPT-VORSCHLÄGE

MAYONNAISE

Mayonnaise selbst herzustellen, ist ganz einfach – sagt Lynda Brown. Ein paar Faustregeln gilt es zu beachten: Je frischer und besser das Ei, desto besser die Mayonnaise. Je intensiver das Öl, desto intensiver der Geschmack: Neutrales Keimöl ergibt eine milde Mayonnaise, Olivenöl eignet sich für Mayonnaisen zu mediterranen Gerichten. Auch Zitronensaft oder Weißweinessig bestimmen das Aroma: Ersteres gibt einen milderen, letzteres einen pikanteren Geschmack. Eier und Öl werden zimmerwarm verwendet. Das Mischverhältnis kann variieren – die Mayonnaise ist perfekt, wenn sie dick und glänzend ist und den gewünschten Geschmack hat. Geronnene Mayonnaise lässt sich auf drei Arten retten: Etwas heißes Wasser einarbeiten, alternativ ein wenig Eiweiß in etwas geronnene Mayonnaise einarbeiten und dann dem Rest zugeben oder mit einem neuen Eigelb beginnen und die geronnene Mayonnaise damit löffelweise verschlagen.

Die Herstellung erfordert peinlich sauberes Arbeiten. Mit Salmonellenvergiftung nach Mayonnaise-Genuss kann man ganze Hochzeitsgesellschaften ins Krankenhaus befördern! Eierschalen vorher heiß abwaschen und Mayonnaise erst direkt vor dem Servieren zubereiten.

Am Einfachsten lässt sich Mayonnaise in der Küchenmaschine herstellen. Dafür ersetzt man das im Rezept angegebene Eigelb durch ein ganzes Ei.

I Eigelb
1/2–I TL Dijonsenf
I Schuss Zitronensaft oder Weißweinessig oder beides, je nach Geschmack
I gute Prise Salz
bis zu 200 ml Öl

Eigelb, Senf und Salz gut verschlagen. Öl zunächst tropfenweise unterrühren, bis sich eine Emulsion gebildet hat. Dann in dünnem Strahl gießen, dabei immer wieder vollständig einarbeiten. Mit Zitronensaft oder Weißweinessig abschmecken.

ROTE BETE MIT BLÄTTERN

1 kg rote Bete mit Blättern,
vorzugsweise aus biologischem Anbau

4 EL Olivenöl

Salz und Pfeffer aus der Mühle

Ofen auf 160 °C vorheizen. Rote Bete schälen und in feine Scheiben schneiden, Blätter hacken. Eine Kasserolle mit ein bis zwei Esslöffel Olivenöl ausstreichen. Blätter hineingeben, Rote-Bete-Scheiben darauf verteilen, salzen und pfeffern und mit dem restlichen Olivenöl beträufeln.

Mindestens eine Stunde im Ofen garen.
„Die Blätter", so Lynda Brown, „schmecken bei dieser langsamen Garzeit noch intensiver."
Sie empfiehlt den Kauf aus biologischem Anbau, da Rote Bete Nitrat anreichert und im traditionellen Anbau einen hohen Stickstoffgehalt besitzt. Rote Bete gehört zu den gesündesten Gemüsesorten und liefert Kalzium, Kalium, Magnesium, Phosphor, Natrium, Schwefel, Jod und mehrere B-Vitamine sowie viel Vitamin C.

RUNDGANG DURCH CLERKENWELL

Nur wenige Minuten von der hektischen City entfernt liegt Clerkenwell das anmutet wie ein Dörfchen. Hier

haben sich Pubs wie Fox & Anchor (rechte Seite) und Restaurants angesiedelt. Das Markenzeichen des St. John: ein Schlachttier (oben).

Clerkenwell wirkt noch immer sehr dörflich, obwohl es Rasengrün hier schon lange nicht mehr gibt. Kleine Gassen, blumengeschmückte Fenster und ein Gemeindeplatz, der Clerkenwell Green, prägen das Ambiente. Im Jahr 1381 versammelten sich hier Bauern unter ihrem Führer Wat Tyler im Kampf gegen die Obrigkeit, und später wurde die Karl-Marx-Gedenkbibliothek gegründet. Heute steht auf dem baumbestandenen Platz ein riesiger, gemütlicher Pub und bildet zusammen mit der St. James's Church im Hintergrund eine Postkartenidylle.

Vor einigen Jahrhunderten hatten sich in Clerkenwell Handwerker niedergelassen. Deren Traditionen, vom Uhrmacherhandwerk über Putzmacherei bis zur Juwelierkunst und Herstellung von Musikinstrumenten, werden heute von einer neuen engagierten

Künstlergeneration wieder aufgegriffen. Im Geschäft One Fine Thing gelingt sogar die Verbindung solcher Traditionen, in diesem Falle die des Schuhmacherhandwerks und der Pralinenherstellung. Die Schokoschuhe sind, obwohl köstlich, zum Anknabbern viel zu schade und nicht nur für Fußfetischisten ein Hingucker.

Wie Clerkenwell sind auch die umliegenden Stadtteile Spitalfields, Smithfield, Hoxton und Shoreditch in den vergangenen Jahren nach teilweiser Verwahrlosung – Clerkenwell war im 19. Jahrhundert ein Großstadtslum der schlimmsten Sorte – von Künstlern, Kreativen und Leuten ohne viel Bargeld wieder entdeckt worden. Die Entwicklung zum Szenetreff ist zwar gleichbedeutend mit steigenden Immobilienpreisen, aber die werden durch eine wahrhaft explodierende Ausgehszene mit Pubs und Restaurants mehr als wett gemacht. Das Restaurant St. John in der gleichnamigen Straße machte den Anfang. Chefkoch Fergus Henderson gelangte vor einigen Jahren mit neuer britischer Küche zu nationaler Be-

rühmtheit. Warum: Er machte vor Innereien nicht halt. Entsprechend titelte er auch sein Kochbuch – „Nose to Tail Eating". Von der Nase bis zum Schwanz ist alles am Tier essbar, jedenfalls wenn es nach der Anleitung von Henderson zubereitet wird.

Aber nicht alle Restaurants und Pubs in Clerkenwell sind neu. Im stilechten und äußerst ansprechenden Fox & Anchor lässt sich schon seit vielen Jahrzehnten eine wahre Legende des East End genießen, das englische Frühstück. Der Pub öffnet morgens um sieben und verköstigt Nachtfalter und Frühaufsteher vom gegenüberliegenden Fleischmarkt Smithfield. Zu diesem Frühstück mit Bohnen, Eiern und der englischen Variante der Blutwurst wird auf Wunsch auch schon das erste (oder letzte) Bier des Tages ausgeschenkt.

PEABODY ESTATES

Der amerikanische Philanthrop George Peabody war von der Verelendung, die er in Teilen Londons sah, so nachhaltig geschockt, dass er beschloss, für die Armen menschengerechte Wohnungen zu errichten. Mitte des 19. Jahrhunderts stiftete er die damals sehr hohe Summe von einer halben Million Pfund für den Bau von Sozialwohnungen. Der Clerkenwell Estate wurde als einer der ers-

ten der ganzen Stadt errichtet und steht noch heute. Nach seinem Tod sollte George Peabody die große Ehre einer Bestattung in der Westminster Abbey zuteil werden. Das verstieß allerdings gegen seinen letzten Willen, denn er hatte verfügt, in seiner Heimatstadt, die sich 1868 nach ihm benannt hatte, die letzte Ruhe zu finden.

ADRESSEN

Bleeding Heart Tavern, Bleeding Heart Yard, 19 Greville Street, London EC1, Telefon: 020/74 04 03 33, U-Bahn: Farringdon

Cicada, 132–136 St. John Street, London EC1, Telefon: 020/76 08 15 50, U-Bahn: Farringdon

Fox & Anchor, 115 Charterhouse Street, London EC1, Telefon: 020/72 53 48 38, U-Bahn: Farringdon

Gaudí, 63 Clerkenwell Road, London EC1, Telefon: 020/72 50 10 57, U-Bahn: Farringdon

Moro, 34–36 Exmouth Street, London EC1, Telefon: 020/78 33 83 36, U-Bahn: Farringdon

One Fine Thing, 70 St. John Street, London EC1, Telefon: 020/73 36 88 32, U-Bahn: Farringdon

St. John, 26 St. John Street, London EC1, Telefon: 020/72 51 08 48, U-Bahn: Farringdon

The Crown Tavern, Clerkenwell Green, London EC1, Telefon: 020/72 50 07 57, U-Bahn: Farringdon

---

Wer vom Bier nicht lassen mag, kann es im Fox & Anchor (oben links) schon zum Frühstück bekommen. Wer sich Schokolade nicht verkneifen kann, im One Fine Thing gibt es sie auch in Schuhform (oben rechts). Besonders aktuell: getupft. Das kühle Interieur des St. John (unten rechts) und der lauschige Gemeindeplatz des Clerkenwell Green bilden einen faszinierenden Kontrast.

ICH BIN LONDONERIN

CATHELYNE OUDEMANS

Cathelyne vor der beeindruckenden Kulisse des London Eye, einer neuen Attraktion der Stadt. Hier, unweit von Big Ben und direkt am Fluss, fühlt sie sich genauso wohl wie zu Hause in Südlondon.

Cathelyne Oudemans ist gebürtige Indonesierin, in Holland aufgewachsen und beeindruckende Weltenbummlerin. Bis 1974 hat sie in Holland gelebt. Dann erkundete sie Deutschland, Australien, die USA, Spanien, Frankreich und England.

„Schon zum dritten Mal bin ich Londonerin – die Stadt scheint mir unter die Haut zu gehen, obwohl das Leben hier nicht einfach ist," erzählt Cathelyne Oudemans, die seit über einem Vierteljahrhundert in der Schallplattenbranche tätig ist. Zum ersten Mal lebte sie hier im Jahr 1985, damals im Nordwesten. Mittlerweile ist dieser Stadtteil – Maida Vale – ausgesprochen trendy und leider sehr teuer geworden. Nach neun Monaten ging das ebenfalls sehr trendige Plattenlabel, für das sie damals arbeitete, pleite und sie zog zurück nach Paris.

Zwischen November 1988 und August 1989 lebte sie wieder in London und arbeitete für die Umweltschutzorganisation „Greenpeace" an einer Schallplattenveröffentlichung namens „Rainbow Warriors". Dann kehrte sie auf den Kontinent zurück. 1995 führte

sie eine betriebliche Umstrukturierung mit einem großen Plattenlabel erneut nach London. Doch in der Plattenbranche ist Erfolg kein Garant für Kontinuität: Zehn Monate später wurde der Laden dicht gemacht und sie verlor somit ihren Job.

Das hatte allerdings einen großen Vorteil. Denn außerhalb des privilegierten Status, den sie zuvor bei einem großen Label genoss, lernte sie das wahre Leben Londons kennen und entdeckte, dass der eigenen Kreativität wenig Grenzen gesetzt sind. Seitdem ist sie als Beraterin tätig. Nachdem sie die Aromatherapie entdeckt hatte, ließ sie sich zudem zu einer therapeutischen Masseurin ausbilden.

„Was ich an dieser Stadt schon immer geliebt habe, ist ihre Lebendigkeit und Vielseitigkeit. Reich und arm existieren nebeneinander. Vielleicht ist das auch in anderen internationalen Metropolen der Fall, doch mir als Ausländerin fällt dieser Kontrast sehr auf. Die Menschen sind ausgesprochen höflich. Sie bewahren immer Haltung, aber auch Distanz, und ob ich das so beneidenswert finde, weiß ich nicht. Denn damit

verbunden scheint eine gewisse Apathie einherzugehen. Gleichzeitig liebe ich den wunderbaren und wirklich völlig unvergleichlichen Humor. Doch wiederum registriere ich einen Mangel an Bereitschaft, sich auf andere Menschen wirklich einzulassen." Als Single findet sie es schwierig, Kontakte zu knüpfen, man wird selten privat eingeladen. Dieser Meinung sind auch Cathelynes englische Freunde, die selbst meist außer Landes gelebt oder nicht aus London kommen. Auch die hohen Lebenshaltungskosten und die oft geringere Lebensqualität in London machen das Leben etwas beschwerlich. „Dennoch lebe ich hier gerne, in meinem ruhigen Vorstädtchen südlich der Themse. Ich kann meinen kleinen Garten

genießen und bin dennoch nicht weit vom pulsierenden Leben des West End entfernt."

Wie viele Londoner genießt auch Caroline Oudemans das kulturelle und kulinarische Angebot der Stadt. Augenzwinkernd bemerkt sie, dass die „Vorliebe meiner neuen Landsleute für Fast Food unübersehbar ist. Gute Ernährung hat in London vor allem mit dem Bildungsstand zu tun. Eine überraschende Erfahrung nach meinen langen Jahren in Paris."

Cathelyne begann zu kochen, weil in London gute und gleichzeitig preiswerte Restaurants noch immer Mangelware sind. Nach der mediterranen hat sie nun die asiatische Küche entdeckt: Auch dazu liefert London alle Zutaten.

WILDREIS

Wildreis (*Zizania aquatica*) hat trotz seines Namens nichts mit Reis zu tun, sondern wächst als Sumpfpflanze in den amerikanischen Präriestaaten. Noch heute werden die Wildreisgebiete in den Seen rund um Wisconsin und Minnesota von Hand geerntet; einige Anbaugebiete sind heute wie vor Hunderten

von Jahren noch in indianischem Besitz. Der Großteil des Wildreises wird mittlerweile in künstlich angelegten Reisplantagen angebaut. Der nussige Geschmack eignet sich für eine Vielzahl von Gerichten und die auch nach dem Kochen knackig bleibenden Körner passen zu Suppen ebenso gut wie in den Salat.

CATHELYNES WILDREISGEMÜSE
MIT INGWER-BALSAMICO-DRESSING UND SALAT

250 g Wildreis
1 TL Salz
6 EL Sonnenblumenöl
1 EL Chiliöl
1 EL Ingwerwurzel, fein gehackt
1 EL Balsamicoessig
2 TL Zitronensaft
2 gelbe Paprika, in Streifen geschnitten
1 Bund Frühlingszwiebeln, in feine Röllchen geschnitten
1 fester Kopfsalat

3 EL Olivenöl extra vergine
1/2 EL Himbeeressig
1/2 EL Balsamicoessig
1 TL Dijonsenf
1 Prise Salz

Wildreis in kaltem Wasser waschen, bis das Wasser klar bleibt. In einen Topf geben, mit Salzwasser bedecken und langsam aufkochen lassen. Ohne Deckel 20 Minuten köcheln lassen. Vom Herd nehmen und weitere zehn Minuten im heißen Wasser garen, dann abgießen. Ein Dressing aus Sonnenblumenöl, Chiliöl, Ingwer, Balsamicoessig und Zitronensaft zubereiten. Zusammen mit den Paprikastreifen und Zwiebelröllchen unter den Reis mengen. Dazu Salat reichen, der mit einem Dressing aus zwei Essigsorten und Senf cremig gerührt und mit Salz pikant abgeschmeckt wurde.

LONDON FOOD FÜR EIN BIS ZEHN PFUND

Die Basics der Londoner Küche sind für jedermann erschwinglich. Ob Ur-Britisches oder durch fremde Einflüsse geprägte Neuerungen – die Bandbreite der in London vertretenen Länderküchen lässt sich unter freiem Himmel an Wägelchen, Ständen oder improvisierten Herden probieren. Auch Hamburger gehören zu beliebtem *street food*. Wer ein paar Pfund mehr ausgibt, kann sie im Restaurant Sticky Fingers (Besitzer Ex-Rolling Stone Bill Wyman) oder im Edel-Restaurant The Ivy genießen.

Große Tradition hat der *lunch break*. Solange es das Wetter zulässt, sitzen die Londoner am liebsten auf einer Parkbank in der Nähe ihrer Büros und essen ihre reich belegten Sandwiches. Asiatische Schnellimbisse liefern nahrhafte Suppen für die Mittagspause. Tageszeitungen wie die „Financial Times" und der „Evening Standard" bieten zweimal im Jahr die Möglichkeit, mit einem Sammelcouponsystem, in Edel-Restaurants zu Niedrigpreisen zwischen fünf und zehn Pfund zu speisen.

Das Teeritual ist ein weiterer Klassiker, der auch Reisenden mit kleinem Geldbeutel erlaubt, ein Stück englische Lebensart kennen zu lernen. Leider – seit den 50er-Jahren regieren hier allzu oft Schnelligkeit und Bequemlichkeit. Der Tee wird meist nicht lose serviert, sondern in Beuteln zubereitet. Nach Qualitätsware muss in Spezialgeschäften oder kleinen Supermarktregalen gefahndet werden. Die Kochbuchpäpstin Elizabeth David schreibt, dass in der Nachkriegszeit das Essen „mit einer Art düsterem Triumph zubereitet wurde, der fast einer Hasserklärung an die Menschheit und ihre Bedürfnisse gleichkam". Diese Erfahrung kann man selbst im heutigen, kulinarisch aufgeklärten London machen.

Aber, so steht es schon in dem Pubführer, den das Institut für Sozialforschung in Oxford herausgegeben hat: Man sollte nichts zu ernst nehmen. Erst recht nicht die eigene Person. Und was für das Verhalten an der Theke gilt, kann im wahren Leben auch recht nützlich sein.

Kaum noch als lose Ware erhältlich ist der Tee. Die Engländer verkonsumieren um die 185 Millionen Tassen Tee jährlich; meistes benutzen sie allerdings den praktischen Teebeutel.

BRAMAH MUSEUM OF
TEA & COFFEE

Das private
Tee- und
Kaffeemuseum
befindet sich in
den ehemaligen
Docklands, im
Schatten der
Tower Bridge.
Sein Gründer
Edward Bramah
hat hier neben
viel Wissens-
wertem über
Kaffee und Tee
auch wunder-
schönes Porzel-
lan zusammen-
getragen.

Über 350 Jahre lang war Butlers Wharf auf der gegenüberliegenden Seite des Tower eng mit der Geschichte des Tees und Kaffees verbunden. Hier, an den Themsekais im Süden der Stadt, wurden die Klipper aus Fernost entladen und die kostbare Fracht aus Blättern und Bohnen gelagert und verkauft. Zunächst schickte sich England an, eine klassische Kaffeetrinkernation zu werden. Im Jahr 1650 wurde der Tee in England bekannt, und zehn Jahre später genoss man ihn als kostbares Getränk in den Londoner Kaffeehäusern. Mitte des 17. Jahrhunderts wurde auch das wirtschaftliche und ebenso belebende Potential des Tees entdeckt. Federführend war dabei die Anfang des 17. Jahrhunderts gegründete East India Company, die als erste Tee aus China importierte und hundert Jahre lang ihre Monopolstellung wahren konnte. Zu Anfang des vergangenen Jahrhunderts waren Kapazitäten und Bedarf im Mutterland so enorm gewachsen, dass täglich 6000 Kisten Tee – je nach Blattgröße mit einem Gewicht zwischen 40 bis 60 Kilo

gramm pro Kiste – in den Lagerhäusern von Butlers Wharf verstaut wurden.

Derjenige, der derlei Details so anschaulich erzählt und dabei Skizzen und Zahlen auf Stenoblockpapier scribbelt, ist Edward Bramah, Gründer und Leiter des hier ansässigen Privatmuseums zur Geschichte von Tee und Kaffee. Er wirkt ein bisschen, als sei er eher für ein Leben in einer anderen Zeit geschaffen. Man kann ihn sich als Kapitän einer dieser Klipper vorstellen, die damals die Ferne erkundeten. Und tatsächlich war Edward Bramah beruflich lange ein Weltenbummler: Teepflanzer in Malawi, Kaffeehändler in Kenia und Tansania, Teeberater für eine Importfirma in Shanghai. Heute ist er patentierter Erfinder, Dozent, Buchautor und eben Museumsleiter. Trotz seines exotisch klingenden Nachnamens legt Bramah aber Wert auf die Ergebnisse der Ahnenforschung, nach denen seine Familie wohl im 5. Jahrhundert zu Zeiten der Angelsachsen aus Deutschland nach England gekommen ist.

Gegründet hat Edward Bramah sein Museum 1992. Die Idee dazu hatte er

Das Stammhaus Twinings – eine Mischung aus Museum und Laden. Das 1706 als Kaffeehaus gegründete Geschäft verkauft heute ausgesuchte Teesorten.

zählen. Und was sie umfasst, ist eine spannende Geschichte.

Tee, so erzählt der Museumsgründer, der einen für Sammler unentbehrlichen Leitfaden über Teekannen verfasst hat, gehörte zu den vielen Nahrungsmitteln, die von der Lebensmittelrationierung während des Zweiten Weltkriegs und danach betroffen waren. Im Jahr 1952 wurde diese Rationierung endlich aufgehoben. 1952 war allerdings auch das Jahr, in dem die zischenden und dampfenden Gaggia-Maschinen ihren Einzug in das Künstlerviertel Soho hielten und in dem Gina Lollobrigida die erste Espresso-Bar Londons eröffnete. Der Kaffee schien die Stadt für sich zurückgewinnen zu wollen. Wer jung und schick war, trank Espresso, und die Espresso-Bars eroberten nicht nur die Viertel in der Innenstadt.

Die *tea companies* reagierten und orientierten sich dabei an der kompakten Schnelligkeit italienischer Kaffeemaschinen. Das Ritual des Teetrinkens – Kanne anwärmen, losen Tee einrieseln lassen, Teeblätter mehrere Minuten ziehen lassen, Aufguss umgießen, in Einzeltassen gießen, in denen sich ein Tropfen kalter Milch befindet – wirkte plötzlich nicht mehr elegant oder entspannend, sondern betulich. Ob viereckig, dreieckig oder rund – nach 1952 sollte es der von Sir Arthur Lipton er-

bereits 40 Jahre vorher, nach seiner Rückkehr aus Afrika. Eine erste Finanzspritze verpasste sich das Multitalent selbst – mit der Erfindung einer patentierten Filtermaschine. Der Erfolg dieser Maschine legte den Grundstein zu der Sammlung, die genügend Teekannen (aus China, Japan, Holland, Russland und England) umfasst, um die 350-jährige Geschichte des Tees zu er-

fundene Teebeutel richten. Seither genügen direkt nach dem Aufguss eineinhalb Minuten, in denen der Teebeutel mit dem Löffel energisch ausgedrückt wird und der Tee vielleicht nicht das große Aroma, aber die richtige Farbe vorweisen kann. Heutzutage tut man sich in London schwer, einen Tee als losen Aufguss zu bekommen.

Im Bramah Museum of Tea & Coffee hingegen wird der ganzen Pracht und Herrlichkeit beider Genussmittel Tribut gezollt. Zum Preis von einem sind in zwei Museen Devotionalien und Gebrauchsgegenstände rund um Kaffee und Tee untergebracht. Hunderte von Teekannen aus der ganzen Welt, Drucke aus dem alten China, glänzende Riesenapparaturen zur Kaffeeherstellung, die einem Phileas Fogg im Weltumrundungsgepäck gut zu Gesicht gestanden hätten und viel Wissenswertes und Persönliches wie die Widmung des Museums an alle, die je mit der Geschichte des Tees zu tun hatten, ist in diesen zwei kleinen Museen zu sehen. Eine rührende Liebenswürdigkeit prägt beide von außen unscheinbar wirkenden Häuser. Sie findet sich auch im Gästebuch wieder, in dem der Museumsleiter stolz lesen kann, wie „unglaublich, hinreißend, perfekt, paradiesisch, überwältigend, erfrischend und brillant" es im Teemuseum gewesen sei.

Wer möchte, lässt sich anschließend im *corner house*, das an die alte Tradition der Teehäuser anknüpft, zur Stärkung eine Tasse losen Tee aufbrühen. Dazu wird eine Eieruhr verwendet. Ist sie durchgelaufen, ist der Tee perfekt. So einfach ist es, sich das Leben etwas wohlschmeckender zu machen.

Der Blick in die Eingangshalle des Teemuseums (oben). Hinter Glas befinden sich die verrücktesten Teekannen (unten).

In der dem Bramah Museum angeschlossenen Teestube wird vor allem loser Tee verschiedenster Provenienz verkauft – und das nicht nur wegen des Geschmacks. Denn das faszinierende Ritual des Teesatzlesens funktioniert wirklich nur mit losem Tee.

Vom Tee trinken und Teesatz lesen

Edward Bramahs Familie ist seit Jahrhunderten im Teegeschäft tätig. Theoretisch weiß der distinguierte Gentleman, was jetzt auf ihn zukommen wird. Elisabeth Collins, nicht minder distinguiert, wird ihm im kleinen *corner shop* des Museums aus dem Teesatz lesen. Was sie dabei entdecken wird, wissen natürlich beide vorher nicht. Vielleicht offenbart sich eine andere Seite des Weltenbummlers. Den Teesatz hat er, der sich sein ganzes Leben mit dem Tee beschäftigte, sich noch nie lesen lassen.

Elisabeth Collins Rüstzeug sind Charme, große Menschenkenntnis und all die Tipps und Tricks, die sie von ihrer Mutter gelernt hat. Die wiederum hat das Teesatzlesen vor vielen Jahren von ihrer irischen Nanny gelernt. „Ach Darling! Das ist ja schon so lange her!" Aber die sehr gepflegte Lady hat daran ebenso großen Spaß wie an dem Elton-John-Jackett, das sie gerade trägt. „Außer mir käme nur Elton John auf die Idee, sich ein Jackett in einer solchen Farbe schneidern zu lassen."

Der letzte Schluck aus der Tasse muss beherzt genommen werden, damit nur

noch wenig Flüssigkeit zurückbleibt. Dann wird die Tasse umgekehrt auf die Untertasse zurückgestellt und dreimal im Uhrzeigersinn gedreht. Damit ist das Gefäß „aktiviert", das heißt im geeigneten Zustand, eine Aussage zu machen, und wandert in die kundigen und perfekt manikürten Hände von Elisabeth Collins. Ein Blick genügt, ihre Augenbraue wandert nach oben. „Sie sind ein sehr religiöser Mensch", offenbart sie dem Museumsleiter. „Mhm", ist die vielsagende Antwort. Sie schaut etwas länger in die Teetasse und fragt ihn nach seiner sehr attraktiven Tochter. Nun zieht er die Augenbrauen verwundert hoch. Wahrscheinlich ist sie eine Schönheit; er hätte ja schließlich nur eine Tochter, setzt sie noch nach. Verdutzt blickt Edward Bramah in die Teetasse. Denn bislang hat sie Recht. Und er entschließt sich, die Tasse wieder mit Tee zu füllen. Man ja kann nie wissen, welche Enthüllungen als nächstes folgen würden ...

klärt sie. Nicht minder wichtig sind eine scharfe Beobachtungsgabe und Instinkt, fügt sie hinzu. Da Männer über allzu viel Feingefühl nur selten verfügen, sind Frauen in diesem Berufszweig weitaus begabter und erfolgreicher. Manchmal gelingt es Elisabeth Collins sogar, die Gedanken ihres Gegenübers hören. Natürlich gibt es eine Reihe von Basisinterpretationen. Teeblätter in Form eines Stiefels bedeuten, dass dem Teetrinker etwas verloren gegangen ist. Ein Loch in der Anordnung der Blätter bedeutet eine Heirat oder eine Liebesgeschichte. Ein Schleier sagt aus, dass eine Unwahrheit im Raum steht. Doch Elisabeth Collins findet nicht nur den Teesatz faszinierend. Sie liest auch Tarotkarten und verlässt nie das Haus ohne ihre Glückssteine.

ELISABETH COLLINS ÜBER DAS GLÜCK IM TEESATZ

Das Lesen aus dem Teesatz kann man nicht mit Hilfe eines Textbuches oder in einem Seminar lernen. Elisabeth Collins zufolge ist es eine Fähigkeit, die man entweder hat oder nicht. Sie hat sehr viel mit Konzentration zu tun, er-

ADRESSEN
Bramah Museum of Tea & Coffee, The Clove Building, Maguire Street, Butlers Wharf, London SE1, Telefon: 020/73 78 02 22, U-Bahn: London Bridge **R Twining & Co,** 216 Strand, London WC2, Telefon: 020/73 53 35 11, U-Bahn: Temple

„Bläschen auf der Oberfläche sind Küsse", erklärt Elisabeth Collins. „Man muss sie mit einem Löffel vorsichtig abheben und zum Mund führen. Damit geht der Wunsch nach vielen Küssen in Erfüllung."

FISH'N'CHIPS

Bratfisch mit Pommes Frites gehört für Aus- und Inländer eindeutig zu den Nationalgerichten Englands. Überraschenderweise hat diese unschlagbare Geschmackskombination keine lange Tradition. Erst zwischen 1850 und 1860 wurde das Gericht erfunden, und zwar in London und im Norden des Landes in Lancashire. Die Ursprünge liegen wohl in der jüdischen Küche, wo Fisch schon traditionell paniert ausgebraten, allerdings kalt verzehrt wurde.

Hinsichtlich Fett, Panade und verwendeter Fischsorte gibt es große Unterschiede zwischen Norden und Süden. In Nordengland verwendet man Schellfisch (*haddock*), in Wales dafür Scholle (*plaice*) und in London Kabeljau (*cod*). Im Norden wird in Rinderfett ausgebraten und die Panade mit *ale* aromatisiert, während Backfisch im Londoner East End in einer Panade mit Weißweinessig in Pflanzenöl ausgebraten wird. Im East End entstanden auch die ersten *fish'n' chips shops*, liebevoll *chippies* genannt.

KABELJAU

Bis ins Mittelalter geht die Rolle des Kabeljaus (*Gadus morhua*) als Nutzfisch zurück. Exemplare von einem Meter Länge waren durchaus keine Seltenheit – Maximallängen von zwei Metern sind verbrieft. Wie andere Mitglieder seiner Familie ist auch der Kabeljau ein Grundfisch. Er lebt im Meer in Bodennähe. Kleinere Varietäten werden oft als Dorsch bezeichnet. Haltbar wird Kabeljau, indem er durch Salzen und Trocknen zu Klippfisch oder Stockfisch weiter verarbeitet wird.

Im East End gibt es nur noch wenige *chippies*, und die werden nur selten von Engländern betrieben. Das Toffs in Nordlondon ist nach seinem zypriotischen Inhaber Andreas Toffalli benannt.

Bis zum Zweiten Weltkrieg traten sie von hier ihren landesweiten Siegeszug an. Noch heute werden „Fish'n'Chips" in Zeitungspapier eingewickelt verkauft – allerdings ist es aus hygienischen Gründen nicht mehr die bedruckte „Financial Times" vom Vortag, wie noch in den 60er-Jahren, sondern das noch unbedruckte Ausgangsmaterial.

LONDONS CHIPPIES

In guten *chippies* werden Fisch und Pommes Frites ebenso wie das berühmte, sehr grüne Erbsenpüree (*mushy peas*) nach Order frisch zubereitet. Noch immer ist „Fish'n'Chips" das traditionelle Freitagabendessen: Oft wird binnen weniger Stunden dann ungefähr ein Drittel des Wochenumsatzes getätigt. Neben dem traditionellen Kabeljau werden mittlerweile Seezunge (*Dover sole*), Glattrochen (*skate*) oder Großge-

fleckter Katzenhai (*rock salmon*) angeboten. Vom Fischverkauf allein können die alt eingesessenen Fischbratereien allerdings nicht leben; dafür sind die Preise für Rohware zu hoch. Softdrinks, Chips und Desserts sind ein wichtiger Teil des Umsatzes.

ADRESSEN

Costas Fish Restaurant, 18 Hillgate Street, London W8, Telefon: 020/7727 4310, U-Bahn: Notting Hill Gate
North Sea Fish Restaurant, 7–8 Leigh Street, London WC1, Telefon: 020/7387 5892, U-Bahn: Russell Square
Seashell, 49–51 Lisson Grove, London NW1, Telefon: 020/7723 8703, U-Bahn: Marylebone
Toff's, 38 Muswell Hill Broadway, London N10, Telefon: 020/8883 8656, U-Bahn: Highgate
Upper Street Fish Shop, 324 Upper Street, London N1, Telefon: 020/7359 1401, U-Bahn: Angel

Fester, aromatischer Kabeljau muss es sein.

Den Fisch im Reismehl wenden.

Die hauchdünne Reismehlschicht lässt der Panade Luft.

Der Fisch wird in heißem Fett gebacken.

Das Frittieröl gut abtropfen lassen.

Richtige Chips werden zweifach frittiert.

Perfekt gelungen: außen knusprig, innen weich.

Fish 'n' Chips zum Mitnehmen in saugfähiges Papier eingewickelt.

FISH 'N' CHIPS

Das Rezept stammt aus dem Toff's. Die wöchentlichen Riesenmengen des Restaurants wurden für die heimische Küche und vier hungrige Esser umgeschrieben. Benötigt wird ein Kilogramm Kabeljau. Tipp des Küchenchefs: Das Wälzen in Reismehl sorgt dafür, dass zwischen Fisch und frittiertem Mantel etwas Luft bleibt, ähnlich einem Wiener Schnitzel. Achtung: Eine gute Belüftung ist beim Ausbraten zu empfehlen.

FÜR DIE PANADE

80 g Reismehl
125 g grobes Mehl
125 g feines Mehl
I Ei, leicht verschlagen
150–200 ml lauwarmes Wasser
I Prise Salz
2 EL Weißweinessig nach Geschmack
Pflanzenöl zum Frittieren

Fisch filetieren und nur die Mittelstücke verwenden. Hauchdünn in Reismehl wälzen. Grobes und feines Mehl sowie Ei mit Wasser zu einer flüssigen Panade verarbeiten, die in der Konsistenz an Pfannkuchenteig erinnert. Mit Salz und Weißweinessig abschmecken. Öl in einer tiefen Pfanne auf 180 °C erhitzen und Fischfilets bis zu zwölf Minuten goldgelb und knusprig frittieren.

FÜR DIE CHIPS

Verwendet wird gerne die Kartoffelsorte Maris Piper. Ein weiteres Geheimnis guter Chips liegt im zweifachen Frittieren. Die Kartoffeln werden vorzugsweise von Hand geschnitten.

5 große Kartoffeln, geschält
Pflanzenöl zum Frittieren

Kartoffeln in einen Zentimeter dicke Stäbchen schneiden. Öl in einer tiefen Pfanne auf 150 °C erhitzen, vom Herd nehmen. Kartoffelchips fünf Minuten im heißen Öl frittieren, bis sie weich sind. Herausnehmen, abtropfen lassen und ein zweites Mal im heißen Öl drei Minuten frittieren, bis sie innen weich und außen knusprig sind.

SOUP KITCHENS
DIE INSTITUTIONALISIERTE
ARMENSPEISUNG

Am 8. Januar 1800 wurde in London die erste Suppenküche gegründet. In der Folge widmeten sich Philanthropen wie die Gefängnisreformerin Elizabeth Fry oder in der zweiten Hälfte des 19. Jahrhunderts der Gründer der Heilsarmee William Booth und der berühmte Chefkoch des privaten Reform Clubs, Alexis de Soyer, dieser mittlerweile institutionalisierten Armenspeisung. Sie war bitter nötig, denn im East End und rund um Covent Garden hatte sich eine für Großstädte typische Verelendung eingestellt, allerdings in einem Ausmaß, das seinesgleichen suchte. Dafür gab es mehrere Gründe: Ende der 40er-Jahre des 19. Jahrhunderts stieg der Kartoffelpreis aufgrund der anhaltenden Missernten in Irland ins Unerschwingliche. Damit war Mangelernährung vorprogrammiert: Die Armen konnten sich nur noch Brot leisten. Gleichzeitig radierte die Industrielle Revolution klassische Arbeitsbereiche wie beispielsweise der Weberzunft, die in London in Spitalsfield ansässig war, fast über Nacht aus. Vom Kontinent kamen mittellose Einwanderer in die Stadt. Noch verstärkt wurde die soziale Misere durch den übermäßigen Konsum selbstgebrannten Gins. Friedrich Engels beschäftigte sich 1845 in seinem Werk „Die Lage der arbeitenden Klasse in England" mit dieser Verarmung; fast 90 Jahre später drückte der engagierte Romancier George Orwell in seiner autobiographischen Reportage „Down and Out in Paris and London" seinen Schrecken über die offensichtlich fortschreitende Verarmung aus. Dass sich neben Philanthropen und Autoren auch andere Menschen des öffentlichen Lebens, wie der gebürtige Franzose de Soyer, von der Massenverelendung entsetzt zeigten und engagiert dagegen ankämpften (1847 gründete er seine eigene Suppenküche), ist nicht nur typisch für die damalige Zeit, sondern typisch für London.

Denn auch heute ist das soziale Engagement in der Metropole ungebrochen, weil auch die Schere zwischen Arm und Reich nach wie vor auseinanderklafft. Supermärkte und Restaurants stellen Mittellosen, Obdachlosen und Drogenabhängigen übrig gebliebene

Direkt unter der Kirche St. Martin-in-the-Fields lässt es sich bei anheimelndem Licht für wenige Pfund einfach und gemütlich essen.

Ein klassischer Schulflohmarkt, zu dem die Eltern das Essen beisteuern. Da sie oft aus verschiedenen Kulturkreisen stammen, ist auch das Essensangebot sehr variantenreich.

te kann man hier – abends bei Kerzenschein – einfache, aber leckere Gerichte für wenig Geld bekommen.

FLOHMÄRKTE AUF SCHUL- UND KIRCHHÖFEN

Überall in London hängen an Laternenpfählen Hinweise auf Second-Hand- und Flohmärkte an Schulen oder auf Kirchenhöfen. Diese bieten eine gute Gelegenheit, am Wochenende manchmal sogar für nur für 50 Pence (umgerechnet knapp 1 Euro) einen Pullover zu erwerben, mit dem Gemeindepfarrer ins Gespräch zu kommen, eine Spielgruppe zu planen, ein abwaschbares Mendhi-Tattoo zu wagen und für wenig Geld gut essen. Mit dem geringen Eintrittspreis und den Erlösen vom Verkauf der Gerichte werden soziale Stiftungen unterstützt, die Menschen in Not helfen.

Wohltätigkeitsbasare sind eine Mischung aus Informationsbörse und kulinarischem Wettbewerb. Zum traditionellen Angebot gehören britische „Flapjacks" (Pfannkuchen) ebenso wie westindische „Jamaican Patties".

Lebensmittel kostenlos zur Verfügung. Organisationen unterschiedlichster Couleur machen es sich zur Aufgabe, diejenigen zu versorgen, die im Leben weniger Glück haben. Dieses Engagement ist Teil der Londoner Kultur, und wer nicht viel hat, so scheint es, teilt um so bereitwilliger.

PASTA UND FLAPJACKS IM HAUSE GOTTES

Zwischen 1722 und 1726 wurde die Kirche St. Martin-in-the-Fields am Trafalgar Square, den es damals noch nicht gab, errichtet. Berühmte Londoner wie Nell Gwynne, die populäre Geliebte von King James II., oder die Maler William Hogarth und Joshua Reynolds sind hier begraben. In der Kirchenkrypta befindet sich nicht nur eine Suppenküche, sondern auch das überraschend stille und entspannende Café in the Crypt. In einem recht ungewöhnlichen Ambien-

---

ADRESSE

Café in the Crypt, Krypta von St. Martin-in-the-Fields, Duncannon Street, London WC2, Telefon: 020/78394342, U-Bahn: Charing Cross

BROTPUDDING

Das gehaltvolle Resteessen, das als
Nachtisch serviert wird, ist typisch für
das Café in the Crypt.
Für zehn Personen.

250 ml Sahne
6 Eier
1 Prise Salz
300 g Zucker
Mark aus 1 Vanilleschote
1 EL Butter zum Einfetten der Backform
6 Scheiben altbackenes Kastenweißbrot, ohne Rand
1/2 TL Zimtpulver
1 TL Zucker
2–3 EL Rosinen

Ofen auf 200 °C vorheizen. Sahne, Eier
und Salz mit 300 Gramm Zucker vermengen. Vanillemark unterziehen. Kleine
rechteckige Backform mit Butter einfetten und mit Brotscheiben auslegen.
Sahnemasse darüber gießen und zehn
bis 15 Minuten einweichen lassen.
Zimtpulver mit einem Teelöffel Zucker
mischen und darüber rieseln. Mit Rosinen bestreuen. Backform in das Wasserbad in eine größere Backform geben.
75 Minuten backen, bis ein Zahnstocher
keine Rückstände mehr zeigt. Warm
servieren.

JAMAICAN PATTIES

Ergibt ungefähr 25 Küchlein.

FÜR DEN TEIG

500 g Mehl
2 TL Kurkuma
1 TL Salz
250 g weiche Butter
2–3 EL kaltes Wasser

FÜR DIE FÜLLUNG

2 EL Pflanzenöl
1 große Zwiebel, fein gehackt
2 Knoblauchzehen, fein gehackt
2 Chilischoten, entkernt und fein gehackt
1 Zweig frischer Thymian, gerebelt
1/2 Bund Schnittlauch, in feine Röllchen geschnitten
1/2 Bund glatte Petersilie, fein gehackt
4 große Tomaten, enthäutet und gehackt
400 g Rinderhack
1 Msp. Kurkuma
1/2 TL Ingwer, fein gehackt
1/2 TL Kreuzkümmel, gemahlen
1/2 TL Piment, zerstoßen
1/2 TL Kardamom
Salz und schwarzer Pfeffer aus der Mühle
125 ml Gemüsebrühe
1 EL Jamaica-Rum
2 Eigelb, verschlagen

Mehl, Kurkuma und Salz in eine Schüssel sieben, Butter in Flöckchen zugeben.
Mit den Fingern zu feinem Streusel verarbeiten. Wasser zugeben und zu einem
glatten Teig verkneten. In Küchenfolie
wickeln und zwei Stunden im Kühlschrank ruhen lassen.
Öl in einer großen Pfanne erhitzen.
Zwiebel, Knoblauch, Chilies, Kräuter
und Tomaten weich dünsten. Hackfleisch einrühren und anbraten. Alle
Würzzutaten zufügen, pikant abschmek-
ken. Brühe angießen und bei Mittelhitze 25 Minuten köcheln lassen, bis die
Flüssigkeit vollständig verdampft ist.
Rum zugeben und gut verrühren. Vom
Herd nehmen und anschließend abkühlen lassen.
Ofen auf 200 °C vorheizen. Teig in Kreise von je 15 Zentimeter Durchmesser
ausrollen oder mit Hilfe eines Unter-
tellers ausstechen. Füllung auf eine Kreis-
hälfte löffeln, die andere Hälfte darüber
schlagen. Ränder mit einer Gabel zusammendrücken. Küchlein auf Backpapier legen, mit Eigelb bestreichen und
30 Minuten goldbraun backen.

MENU
BREAKFAST

EGG AND TWO BACON	£1·60
EGG, BACON, TOMATOES	£2·40
EGG, BACON, TOMATOES, BUBBLE/CHIPS	£3·00
EGG, BACON, TOMATOES, MUSHROOMS	£3·00
EGG, CHIPS (BUBBLE) & BEANS	£2·30
1 SAUSAGE, EGG, TOMATOES, CHIPS/BUBBLE	£2·80
LIVER, BACON, BUBBLE/CHIPS	£3·00
2 SCRAMBLED/POACHED EGGS ON TOAST	£2·00
BACON, BUBBLE & BEANS	£2·40
2 FRIED EGGS ON TOAST	£2·00

ANY COMBINATION AVAILABLE

TRY OUR BUBBLE'N SQUEAK

WE ALSO HAVE BLACK PUDDING

TRADITION UND HERZ
IN LONDONS GREASY SPOONS

Einen liebevollen Ausdruck kennt die englische Sprache für einfache Restaurants oder Imbissstuben, die optisch noch nicht das 21. Jahrhundert erreicht haben – sie sind *greasy spoons*, schmierige Löffel. In London haben diese Imbissstuben, auch *kaffs* genannt, eine lange Tradition. Gekachelte Wände, abgetretene Linoleumfußböden und abgenutzte Resopaltische, Plastikstreuer mit Salz und Pfeffer und Fläschchen mit Branntweinessig und Senf, eine einfache und recht kalorienreiche Küche – das sind ihre klassischen Merkmale. Schon am frühen Morgen versammeln sich hier die Arbeiter von den Großmärkten und Baustellen. Auch zur Mittagszeit wird es voll – vorausgesetzt, die Küche ist nicht nur einfach, sondern auch ehrlich. Denn neben der Einrichtung ist in *kaffs* auch das Essen nicht immer von bester Qualität.

Zu den Imbissstuben mit der meisten Atmosphäre gehört das Borough Café im Londoner Süden. Auf winzigem Raum gibt es nahrhafte Kost – danach empfiehlt sich unbedingt ein längerer Spaziergang zur nahegelegenen Tate Modern. Im East End liegt ein klassisches *kaff*, das E. Pellicci. Gegründet wurde es von italienischen Einwanderern und einst frequentiert von den legendären Gangsterbrüdern Kray, wie mit stolzem Schaudern berichtet wird.

Wer hier ein typisches Gericht probieren möchte, liegt mit „Bangers and Mash" (Würstchen mit Kartoffelpüree) auf jeden Fall richtig.

> ### ADRESSEN
> **Borough Cafe**, 11 Park Street, London SE1, Telefon: 020/74075048, U-Bahn: London Bridge
> **E. Pellicci**, 332 Bethnal Green Road, London E2, Telefon: 020/77394873, U-Bahn: Bethnal Green

BANGERS AND MASH

In den 80er-Jahren wurde der gute alte Kartoffelbrei (*mash*) mit Safran oder Trüffelöl neu interpretiert. Die *kaffs* hatten sich diesem mittlerweile überholten Trend erst gar nicht angeschlossen. Sie machen höchstens den Unterschied zwischen Kartoffeln mit hohem Stärkegehalt, die für lockeren Kartoffelbrei verwendet werden, und den *waxy potatoes*, die man auf dem Kontinent vorrangig zu Kartoffelsalat verarbeitet und die als Kartoffelbrei eine klebrige Konsistenz aufweisen. Zum Kartoffelbrei gehören entweder eine *pie* (Pastete) oder *bangers*. Über 400 Sorten dieser Würstchen sind im Königreich verbrieft und um die 300 Millionen Kilogramm werden dort jährlich verspeist. Mittlerweile werden sie auch nicht mehr nur in den riesigen Fleischfabriken hergestellt, sondern kommen auch wieder aus ländlichen Kleinbetrieben in den Cotswolds, Lincolnshire und Cumberland. Zum Verkaufsschlager haben sich die Würstchen von Prinz Charles Duchy of Cornwall Home Farm in Gloucestershire entwickelt. In den Imbissstuben konnten sich diese Biowürstchen allerdings noch nicht durchsetzen. Sie sind ausschließlich in gut sortierten Supermärkten zu finden.

Bohnen, Würstchen und Kartoffelbrei sind nicht gerade Haute Cuisine, aber eine herzhafte Hausmannskost, die sich neben der indischen Küche großer Beliebtheit erfreut.

DEFTIG ODER ELEGANT
HAMBURGER IN LONDON

Neben den Fast-Food-Ketten finden sich in London auch unabhängige Restaurants, die sich dem Hamburger verschrieben haben. Zum Beispiel Ex-Rolling Stone Bill Wymans Sticky Fingers.

Der Hamburger – Amerikas Lieblingssandwich – ist heute überall in der Welt auf den Speisekarten zu finden – selbstverständlich auch in London.

Im Boston Evening Journal wurde im Jahr 1884 erstmals der Hamburger als *Hamburg Steak* erwähnt; 1890 tauchte er dann bereits in der Literatur auf, so hat diese praktische Art, Rindfleisch zu essen, eine lange Tradition. Benannt wurde der Snack tatsächlich nach der Stadt Hamburg, wo das Fleischbrötchen wohl schon viel früher eingeführt wurde. Während der Weltausstellung von 1904, die in der amerikanischen Stadt St. Louis stattfand, erlangte das Fleischbrät im Brötchen erste Popularität. Weltweiter Marktführer ist heute die McDonalds-Restaurantkette mit mehr als 28 000 Filialen in 120 Ländern.

Auch London besitzt eine von McDonalds gegründete „Hamburger University". Dort lassen sich neben historischen Hintergründen Fachgebiete wie „Der Kunde ist König" (im amerikanischen Englisch *customer appreciation*) erlernen. Unzählige Filialen dieser und

anderer Burgerketten bieten ihren Kunden Hamburger an, von denen sie mit ganzem Stolz verkünden, sie schmeckten auf der ganzen Welt gleich. Solch ein Bestreben liegt dem Ivy völlig fern. Es gehört zu den edelsten und beliebtesten Restaurants der Stadt. Viele Londoner würden hier gerne öfter essen gehen – wenn sie nur einen Tisch bekämen. Aber insgesamt nur 33 Tischchen, mehr hat das Ivy nicht zu bieten. Ein Tisch mit der Nummer 13 existierte gar nicht, denn das Ivy liegt im abergläubischen Theaterviertel. Seit 1917 kehren hier niveauvolle bis schillernde Gäste aus dem internationalen Showgeschäft ein und genießen bodenständige Gerichte zu erschwinglichen Preisen.

Auf der anderen Seite des Hyde Park, in Kensington, liegt ein Restaurant, dass sich amerikanischen und Tex-Mex-Genüssen verschrieben hat: Das Sticky Fingers will mit seinem Namen nicht nur auf die klebrigen Finger hinweisen, die sich selbst Geübte beim Verzehren ihrer Gerichte holen, sondern auch Assoziationen mit einem Plattenklassiker der Rolling Stones wecken.

GERNE MIT DEN FINGERN –
STICKY FINGERS

Auf Glanz polierte Range Rover vor der Tür des Restaurants lassen ahnen, dass die Hamburger des Sticky Fingers von anderer Qualität sind als die der Imbissketten im Umkreis. Natürlich kosten sie auch etwas mehr, allerdings bringt allein das Fleisch nachgeprüfte und stattliche 170 Gramm auf die Waage. Nicht viel mehr wiegen die Kate-Spade-Handtaschen der gazellengleichen Blondinen, die am Samstagmittag ihren cool gekleideten Nachwuchs zum Hamburger-Essen im Sticky Fingers ausführen.

Das Restaurant gehört Bill Wyman, dem Ex-Bassisten der Rolling Stones. Erinnerungsstücke an seine wilden Rockzeiten hängen an den Wänden, die Musik ist reichlich laut, er selbst ist ein guter Kunde und die Finger aller Hungrigen sind nach dem Genuss eines Hamburgers, den es für BSE-Besorgte auch als eine Lamm- oder Schweinefleischvariante gibt, so *sticky*, wie sich das in Rock-'n'-Roll-Kreisen gehört. Zugegeben – für Vegetarier und Fans der Haute Cuisine ist diese Küche nicht wirklich geeignet. Aber die mochten auch die Rolling Stones wahrscheinlich nie besonders. Wer ab und zu Heißhunger auf Hamburger verspürt und keine Lust auf die Massenware der Ketten hat, ist im Sticky Fingers gut aufgehoben.

Natürlich wirbt Bill Wyman mit seinem Namen (links). Auf den Tischen: die klassische Hamburger-Würzausstattung. Milder Senf darf neben Ketchup dabei nicht fehlen.

NICHT MIT DER HAND –
THE IVY HAMBURGER

Efeu ... was könnte dem Londoner Stil besser entsprechen? Nicht französisch verschnörkelt, nicht italienisch opulent, sondern geschmackvoll elegant. Ein geheimnisvoller, tiefgrüner Reiz, der sich erst auf den zweiten Blick enthüllt. Nach dem klassischen Immergrün ist ein Restaurant benannt, das diesen Lebensstil verkörpert: The Ivy.

Der erste Blick schon entdeckt den zarten Abdruck eines Efeublatts auf der perfekt gekühlten Butter, die zu einem kleinen Brotkorb gereicht wird, sobald sich der Gast mit einem Seufzer der Zufriedenheit niedergelassen hat. Wer nicht zur Elite der Theaterwelt gehört und auch nicht gerade einen weiteren herausragenden Roman geschrieben hat oder für seinen neuen Hollywood-Film in London kräftig die Werbetrommel rührt, muss bei der Tischvergabe schon ziemlich hartnäckig gewesen sein. Snobistisch ist das Ivy allerdings nicht: Es zählt weder altes noch neues Geld. Aber die Tischvergabe ist ein ernstes Geschäft. Morgens um neun Uhr wird damit begonnen.

Von Anfang an wurde das Ivy, ursprünglich ein bescheidenes kleines Restaurant, von der Theatergemeinde

THE IVY HAMBURGER

Wenige Grundzutaten, beste Qualität, klarer Geschmack: So präsentiert das Ivy „seinen" Hamburger. US-Senf kann durch milden deutschen Senf ersetzt werden.

---

700 g saftiges Rinderhack bester Qualität

---

2 EL milder amerikanischer Senf

---

160 g Tomatenketchup

---

4 Hamburger-Brötchen

---

1 rote Zwiebel, in feine Ringe geschnitten

---

4 große Gewürzgurken, in Scheiben geschnitten

---

1 große Fleischtomate, in Scheiben geschnitten

Salz und schwarzer Pfeffer aus der Mühle

Öl und Butter oder Butterfett zum Ausbraten

Fleisch mit einer Gabel gut durchmengen und in vier gleiche Portionen teilen. Zu Bällchen rollen und in einer Hamburgerpresse flach drücken oder mit einem Teigmischer bearbeiten, rollen und flach drücken. Die flachen Hamburger einige Zeit im Kühlschrank ruhen lassen. Tomatenketchup und Senf für die

Sauce verschlagen. Hamburger-Brötchen leicht toasten und warm halten.

Das Fleisch am besten auf einem heißen Bratrost oder in einer vorgeheizten Grillpfanne zubereiten, eine heiße gusseiserne Bratpfanne tut es auch. Das Fleisch soll im Bratensaft schmoren, ein herkömmlicher Backofengrill würde das Fleisch rasch austrocknen. Nach einigen Minuten den gewünschten Gargrad prüfen. Fleisch mit Zwiebelringen, Tomaten- und Gurkenscheiben auf den Brötchenhälften garnieren, salzen, pfeffern und mit etwas Sauce beträufeln.

---

des West End adoptiert. Das Stammpublikum hielt dem Restaurant sogar während eines Umbaus die Treue und ließ sich zwischen Bauschutt und Löchern in den Wänden mit Spaghetti verköstigen. Diese Treue hält bis heute an und das liegt ganz bestimmt auch an den vielen Kleinigkeiten, die leider aufgrund eines strengen Fotografierverbots nicht im Bild festgehalten werden können: Den geschmackvollen Butzenscheibenfenstern zum Beispiel, deren Farbpalette bei den kleinen Tischvasen aufgegriffen wird. Oder der ausgesprochen hübschen jungen Dame, die an der Garderobe tropfende Hüte und Schirme in Empfang nimmt. Dem diskreten Spiegel, in dem der Gast vor Betreten des Restaurants unauffällig Lippenstift korrigieren und Locken ordnen kann. Der Sorgfalt, die selbst der Wahl eines einzelnen Glases Wein gewidmet wird.

Den zierlichen Aschenbechern, die nach jeder ausgedrückten Zigarette mit einem Papier (natürlich auch mit Efeuaufdruck) bedeckt, entfernt und flugs ersetzt werden.

Auf der Speisekarte sind seelenwärmende Gerichte wie „Fish'n'chips", „Caesar Salad", „Eggs Benedict" und Kartoffelpüree zu finden – und der Klassiker, auf den das Restaurant besonders stolz ist, so dass er den offiziellen Titel „The Ivy Hamburger" trägt. Trotzdem ist er hier immer noch für unter zehn Pfund zu haben.

Eines der beliebtesten Restaurants der Stadt, The Ivy, ist ebenfalls für seinen Hamburger berühmt. Die Preise sind zivil; die Nachfrage nach einem der wenigen Tische im Restaurant allerdings groß.

ADRESSEN

Sticky Fingers, 1a Phillimore Gardens, London W8, Telefon: 020/79385338, U-Bahn: High Street Kensington
The Ivy, 1 West Street, London WC2, Telefon: 020/78364751, U-Bahn: Leicester Square

DER LUNCH
EIN EINGESPIELTES RITUAL

Der Lunch ist für viele Londoner gleichbedeutend mit einem Sandwich. Frisch zubereitete Sandwiches sättigen schnell und sind auch erschwinglich.

Die Mittagspause ist eine krisenfeste Institution in Londons Geschäftsvierteln. Rund um die internationalen Firmenhauptsitze, die Börse und die unzähligen kleinen und großen Büros hat sich eine ganze Industrie angesiedelt, die von ihren Kunden sehr gut leben kann. Pubs und Restaurants bieten Mittagsmenüs, alteingesessene *sandwich shops* schmieren Brote nach Wunsch, Ketten wie Pret A Manger, der Drogerieriese Boots und die Filialen von Marks & Spencer tätigen mit abgepackten Sandwiches Riesenumsätze. Beherrschten früher auch *fish'n'chips shops* das Straßenbild, so sind es jetzt die modernen Caféketten oder die auf der traditionellen japanischen Suppenküche basierenden Schnellimbisse.

SANDWICHES

Wohl nur in Amerika existiert eine vergleichbare Begeisterung für Sandwiches. Die Sandwich-Füllung wird, wenn überhaupt, nur von einem Mangel an Phantasie begrenzt. Die dreieckig geschnittenen Sandwiches im Doppelpack gibt es für Veganer, Vegetarier, Kalorienbewusste und ganz normale Hungrige. Bei abgepackten Sandwiches, die in den Sandwich-Ketten in Dutzenden von unterschiedlichen Geschmacksrichtungen angeboten werden, sind Inhaltsstoffe und Kalorien gelistet – von 250 bis knapp 500 Kalorien ist alles dabei.

Seit Ende der 80er-Jahre sind die familienbetriebenen Sandwich-Läden durch moderne Ketten und den Verkauf

von Sandwiches in Geschäften, die sich ursprünglich auf Drogerieartikel oder auf Pullover spezialisiert hatten, ernsthaft bedroht. Bereits 53 Filialen zählte die Lunch-Kette Pret A Manger im Jahr 2000. 1986 wurde das Unternehmen gegründet und der expansive Erfolg hält weiterhin ungebrochen an. Die Betreiber der Kette haben erkannt, dass die Zeichen der Zeit ernährungswissenschaft-

lich auf Aufklärung stehen. Alle Waren, ob Sandwiches oder Sushi, ob süße Teilchen oder gehaltvolle englische Kuchen, werden täglich frisch vor Ort zubereitet. Was bis zum Feierabend nicht verkauft werden konnte, geht an wohltätige Stiftungen.

Chemische Zusätze und andere Konservierungsstoffe sind verboten, Kennzeichnungspflicht ist bei Pret A Manger oberstes Gebot. Schwangere erfahren, dass sich ein Briebrötchen für sie nicht empfiehlt, Allergiker werden auf weizenfreies Brot hingewiesen, ebenso auf die Verwendung von Nüssen, Milchpro-

dukten oder genmanipulierte Zutaten. „Qualität geht uns vor Profit", erklären die Firmengründer ihr ökologisch beeinflusstes Geschäftsprinzip und beteuern, dass dieses sich auch nach dem Verkauf von Pret A Manger an McDonalds nicht ändern wird.

Ein kleiner *sandwich shop*, der am Wochenende mangels Kunden gar keinen Umsatz macht, kann sich umweltgerechtes Denken natürlich nicht leisten. Dafür muss der Kunde hier nicht ins Kühlregal greifen, sondern bekommt sein Sandwich noch ganz seinen Wünschen entsprechend geschmiert.

Wer das Glück hat, in Gehweite eines der vielen Parks zu arbeiten, nutzt auch schon den kleinsten Sonnenstrahl für ein improvisiertes Picknick zur Mittagszeit.

KLASSISCHE SANDWICH-REZEPTE

CRISPY BACON AND EGG MAYONNAISE

Sandwiches, wie man sie in einem traditionsbewussten Familienbetrieb bekommt: ein klassisches Rezept.

2 Streifen Frühstücksspeck
2 Eier, hart gekocht und fein gehackt
1 EL Mayonnaise
schwarzer Pfeffer aus der Mühle
1 Prise Rosenpaprika
2 Scheiben Grahambrot

Frühstücksspeck ohne zusätzliches Fett in der Pfanne knusprig braten und auf Küchenkrepp abtropfen lassen. Eier mit Mayonnaise vermengen. Mit Pfeffer und Rosenpaprika abschmecken. Speck zerkleinern und unterziehen. Eine Brotscheibe dick mit der Füllung bestreichen, mit der zweiten Scheibe bedecken. In vier Dreiecke teilen.

PRAWN COCKTAIL

3 EL Shrimps, gegart
1 Frühlingszwiebel, in feine Röllchen geschnitten
3 Scheiben Salatgurke, fein gehackt
2 EL Mayonnaise
1/2 TL Tomatenketchup
1–2 Tropfen Tabascosauce
Salz und schwarzer Pfeffer aus der Mühle
2 Scheiben Kastenbrot

Alle Zutaten für den Belag mischen. Auf eine Brotseite streichen. Mit der anderen Scheibe bedecken und in vier Dreiecke teilen.

FRENCH BRIE WITH GRAPES

1 Baguettebrötchen
2 EL Butter
6 dicke Scheiben Brie
1 Hand voll Weintrauben, halbiert
schwarzer Pfeffer aus der Mühle

Beide Baguettehälften mit Butter bestreichen. Eine Häfte mit Briescheiben belegen, darauf die Traubenhälften drücken. Mit Pfeffer würzen. Mit der zweiten Baguettehälfte bedecken und fest zusammendrücken.

CHEDDAR CHEESE AND APPLE

1/2 knackiger Apfel, geschält und in feine Scheiben geschnitten
1/2 TL Zitronensaft
2 EL Sonnenblumenkerne
2 Scheiben Vollkornbrot
1 EL Butter
3 knackige Salatblätter
4–6 Scheiben Cheddar

Apfelscheiben mit Zitronensaft beträufeln. Sonnenblumenkerne bei Niedrighitze ohne zusätzliches Fett in der Pfanne rösten. Brotscheiben auf jeweils einer Seite mit Butter bestreichen. Auf eine Brotscheibe erst Salat, dann Cheddar, Apfelscheiben und Sonnenblumenkerne schichten. Mit der anderen Brotscheibe bedecken und fest zusammendrücken. In vier Dreiecke schneiden.

PEANUT BUTTER WITH CRESS

Die Vegetarian Society empfiehlt dieses Rezept, das auch für Veganer geeignet ist.

2 Scheiben Vollkornbrot
5 EL Erdnussbutter
1/2 Bund Brunnenkresse oder 1 Töpfchen Gartenkresse
schwarzer Pfeffer aus der Mühle

Beide Brotscheiben auf einer Seite mit Erdnussbutter bestreichen. Eine Brotscheibe mit Kresse belegen und pfeffern. Mit der anderen Brotscheibe bedecken und in vier Dreiecke schneiden.

LUNCH FOR A FIVER

Vor einigen Jahren kam die altehrwürdige „Financial Times" auf die Idee, in ihren Wochenendausgaben für einen begrenzten Zeitraum einen Lunch für fünf Pfund in den besten Restaurants des Landes anzubieten. Dahinter steckte vor allem der Wunsch, zahlungsschwächere oder unwillige Leser der Zeitung ebenfalls an den Genüssen der Haute Cuisine teilhaben zu lassen, über die in der

Wochenendbeilage oft mehrseitig in der Rubrik „Essen und Trinken" berichtet wird. Für die Gastrotempel erwies sich das als Werbeeffekt sowie zusätzliche Einnahmequelle, und aus der einmaligen Aktion wurde eine Tradition. Heute gibt es zwar nur noch wenige Restaurants, die Mittagessen ohne Getränke für fünf Pfund anbieten, aber für zehn Pfund sind auch vom „Guide Michelin" gekrönte Küchen dabei. Sobald der *lunch for a fiver* in der „Financial Times" angekündigt wird, setzen sich jedes Jahr wieder begeisterte *foodies*, wie die Liebhaber guten Essens genannt werden, mit einer Schere und einem Telefonbuch hin, schnippeln Gutscheine aus und durchforsten die landesweite Liste an teilnehmenden Restaurants nach ihren Favoriten. Schnelligkeit zählt, denn die Anzahl der Tische ist möglicherweise begrenzt und eine Reservierung ein Muss. Mittlerweile haben auch andere Londoner Zeitungen diese Marktlücke entdeckt und offerieren, dann meist im Sommer, vergleichbare Anreize, ihre Zeitung zu kaufen und zu erschwinglichen Preisen gut essen zu gehen.

Zwischen fünf und zehn Pfund kostet ein zweigängiges Mittagsmenü, wenn es die „Financial Times" bei ihrer jährlichen Aktion *lunch for a fiver* organisiert. Die Getränke sind allerdings nicht inbegriffen.

Die Londoner Bäckergilde kann auf eine lange, fast 850-jährige Tradition zurückblicken. Das vielfältige Angebot an Brotsorten und anderen Backwaren ist jedoch eine Errungenschaft heutiger Tage.

LONDONS INTERNATIONALER BROTKORB

Dass sich englisches Brot nicht schneiden oder gar biblisch brechen lässt, sondern nur zusammenknüllen, trifft in der multikulturellen Landschaft Londons längst nicht mehr zu. Statt des berüchtigten pappigen Weißbrots gibt es indisches *naan*, jüdischen *chollah*, Roggenbrot, knuspriges französisches *fiselle*, Sauerteigbrot, Vollkornbrot; selbst die englische Variante des Pumpernickel lässt sich in allen besser sortierten Supermärkten erwerben. Restaurants legen Wert auf gutes Brot, einige backen es sogar selbst.

Vorreiterin des guten Restaurantbrots war auch die ehemalige Köchin und jetzige Restaurantbetreiberin Sally Clarke, die ihr Handwerk in Paris und bei der kalifornischen Trendköchin Alice Waters gelernt hat. Ihrem gleichnamigen Restaurant angeschlossen ist ein Feinkostladen, der durch ein verlockend großes Angebot an Brot und Brötchen auffällt. Im Restaurant selbst existiert seit einigen Jahren ein klassischer Brotbackofen; hier wird Clarke-Brot direkt auf den Kacheln gebacken.

THE WORSHIPFUL COMPANY OF BAKERS

Urkundlich erwähnt wurde die Bäckergilde der Stadt erstmals im Jahr 1155. Somit ist sie nach der Webergilde wohl die zweitälteste Londons. Ursprünglich sammelten sich die Gilden aus religiösen Gründen, was der Name (*worshipful* heißt verehrend) und das Wappen der Gilde mit dem Motto „Praise God For All" („Gott für alles danken") bis heute dokumentieren. Im 14. Jahrhundert hatte sich die Bäckergilde in die *brown* und die *white bakers* aufgespalten – erstere buken das gehaltvolle dunkle Brot, letztere helles Brot. Mit der wachsenden Popularität des hellen Brots stiegen die Spannungen zwischen beiden Gruppierungen. Erst im Jahr 1645 wurden sie wieder zu einer Gilde zusammengeschlossen.

Heute kümmert sich die 400 Mitglieder zählende Bäckergilde vor allem um den Nachwuchs und lobt für die Nationale Bäckereischule, die der Londoner South Bank University angeschlossen ist, neben Stipendien weitere Auszeichnungen aus.

HAFERHONIGBROT IM BLUMENTOPF

Sally Clarke ist Restaurantbetreiberin und auch geschickte Bäckerin. Aus ihrer Küche stammt das Haferbrot mit Honig. Es lässt sich auch ohne Brotbackofen in der heimischen Küche backen. Clou: Es wird im Blumentopf gebacken und macht sich gut auf Büffets.

110 g Haferflocken
50 g Hafermehl
425 g Mehl (Type 1050)
1 1/2 TL Salz
2 EL Honig
1/2 Würfel frische Hefe oder 1/2 Päckchen Trockenhefe
75 ml Milch
200 ml warmes Wasser
1 EL zerlassene Butter zum Einfetten
1 EL Haferflocken
2 Blumentöpfe

Die ersten vier Zutaten in einer Schüssel mischen. In einer kleinen Schüssel Honig, Hefe und Milch glatt rühren. Getreidemischung mit der Flüssigkeit auf niedrigster Stufe in einer Küchenmaschine mit dem Knethaken verarbeiten. Langsam Wasser angießen, bis sich ein weicher Teig bildet. Fünf bis sechs Minuten elastisch kneten; alternativ von Hand in einer Schüssel verarbeiten und auf einer Arbeitsfläche fünf bis zehn Minuten elastisch kneten. Teig in eine frische Schüssel geben, mit Küchenfolie abdecken und an einem warmen Ort um das Doppelte aufgehen lassen. Aus der Schüssel nehmen und beim Kneten Luft abschlagen. Zwei peinlich saubere Tontöpfe (Höhe 15 Zentimeter) innen einfetten, Teig halbieren, zu Kugeln formen und diese kurz unter kaltes Wasser halten. In den Haferflocken wälzen,

in die Töpfe geben, mit Küchenfolie abdecken und um die Hälfte aufgehen lassen. Unterdessen Backofen auf 180 °C vorheizen. Blumentöpfe auf dem mittleren Rost bei 200 °C 40 Minuten backen, bis die Kruste Farbe angenommen hat. Alternativ auf den Brotboden klopfen: Ein hohler Ton zeigt an, dass das Brot fertig gebacken ist. Kühl stellen und binnen drei Tagen verzehren. Dazu Cheddar oder einen anderen geschmacksintensiven Käse reichen.

PRINZ ALBERTS KEKSE ZUM DESSERT

Dieses Originalrezept, das im 19. Jahrhundert Queen Victorias heißgeliebtem Ehemann gewidmet wurde, stammt von der Bäckergilde. So erklären sich auch die Mengenangaben: Das Rezept ist 150 Jahre alt.

8 kg Mehl
1 1/2 kg Zucker
750 g Butter
28 g Weinstein
14 g Backpulver
6 Eier
Zest von drei Zitronen oder nach Geschmack
2 l Milch

Weinstein und Mehl mischen, auf einer Arbeitsfläche anhäufeln. Butter hineinkrümeln und untermengen. In der Mitte eine Vertiefung bilden. Zucker und Eier hineingeben. Backpulver in der Milch auflösen, ebenfalls in die Mulde geben. Von innen nach außen zu einem Teig verarbeiten. Sorgfältig Luft abschlagen. Dünn ausrollen und Kreise von fünf Zentimeter Durchmesser ausstechen. Diese mit dem königlichen Siegel bedrucken und bei Mittelhitze goldgelb backen. Für acht Schilling das Pfund verkaufen.

LESEN VOR DEM LUNCH – DIE BRITISH LIBRARY

Sie platzte aus allen Nähten, die ehrwürdige British Library, im Jahr 1753 als Nationalbibliothek und 1972 dann offiziell als British Library gegründet. Kein Wunder, wurde doch in ihren Regalen jedes je im United Kingdom veröffentlichte Buch gesammelt. Neben mittlerweile etwa 16 Millionen Büchern archiviert diese Bibliothek 660 000 Zeitschriften, vier Millionen Landkarten, viele Originalhandschriften von Partituren, die kompletten vier Folios von Shakespeare und Millionen von Doktorarbeiten aus der ganzen Welt.

Ein Umzug musste sein und fand im Jahr 1998 nach jahrzehntelanger Planung und einem Regierungswechsel von Labour zu Conservative zu Labour statt, und er ging nicht unbedingt glimpflich vonstatten. Die öffentliche Meinung und die Zeitungen äußerten herbe Kritik – vor allem an den Kosten für das neue Gebäude, denn diese hatten nach naiven anfänglichen Schätzungen bald utopische Höhen erreicht. Tröstlich zu wissen, dass zumindest eine mathematische Größe fest im Auge behalten wurde: die chronische Geldknappheit von Wissenschaftlern, Bibliothekaren, Dozenten und fast allen anderen Bücherwürmern, die in der British Library forschen.

Sie können sich mittags für wenige Pfund in zwei kleinen Restaurants im ersten Stock der British Library an typischem Studentenfutter satt essen – es gibt Pizza, Quiche, Salate, Sandwiches, Croissants. Besonders interessant ist der privilegierte Blick aus den Restaurants auf einen imposanten, sechsstöckigen Glaskubus. Insgesamt 17 Meter hoch stapeln sich darin die Folianten aus der Privatbibliothek King George III., die sein Sohn George IV. dem Inselreich vermachte. 2438 Meter lang sind die Regalwände des Kubus, die die Bibliothekare nach gewünschten Büchern durchsuchen müssen. Spezialbereiche der King's Library sind Astronomie, Landwirtschaft, Literatur und die Uhrmacherkunst. Die Bibiotheksräume wirken gemütlich und duften ein bisschen nach schweinsledernen Einbänden und vergilbtem Pergament. Von außen sehen sie nicht nach Arbeit aus. Die kleinen Restaurants gegenüber bilden den richtigen Rahmen, sein Croissant in den Kaffee zu tauchen und es genießen zu dürfen, ganz unabhängig davon, ob man sich für eine Karriere im Bücherturm entschlossen hat oder auch nicht.

Übrigens: Um die Bibliothek zu betreten, braucht man einen Ausweis oder eine projektbezogene Genehmigung. Der Zugang zu den Restaurants ist natürlich frei.

Gleich neben der Eisenbahnstation King's Cross liegt die neue British Library. Das beeindruckende, aber nicht unumstrittene Gebäude ist ein Design des Architekten Colin St. John Wilson.

Dem reduzierten Stil Japans, sowohl in der Innenarchitektur als auch in der Küche, wird im Wagamama gefrönt. Dieses Schnellrestaurant etablierte die japanische Nudelsuppe in London.

JAPANS SUPPENKÜCHE WAGAMAMA

Der Andrang im Wagamama ist so groß, dass es sich für eine romantische Verabredung zum Lunch oder ein Geschäftsessen nicht eignet. Mittags bilden sich hier lange Schlangen. Eine Möglichkeit der Reservierung besteht nicht. Fünf Wagamama-Restaurants gibt es mittlerweile und ihre Adressen zwischen Bloomsbury, Soho, Kensington, Camden und Knightsbridge geben Aufschluss über die Klientel: Sie ist jung und trendig. Spezialisiert hat sich die kleine Kette auf Suppen, deren Zubereitung den traditionellen japanischen Suppenküchen entlehnt sind. „Chilli Beef Ramen", die mit Chilischoten pikante gewürzte Nudelsuppe mit hauchdünn aufgeschnittenem Sirloin-Steak als Einlage, gilt als Klassiker dieses Restaurants. Ein positives Ess- und Lebensgefühl wird propagiert und in der auf Schnelligkeit bedachten Londoner Innenstadt gibt es viele Nachahmer.

ADRESSEN

Clarke's Restaurant und Laden,
122–124 Kensington Church Street, London W8, Telefon: 020/72 29 21 90, U-Bahn: Notting Hill Gate
The British Library at St. Pancras,
96 Euston Road, London NW1, Telefon: 020/74 12 73 32, U-Bahn: King's Cross
Wagamama, 4 Streatham Street, London WC1, Telefon: 020/73 23 92 23, U-Bahn: Tottenham Court Road

EIN TAG IM LEBEN EINES KIOSKBETREIBERS

JOE PARMAR
UND SEIN SHOPPERS NEWS

Die *news agents* gehören zum Stadtbild der Metropole. Hier bekommt der Londoner nicht nur Tageszeitungen, sondern auch das, was er am Abend zuvor im Supermarkt vergessen hat: Milch, Butter, Joghurt, Mineralwasser, Papierwaren, Süßigkeiten, Lottoscheine. Gesuche nach einer Nanny oder Nachhilfeunterricht und ein bisschen Klatsch und Tratsch sind ebenfalls im Angebot. In der Marchmont Street unweit des British Museum steht einer der zahlreichen Kioske der Stadt. Dieser heißt Shoppers News und wird von Joe Parmar und Vinnie Amin

betrieben. Oft haben diese Kioske, die seit den 70er-Jahren fest in asiatischer Hand sind, täglich geöffnet. Das geht nur, wenn die ganze Familie mithilft und vielleicht direkt über dem Kiosk auch ihre Wohnräume hat. Joe Parmar leistet sich den großen und seltenen Luxus, am Sonntag zu schließen. „Lange Jahre haben wir unseren Kiosk fast nie geschlossen, denn wir arbeiten für unsere Kinder, die es einmal besser haben sollen als wir", sagt er. „Aber irgendwann musste ich an meine Gesundheit denken, und der freie Tag bekommt mir sehr gut." Viele Kioskbetreiber können

Besitzer Joe Parmar (links) und Vinnie Amin zwischen Zeitschriften und Karten in ihrem kleinen, wohlsortierten Kiosk. Er liegt in unmittelbarer Nähe des British Museum.

sich diesen Luxus nicht leisten – ebenso wenig wie humanere Öffnungszeiten. Oft öffnen die *news agents* selbst am Wochenende bereits um 5.30 Uhr.

Wie viele Einzelhändler spüren selbst sehr gut sortierte Kioske die Konkurrenz der Supermärkte. Margaret Thatcher war es, die Mitte der 80er-Jahre im Zuge ihrer Politik des wirtschaftlichen Liberalismus den Schutz der Einzelhändler aufgehoben hat. Nun konnten auch Supermärkte Zeitschriften und andere bisher kiosktypische Produkte verkaufen. In den vergangenen fünf Jahren hat sich die Anzahl der *news agents* wohl auch deshalb fast halbiert. Das ist schade, denn die immer freundlichen und hilfsbereiten Kioskbetreiber geben der Metropole London ein persönliches Gesicht. Aber auch Joe Parmar weiß: „Meine Kinder werden den Kiosk wohl nicht weiterführen. Sie haben gesehen, wie hart wir arbeiten müssen."

JOES TAGESABLAUF

5.00 Uhr: Aufstehen. Joe braucht mindestens eine Stunde Fahrzeit vom Wohnort zu seinem Kiosk.

6.30 Uhr: Joe sortiert die Tagezeitungen und räumt auf.

7.00 Uhr: Shoppers News öffnet. Es wird hektisch. Mittags ein Imbiss hinter der Kasse. Schwätzchen mit Stammkunden; Touristen weist er den Weg zum Museum. Ab und zu ruft er die Polizei, denn selbst ein kleiner Kiosk wird beklaut.

19.30 Uhr: Ladenschluss. Abrechnung, Verpacken der nicht verkauften Zeitungen. Wer noch etwas vergessen hat, wird eingelassen: Strikte Ladenschlusszeiten wie auf dem Kontinent existieren hier nicht.

20.30 Uhr: „Endlich komme ich dazu, mich hinzusetzen und mein Abendessen zu genießen." Danach wird für eine Weile ausgespannt.

21.30 Uhr: „Auch zu Hause hört der Papierkram nicht auf. Rechnungen, Ablage, alles muss erledigt werden". Für ein Privatleben außerhalb der Familie bleibt Joe eigentlich kaum noch Zeit.

23.00 Uhr: „Good night!".

Beim Blick in den typischen englischen Blätterwald fällt beim ersten Blick dies auf: Es gibt mindestens so viele Wohnzeitschriften wie auf dem Kontinent, aber wesentlich mehr Kochzeitschriften.

ADRESSE

Shoppers News, 41 Marchmont Street, W1 London, Tel. 020/7916 13 17, U-Bahn: Russell Square

---

STREET FOOD
LONDONS LEIDENSCHAFT

Vor dem Buckingham Palace entdecken eingefleischte Demokraten ihre royalistische Ader, in Madame Tussaud's Wachsfigurenkabinett können auch schüchterne Personen ihren Traum verwirklichen, einmal einen Hollywoodstar vertraulich den Arm um die Schulter zu legen, vor dem Tower schnuppern selbst geschichtsunkundige Teenager im Zwielicht des frühen Abends Tradition, und auf der Oxford Street werden auch die diszipliniertesten Shopper durch ständige Sonderangebote und Räumungsverkäufe zum Kauf gereizt. Über all diesen Touristenattraktionen weht immer auch ein kulinarisches Lüftchen, denn Stände mit *street food* sind nie weit. Esskastanien, geröstete Zwiebeln, Hot Dogs, Falafel, Hamburger kitzeln den Gaumen, selbst wenn man gerade erst gegessen hat. Essen auf der Straße hat weniger mit Hunger als mit Appetit zu tun und lustig ist es allemal.

Viele der Gerichte sind ein Spiegelbild der modernen, schnelllebigen Zeit. So erfreut sich die in Israel scherzhaft „Vegetarischer Hot Dog" genannte Falafel, weil sie dort ins Straßenbild genauso gehört wie der heiße Hund in Europa, auch in London großer Beliebtheit. Die Herstellung ist mit wenig Aufwand und Kosten verbunden. Auch die frisch gepressten Säfte aus Biogemüse, wie sie in den Buden rund um das alternative Einkaufsparadies von Camden Road angeboten werden, symbolisieren Erfindungsreichtum und Anpassungsfähigkeit. Eine wahre Fundgrube an *street food* ist der jährliche „Notting Hill Carnival", der am letzten Wochenende im August rund um Ladbroke Grove stattfindet. Hier holt sich sicher auch so manch ein Restaurantkoch neue Anregungen. Die Straßenhäppchen haben eines gemeinsam: Sie kosten meist nur zwei oder drei Pfund, sättigen den Appetit und machen Lust, Neues auszuprobieren.

Das Angebot an *street food* ist groß, ob gedünstete Zwiebeln, mit Gemüse gefüllte Falafel, frisch gepresste Obst- und Gemüsesäfte oder die beliebten Hot Dogs.

FALAFEL

150 g Sahnejoghurt
4 Knoblauchzehen
1 Prise Salz
2 TL Kreuzkümmelsamen
450 g Kichererbsen aus der Dose, abgetropft
1 Bund glatte Petersilie, fein gehackt
1 Bund frischer Koriander, fein gehackt
1/2 TL Chiliflocken
4 Frühlingszwiebeln, in feine Röllchen geschnitten
1 TL Backpulver
2–3 TL Pflanzenöl
1 Salatgurke, in feine Scheiben geschnitten
1 Tomate, fein gewürfelt
1 Prise Salz
3 Spritzer Tabascosauce
Öl zum Frittieren
4 Pitabrote
3 TL Tahini-Paste

Den Joghurt in ein Küchenhandtuch löffeln und mehrere Stunden abtropfen lassen, bis er eine cremige Konsistenz besitzt. Die Knoblauchzehen mit Salz bestreuen und zerdrücken, die Kreuzkümmelsamen so lange in einer Pfanne erhitzen, bis sie aufplatzen. Knoblauch, Kreuzkümmel, Kichererbsen, Petersilie, Koriander, Chiliflocken, Frühlingszwiebeln und Backpulver mit dem Pflanzenöl in einer Küchenmaschine zu einer glatten Masse verarbeiten. 20 Minuten ruhen lassen. Gurke, Joghurt, und Tomate in einer Schüssel vermengen, dann mit Salz und Tabascosauce abschmecken. Die Kichererbsenmasse zu flachen Bällchen formen, in heißem Öl frittieren, bis sie goldbraun und knusprig sind. Auf Küchenkrepp abtropfen lassen. Pita-Brote und Tahini-Pastete ausstreichen, anschließend mit Salat und Falafelbrötchen füllen. Sofort warm servieren.

CHICKEN-FRIED STEAK SANDWICH

Etwas irreführend klingt der Name für dieses Sandwich. Er rührt daher, dass das Rindfleisch ebenso wie Hühnerfleisch paniert wird. Das Gericht hat seinen Ursprung in der deftigen amerikanischen Küche.

4 EL Pflanzenöl
1 großes Ei
180 g Semmelbrösel
1 TL Salz
mehrere Umdrehungen aus der Pfeffermühle
4 Minutensteaks
1 EL Mehl
100 ml Milch
Salz und Pfeffer nach Geschmack
4 Baguettebrötchen

Öl in einer Pfanne erhitzen. Ei in einem flachen Suppenteller verschlagen, in einen weiteren flachen Suppenteller Semmelbröseln mit Salz und Pfeffer mischen. Die Steaks in das verschlagene Ei tauchen, dann in den Semmelbröseln wälzen und auf jeder Seite zehn bis 15 Minuten in einer Pfanne braten. Herausnehmen und warm halten. Bratenreste vom Pfannenboden lösen, mit Mehl bestäuben und bei Mittelhitze Milch einrühren. Nach dem Eindicken mit Salz und Pfeffer abschmecken und noch etwas köcheln lassen. Das Baguettebrötchen aufschneiden, beide Seiten mit etwas Bratensauce bestreichen, die Steaks darauf legen und zu einem Sandwich zusammenklappen. Gleich servieren.

BRICK LANE BEIGEL BAKE
IM EAST END

Das runde Gebäck mit dem Loch in der Mitte verdankt seinen Namen „Bagel" oder „Beigel" dem jiddischen Wort für „Gebogenes": *beygl*, vielleicht aber auch dem österreichischen *Beugel*. Die Entstehungsgeschichte ist nicht eindeutig zu klären. Einer Version nach wurde der Bagel von Wiener Bäckern zum Gedenken an die erfolgreiche Verteidigung gegen die Türken im Jahr 1683 erfunden. Bekannt wurde er als Spezialität der ostjüdischen Küche Polens und trat von dort seinen Weg in andere europäische Länder und nach Amerika an. Die jüdische Kochexpertin Claudia Roden erklärt seine mystische Kraft: Früher galten Bagel als Schutz gegen böse Geister und Dämonen und symbolisierten durch ihre Form, ohne Anfang und ohne Ende, den ewigen Zyklus des Lebens.

Ein etwas vergänglicherer Zyklus, die hippe Musikszene der Stadt, hält die alte jüdische Bageltradition ebenfalls am Leben. Denn was Herz und Seele wärmt, wenn der Plattenvertrag noch nicht unterschrieben ist, oder wenn der DJ oder Drummer am Anfang seiner Karriere in der riesigen Metropole noch niemanden auf sich aufmerksam machen konnte, sind noch keine Groupies, sondern die Brick Lane Beigel Bake. Sie weiß um die Nöte ihrer Kunden und ist deshalb das ganze Jahr über rund um die Uhr geöffnet.

Boy George und Rod Stewart sind in dem gespenstisch grünen Neonlicht schon gesichtet worden. Vielleicht riskierten auch sie beim Anstehen für die klassischen Kringel einen Blick auf die gepiercten Verkäufer, die übernächtigten Raver, die klapprigen Post-Punker und das schwarze Brett mit den musikalischen Hilferufen: Hier wird ein Gitarrist für eine Session gesucht, dort eine Sängerin, und da hat sich eine Band bereits gefunden und benötigt einen Übungsraum.

Das kulinarische Angebot der Bäckerei ist im Vergleich zum visuellen ba-

Diese Beigel Bake atmet Atmosphäre und duftet verführerisch nach Beigels (oder Bagels) die es hier auch im mehrfachen Dutzend zu erwerben gibt.

Belegt mit feinem Räucherlachs oder dem klassischen Pökelfleisch, gibt es die Bagel bereits zubereitet zu kaufen. Nicht von der Warteschlange abschrecken lassen: die Bedienung arbeitet flink.

nal: Bagel mit Zwiebeln, Bagel mit Zimt, Bagel mit Sesam oder Bagel mit gar nichts. Dennoch verlieh die BBC der Bäckerei den *customer award*, denn hier fühlen sich Kunden je nach Geldbeutel hervorragend bedient oder einfach nur wunderbar unterhalten. Die Brick Lane Beigel Bake serviert Bagel noch nach altem Rezept, das heißt vorgekocht und dann gebacken. Die Schnellversion ersetzt das Vorkochen durch das Dämpfen, denn das verbessert die Konsistenz.

8000 Beigel wandern binnen 24 Stunden über die Ladentheke und das schon, bevor die neumodischen Bagel in den 80er-Jahren über New York ihren Siegeszug zurück auf den europäischen Kontinent antraten und von dort ihr etwas cooles, lässiges Image mitbrachten. Damit sollen sich doch die jungen Bagel-Ketten in der Innenstadt schmücken. Die Brick Lane Beigel Bake hält mühelos dagegen – mit einer Atmosphäre, die sich nicht planen oder kaufen lässt und die trotz ihrer Bodenständigkeit eine außergewöhnliche Spannung besitzt. Nur wenige Schritte vor der Bäckerei hört man weder Yid-

dish noch Szeneslang. Wer beigelkauend auf der Brick Lane steht und die Straßenschilder liest, stellt verwundert fest: Sie sind auf Bengali geschrieben.

VON BRICK LANE ZU BANGLA TOWN

Jeden Sonntagmorgen ist die Brick Lane der Schauplatz des gleichnamigen Trödelmarkts. Das Viertel hat eine faszinierende Geschichte. In der Brick Lane, auch „Bangla Town" genannt, lebt heute die größte bengalische Gemeinde Europas. Ursprünglich wohnten hier hugenottische Seidenweber, die das Edikt von Nantes im Jahr 1685 aus ihrer französischen Heimat vertrieben hatte. Später kamen jüdische Einwanderer aus dem Osten. Die aus dem Mittelalter stammende Produktion von Ziegeln (bricks) gab der Straße ihren Namen. Auch die Nebenstraßen haben Geschichte: In der Chicksand Street soll der Autor Bram Stoker („Dracula") gelebt haben. In der Flower oder Dean Street fand Jack the Ripper in den Prostituierten seine Opfer. Doch die Brick Lane ist längst kein Slum mehr: Es ist schick geworden, hier zu leben.

ADRESSE
Brick Lane Beigel Bake, 159 Brick Lane, London E1, Telefon: 020/77290616, U-Bahn: Shoreditch

GRUNDREZEPT FÜR BAGELS

Ergibt etwa zwölf Bagels.

1 Päckchen Trockenhefe
3 TL brauner Zucker
375 ml warmes Wasser
450 g Mehl
1 EL Salz
2–3 TL Maismehlstärke
2 EL Malzsirup
Sesam, Mohn, gehackte Zwiebeln oder grobes Salz für die Dekoration

In einer Schüssel Hefe mit einem Teelöffel Zucker und dem Wasser mischen, dann beiseite stellen, bis sich nach etwa zehn Minuten Blasen bilden. In einer anderen Schüssel den restlichen Zucker, die Hälfte des Mehls, Salz und Maismehlstärke mischen. Hefemischung und das restliche Mehl zugeben. Auf einer leicht bemehlten Arbeitsfläche etwa fünf Minuten kneten, bis der Teig glatt und geschmeidig ist, dann eine Stunde gehen lassen. Den Teig in kleine Bällchen von etwa fünf Zentimeter Durchmesser teilen. Jedes Teigstück zu einem 15 mal eineinhalb Zentimeter dicken Zylinder ausrollen. Durch vorsichtiges Ziehen die beiden Enden des Zylinders verbinden, so dass ein Ring entsteht. Noch einmal für kurze Zeit gehen lassen. Backofen auf 260 °C vorheizen. Einen großen Topf mit Wasser zum Kochen bringen. Sirup zugeben. Bagels in das sprudelnde Wasser geben und 30 Sekunden pochieren; dadurch entsteht eine harte, glänzende Oberfläche. Umdrehen und die andere Seite pochieren, bis der Teig aufgeht und die Form gefestigt ist, dann abtropfen lassen. Mit Sesam, Mohn, gehackten Zwiebeln oder grobem Salz bestreuen und auf ein bemehltes Backblech legen. Bei 260 °C zehn Minuten oder so lange backen, bis die Bagels goldbraun sind. Umdrehen und die andere Seite goldbraun backen.

BAGEL WITH SMOKED SALMON AND CREAM CHEESE

Ganz traditionell schmeckt Bagel mit Pökelfleisch (*salt beef*) oder auch mit einem Aufstrich aus Frischkäse und Räucherlachs-Belag. Nicht nur geschmacklich ist diese Kombination gelungen. Räucherlachs gilt als klassische Delikatesse der jüdischen Küche, so wie Bagel neben *chollah* das klassische Brot der ostjüdischen Küche ist. Der Frischkäseaufstrich wiederum kann einen zu salzigen Geschmack des Räucherlachses ausgleichen. Als klassische Räucherlachssorten verwendet man den recht salzigen *lox* aus den USA, den milden Nova Scotia oder den London Cure, der eingesalzen und über glimmenden Eichen- und Wacholderspänen getrocknet wird.

ICH BIN LONDONER

FILMPRODUZENT
MIKE DOWNEY

Mike Downey
(rechts) ist
Filmproduzent
und Welten-
bummler mit
einem Faible für
gutes, einfaches
Essen. Die
selbst ent-
worfene Küche
ist das Herz-
stück seines
geschmackvol-
len Hauses.

E igentlich sei er gar kein Londoner, sagt der Theaterregisseur, Schauspieler, Verleger und Filmproduzent Mike Downey. Erst seit einem knappen Jahrzehnt lebt er hier. Aber auch das ist London – Heimathafen für Weltenbummler. Das West Country zwischen Somerset und Devon, Paris, Belgrad und München sind frühere Sta-

tionen in Mike Downeys Leben. Im angesagten Stadtteil Notting Hill hat er sich aus einem früheren Kutscherhäuschen, einer der begehrten *mews*, in einem idyllischen Gässchen ein wunderschönes modernes Stadthaus erschaffen. Mag das Herz des gebürtigen Iren auch am Film und seiner kroatischen Freundin Marijana, einer Musikwissenschaftlerin, hängen, so bleibt noch Platz für eine große Leidenschaft für das Essen. Sie offenbart sich jedem neuen Besucher sofort: Sobald er die Haustür geöffnet hat, fällt der Blick in eine riesengroße Küche, die neben einer Minisauna und einem noch kleineren Büro die gesamte Fläche des Erdgeschosses einnimmt.

Seine ländlichen Wurzeln kann und will der weltstädtische Kulturfanatiker, der neben Kochbüchern moderne Kunst sammelt, nicht vernachlässigen. „Ich träume vom Land, selbst im wachen Zustand." Erfüllt hat sich Mike Downey diese Phantasie mit dem Kauf eines alten Anwesens in Istrien, das er zur „neuen Toskana" erklärt. Allerdings sei das Leben in diesem Teil Kroatiens

MIKE DOWNEY'S FUZI

Selbstgemachte Pasta, so viel Trüffel (kroatisch: *fuzi*) wie der Geldbeutel erlaubt, Olivenöl, schwarzer Pfeffer aus Kerala und Salz. Pasta kurz in Salzwasser garen und vollständig abtropfen lassen. Gleich mit Olivenöl beträufeln und auf Teller verteilen. Den Pilz mit einem Trüffelhobel über die Pasta reiben. Mit schwarzem Pfeffer abschmecken. Dieses schnell und einfach zuzubereitende Gericht ist so köstlich, dass eines klar wird: „Es muss einen Gott geben."

weder überteuert noch übersättigt – Adjektive, mit denen er bei aller Liebe auch seinen Stadtteil Notting Hill beschreiben würde, wo „die Modepolizei regiert". In London lebt er, um zu arbeiten. Denn auch ein Filmproduzent, der viel bewegen kann, schafft eines in London nicht: Ski zu laufen. „Das ist mehr als schade. Der Winter wurde für meine Begriffe nur zum Skifahren erfunden."

Seit 15 Jahren ist Mike Downey im Filmgeschäft aktiv. Mittlerweile hat er sich ganz auf die Filmproduktion verlegt – „ein tolles Leben, das ich als Privileg sehe, Geschichten erfinden. Mit witzigen, gescheiten Menschen arbeiten. Die Welt bereisen. Sich überall kleine Familien schaffen. Etwas Sinnvolles tun und – zumindest hofft man das – vielleicht für eine Veränderung im Kopf der Menschen sorgen. Was kann sich ein Mann mehr wünschen?"

Vielleicht etwas weniger Arbeit. Mike Downey muss zugeben, dass er ein Workaholic ist. Damit verbunden sind schlechte Essgewohnheiten im Alltag. „Oft bin ich abends zu müde, um noch einen Biobraten mit feinem Gemüse zu zaubern und ernähre mich stattdessen von Gin & Tonic und Dips." Aber wenn er Zeit hat, dann widmet er sich mit Leidenschaft der italienischen Küche. Trüffel, wilder Spargel, Prosciutto, Mal-

vasia-Trauben – das sind Köstlichkeiten, die sich auch in der istrischen Küche wiederfinden.

Seine Küche hat er selbst entworfen. Eine Herausforderung, denn *mews houses* sind handtuchschmal. „Meine Theatererfahrung sagte mir instinktiv, dass ich die Küche als Performance-Raum nutzen sollte und die Illusion von viel Platz erzeugen, in dem ich gleichzeitig so viel wie möglich unterbringe."

Am liebsten kocht er nach alten Rezept-Vorlagen neue kulinarische Genüsse für seine vielen Freunde. „Etwas zubereiten und es darbieten – das ist für mich ein Ausdruck der Zuneigung und Liebe. Was mir Sorgen macht, ist, dass mit zunehmendem Alter Appetit und Interesse am Essen abnehmen. Ein schrecklicher Gedanke! Vielleicht lässt sich diese Entwicklung vermeiden, wenn man sich mit dem Tod auseinander setzt und ihm einen dicken Schmatz auf den Mund verpasst. In unserer Kultur verdrängen wir den Tod. In Istrien wird daraus eine Feier. Ich liebe das Leben und hoffe, dass meines so lange und so fruchtbar wie möglich sein wird. Und dann möchte ich einen richtig guten Tod. Unser betrunkener Dorfpriester hat noch aus jedem Begräbnis ein Wunderwerk gemacht, bei dem das Essen ebenfalls nie zu kurz kommt."

ERDBEEREN MIT SAHNE
ZUM TENNIS IN WIMBLEDON

Nur die ana-
chronistischen
Beinkleider
deuten darauf
hin, dass dieses
Foto aus dem
Archiv stammt.
Denn beim
Tennisturnier
in Wimbledon
wird Tradition
bis heute groß
geschrieben.

Alljährlich zwischen Ende Juni und Anfang Juli feiert sich in einem netten und unbedeutenden Vorort von London zwei Wochen lang ein England, das aus einer anderen Zeit zu stammen scheint. 1877 wurde der Tennis- und Crocketclub Wimble-don gegründet, 1922 machte er der Wimbledon High School Platz und zog um in die Church Road, wo der All England Lawn Tennis and Croquet Club noch heute das berühmteste Tennisturnier der Welt ausrichtet. Auf 20 Plätzen – der Centre court wird ausschließlich

während des Turniers bespielt – zeigt in Wimbledon die Weltelite ihre Tenniskunst, bestaunt von einem nicht weniger internationalen und teilweise nicht minder elitären Publikum.

Traditionen und Rituale werden in Wimbledon aufrecht erhalten. Die Spielfarbe bleibt weiß, der Bodenbelag bleibt Rasen, die Organisation bleibt militärisch straff und der klassische Imbiss bleibt *straws and cream*. Die prallen, reifen Erdbeeren mit Sahne symbolisieren im wenig sonnen- und strandver-

wöhnten England die Ankunft des Sommers. Die Größenordnung, in der sie hier täglich lustvoll vertilgt werden, lässt ahnen, wie wichtig den Zuschauern der Sommer ist: Sie liegt bei zwei Tonnen Erdbeeren, die aus der Grafschaft Kent stammen, und 8400 Litern Sahne durchschnittlich am Tag. Pro Person sind das trotzdem nur wenige, aber reife, riesige und handverlesene Erdbeeren – allerdings kosten diese Prachtexemplare dann auch gleich bis zu einem Pfund pro Stück.

Für Gesprächsstoff sorgt in Wimbledon nicht selten das Wetter. Es spielt bei diesem prestigeträchtigen Tennisturnier nicht immer mit. Erdbeeren mit Sahne gibt es jedoch bei jeder Witterung.

DIE GESCHICHTE WIMBLEDONS

In Elisabethanischer Zeit entwickelte sich das Städtchen Wimbledon (auch *Wimeldon*, *Wimmeldun*, *Wymbaldone*) zum Landsitz der Londoner Oberschicht, denn es war von London aus bequem mit dem Pferd zu erreichen. Im Jahr 1838 wurde Wimbledon an das Eisenbahnnetz angeschlossen: Nun zogen die gut situierten Londoner hierher und bauten mehrstöckige viktorianische Wohnhäuser. Ein halbes Jahrhundert

ADRESSE
The All England Lawn Tennis and Croquet Club, Church Street, London SW19, Telefon: 020/89446497, U-Bahn: Southfields

später kam die Anbindung an das Verkehrsnetz und mit ihr kam auch die Mittelschicht, die wesentlich bescheidenere Wohnhäuser baute. Heute werden während des Tennisturniers Wimbledons Wohnhäuser zu absoluten Höchstpreisen vermietet.

ERDBEEREN

„Eine nach außen gestülpte Feige" nennt der Autor Jeffrey Steingarten in seinem Buch „The Man Who Ate Everything" die Erdbeere, denn „sie trägt ihre Eierstöcke außen". Tatsächlich ist die Erdbeere eine Scheinfrucht, während die echte Frucht die Samen sind, die im Gegensatz zu denen aller anderen Obstsorten außen liegen. Es sind die kleinen, weißen Zapfen, die an der Pflanze bleiben, wenn die Erdbeere gepflückt wird.

Gezüchtet wird die Erdbeere (*Fragaria*) schon seit dem 14. Jahrhundert. Im 19. Jahrhundert taten sich Briten als Erneuerer der Pflanze hervor: Drei Sorten, die Downton, die Elton und die Keens' Seedling, brachte das Inselreich damals hervor; fast alle heutigen Varietäten lassen sich von diesen Sorten ableiten. Die Holländer züchteten vor zwei Jahrzehnten die Varietät Elsanta; über 80 Prozent der Erdbeerplantagen des nördlichen Europas bauen mittlerweile diese besonders ertragreiche und geschmacksintensive Sorte an.

In Großbritannien werden zwei Erdbeersorten unterschieden: Die im Juni rechtzeitig zum Tennisturnier reifenden *june bearers* und die *ever bearers*, die zwar nicht immer, wie der Name vermuten lässt, Früchte tragen, jedoch zwischen Juli und November für Nachschub sorgen.

STRAWBERRY SHORTCAKE

Neben Erdbeeren mit Sahne sind diese Küchlein ein Klassiker der englischen Küche.

500 g Mehl
3 gestrichene TL Backpulver
1 EL Zucker
1 TL Salz
150 g weiche Butter
250 ml Milch
750 g reife Erdbeeren, in Scheiben geschnitten
100 g Zucker
250 ml Sahne
1 EL Zucker
Mark aus 1 Vanilleschote

Ofen auf 220 °C vorheizen. Mehl und Backpulver in eine Schüssel sieben, einen Esslöffel Zucker sowie Salz unterrühren. 100 Gramm Butter in Flöckchen hineingeben, Milch dazugießen und gut vermengen. Teig auf einer bemehlten Arbeitsfläche mindestens einen halben Zentimeter dick ausrollen. Restliche Butter zerlassen. Kreise von zehn Zentimeter Durchmesser aus dem Teig stechen, auf Backpapier legen, mit zerlassener Butter bestreichen und im Ofen 20 Minuten goldgelb backen. Unterdessen Erdbeeren mit 100 Gramm Zucker mischen. Sahne mit einem Esslöffel Zucker steif schlagen, Vanillemark unterheben. Gebäck auf einem Gitter etwas auskühlen lassen, dann in der Mitte durchschneiden. Jeweils eine Hälfte mit Erdbeeren belegen und mit der zweiten Hälfte bedecken. Darauf wieder Erdbeeren schichten, mit einer Sahnehaube abschließen.

LONDONS KAFFEEHAUSKULTUR
TREFFPUNKT FÜR GENIESSER

Für seine Kaffeehäuser ist London nicht berühmt – allerdings zu Unrecht. Denn vor 350 Jahren, zur Zeit der Restauration, hatte sich London mitnichten dem Tee verschrieben. Kaffeehäuser entwickelten sich damals zu einer wichtigen Informationsbörse über das wirtschaftliche und soziale Leben Londons. Im Jahr 1652 wurde Londons erstes Kaffeehaus in Cornhill eröffnet. Bald hatten sich im Umkreis der Börse viele Kaffeehäuser niedergelassen, und der Gang dorthin gehörte zur täglichen Routine von Gentlemen und Börsianern. Und neben Kaffee und Klatsch wurden hier Alkohol, manchmal sogar horizontale Freuden geboten. Wahrscheinlich war Frauen deshalb der Zugang zu den Kaffeehäusern untersagt; nur als Inhaberinnen oder Beschäftigte durften sie sich hier aufhalten. Eine von ihnen, Moll King, die Ende des 17. Jahrhunderts ein Kaffeehaus in Covent Garden betrieb, machte Daniel Defoe 1722 in seinem pikaresken, drallen Roman „Moll Flanders" unsterblich.

Im 19. Jahrhundert wurden die Kaffeehäuser langsam exotisch, denn England war zu einer Nation der Teetrinker geworden. Während des Edwardianischen Zeitalters entwickelte sich allein Soho zum Kaffeehaus der Stadt – noch heute zeugen Geschäfte wie Pâtisserie Valerie, die Algerian Coffee Stores (gegründet 1887) und Angelucci's von dieser Tradition. Das Angelucci's wurde auf Grund der Qualität seiner Kaffeebohnen sogar von den Dire Straits mit „Wild Wild West End" verewigt. Heute kommen leidenschaftliche Kaffeetrinker in London wieder auf ihre Kosten. Zahlreiche Cafés haben sich auf amerikanische oder italienische Zubereitungen spezialisiert. Das Angelucci's hat sogar eine hauseigene Kaffeerösterei.

GRÜNE KAFFEBOHNEN IN COVENT GARDEN

In die optimistische Zeit der 70er-Jahre fällt die Gründung der Monmouth Coffee Company. Mitten in Covent Garden eröffnete Anita Le Roy damals ihre Kaffeerösterei; zu dieser Zeit schloss die U-Bahn in diesem zentral gelegenen Stadtteil noch am frühen Abend. So musste sich die findige Unternehmerin

Aroma ist der Name einer neuen Kaffeehauskette (links), denn hier kommt es auf das Aroma der frisch gemahlenen Bohnen an. Nach Wunsch bekommt man sie aromatisiert mit Sirup unterschiedlicher Note.

Ein Blick in die Kaffeerösterei Monmouth Coffee Company in Covent Garden. Das Tagesangebot – es wird im Keller stets fachmännisch geröstet – ist einer großen Tafel (rechts) zu entnehmen.

		8oz	1lb	3lb	7lb
34·25	Organic Papua-New-Guinea okapa	3·70	6·25	17·40	36·90
35·50	Dominican Republic Montana Verde Barahona	3·70	6·25	17·40	36·90
35·50	Special Blend for Espresso	3·95	6·70	18·55	39·55
35·50	Colombian San Agustin	4·20	7·10	19·65	41·90
35·50	Decaffeinated (water process) Colombian	4·20	7·10	19·65	41·90
36·90	NICARAGUA LA ILLUSION	3·70	6·25	17·40	36·90
36·90	KENYA KAIBERE	4·45	7·50	20·80	44·20
3178g		227g	454g	1362g	3178g

etwas einfallen zu lassen, um dennoch den Verkauf zu fördern: Irgendwann fiel ihr die große Diskrepanz zwischen dem Verkaufspreis von Kaffee und dem Preis von Kaffee-Futures auf. Sie kaufte eine Ladung grüner Kaffeebohnen, fand jemanden, der sie für sie röstete, und das war der Anfang. Bald wurde ihr aber klar, dass sie, um Qualität zu gewährleisten, auch die Röstung der Bohnen selbst vornehmen musste. Mittlerweile wird der Kaffee im Keller der Monmouth Coffee Company geröstet, was das wunderbare Aroma erklärt, das von der Kaffeerösterei nach oben und nach draußen dringt. Das Unternehmen beliefert viele Restaurants innerhalb und außerhalb Londons sowie eine große Anzahl von Privatkunden.

Noch heute liebt Anita Le Roy Kaffee, und zwar so sehr, dass sie sich gegen die keinesfalls nur in London weit verbreitete Unsitte verwehrt, ihn so zu konsumieren, als sei er nur Wasser. „Lieber trinke ich eine einzige Tasse Kaffee am Tag und genieße diese dann auch wirklich."

POETRY CAFÉ

Seit 1997 existiert dieser Treffpunkt für Dichter, Denker und Kaffeetrinker. Getreu der Tradition der historischen Kaffeehäuser, die auch Alkohol ausschenkten, bietet das Poetry Café offene Weine und einige Biersorten an. Literaturbegeisterte werden sich hier bestimmt wohlfühlen: Es gibt eine hauseigene Gedichtzeitschrift, in die Kanten der Tische sind, wie einst in alte Schulbänke, tiefe Gedanken eingeritzt, die Lampen tragen Kalligraphien, die sich bei näherem Hinsehen als Originale des bekannten Karikaturisten Ralph Steadman erweisen. Unzählige angehende

Mut gehört schon dazu, um im Poetry Café sein erstes Gedicht vor Publikum vorzutragen. Doch auch Größen wie die Schriftstellerin Margaret Atwood waren hier schon zu Gast.

TRADITIONELLE MINCE PIES

Die Füllung *mincemeat* hält sich nur wenige Tage im Kühlschrank. Ursprünglich gehörte Hackfleisch in diese Küchlein, so entstand der irreführende Name. In anderen Rezepten wird die Butter heute noch durch Nierenfett ersetzt. Zur klassischen Tasse Kaffee passt das klassische englische Weihnachtsgebäck *mince pies* nach einem Rezept der Leith's School of Food and Wine in London. Wem es gelingt, nach dem 25. Dezember zwölf Tage hintereinander ein solches Törtchen außerhalb der eigenen vier Wände zu ergattern, so eine der Varianten einer überlieferten Tradition, der hat das ganze folgende Jahr Glück.

. FÜR DIE FÜLLUNG

1 kleiner Kochapfel, entkernt, mit Schale zerrieben
60 g zerlassene Butter
90 g Sultaninen
90 g Rosinen
90 g Korinthen
3 EL Orangeat
3 EL gehackte Mandeln
Zest von 1 großen ungespritzten Zitrone
1 TL Pimentkörner, zerstoßen
4 ganze Nelken
1 Msp. Zimtpulver
1–2 EL Brandy
90 g brauner Zucker
1 Banane, gehackt

FÜR DEN MÜRBETEIG

350 g Mehl
1 TL Salz
170 g weiche Butter
1 Eigelb
3–4 EL Eiswasser
4 EL Milch oder
1 Ei, verschlagen
4 EL Puderzucker

Alle Zutaten für die Füllung vermengen. Für den Teig Mehl mit Salz mischen. Butter in kleinen Flocken in den Teig geben und verkneten. Eigelb mit Eiswasser verschlagen und einarbeiten. Bei Bedarf etwas Wasser zugeben, bis ein gut knetbarer Teig entsteht. 30 Minuten in Küchenfolie eingewickelt ruhen lassen. Ofen auf 190 °C vorheizen. Teig halbieren und kleine Pie-Formen damit auslegen. Jede Form zu drei Viertel mit *mincemeat* füllen. Restlichen Teig ausrollen und Pies nach Wunsch abdecken oder Formen ausstechen und diese fest auf die Füllung drücken. Wahlweise mit Milch oder Ei bestreichen: Milch gibt eine matte, Ei eine glänzende Glasur. Pie-Deckel mit einem Messer einstechen, damit der Gardampf entweichen kann. 20 Minuten goldbraun backen. Auf einem Kuchengitter abkühlen lassen und mit Puderzucker bestreuen.

Dichter wagen im Poetry Café erste Schritte: Vor einem Publikum, das zwar mit großem Enthusiasmus zuhört, aber keineswegs unkritisch ist und nicht mit seiner Meinung zurückhält. Viele etablierte Dichter, die ihre Fähigkeiten in der Küche erproben oder unter Beweis stellen möchten, haben großen Spaß daran, einmal im Monat für die Gäste des Poetry Café zu kochen. Auch internationale Literaturgrößen wie die kanadische Schriftstellerin Margaret Atwood (jüngstes Buch „Der blinde Mörder") und der Afrikaner Wole Soyinka haben hier schon aus ihren Werken gelesen.

Blick in ein geräumiges Café amerikanischen Zuschnitts, wie es nun auch in London erfolgreich Einzug gehalten hat. Allen Ketten gemein ist der optisch durchgestylte Gesamtauftritt von der Einrichtung bis zur Verpackung.

FRAPPUCCINO & CO.
AUF ERFOLGSKURS

Es ist vielleicht keine Renaissance der Kaffeehauskultur, die seit einigen Jahren in London wieder entsteht, sondern eher eine Neuinterpretation. Starbucks oder Aroma, Caffe Nero oder Coffee Republic, Costa und die ständig wachsende Anzahl von Internet-Cafés rund um das West End haben eine Marktnische entdeckt, die begeisterten Zuspruch weckte. Nur eine schlichte Tasse Kaffee lässt sich in diesen kosmopolitischen Cafés der neuen Generation nicht bestellen. Es ist noch nicht allzu lange her, da dachten die Londoner, *macchiato* sei eine obskure italienische Kunstrichtung. Heute ist er ihnen ebenso vertraut wie *frappucino*, *moccachino* oder ein *smoothie* – je nachdem ob sie ihren Kaffee gerne samtig, farbintensiv, rußig oder seidig im Geschmack mögen. Großkonzerne haben die Attraktivität dieser jungen Ketten schnell erkannt: McDonalds erwarb neben Pret A Manger auch die Cafékette Aroma, und die von zwei Italienern mit *l'amore per il caffè* gegründete Kette Costa gehört inzwischen dem Brauereikonzern Whitbread.

DER AMERICANO

Ein Standardrezept, dass man auch zu Hause leicht zubereiten kann, ist der Americano. Wie in dem gesundheits-(über)bewussten Mutterland nicht anders zu erwarten, kommt es ohne die auf dem Kontinent als gesund geltende (Über-)Dosis Espresso aus.

Für das Rezept die Kaffeebohnen mahlen und das Mehl in den Behälter der Espressomaschine drücken. Dabei mit der linken Hand den Hebel halten und mit der rechten Hand drücken. Das vielleicht überschüssige Mehl vom Behälterrand wischen. Dann die Kaffeetasse (oder das italienische Standardmaß für *cappuccino* zu einem Drittel mit heißem Wasser füllen. Den Espresso in die Tasse aufbrühen und anschließend gleich servieren.

ADRESSEN

A. Angelucci, 23b Frith Street, London W1, Telefon: 020/74375889, U-Bahn: Leicester Square

Algerian Coffee Stores, 52 Old Compton Street, London W1, Telefon: 020/74372480, U-Bahn: Leicester Square

Cyberia Café, 39 Whitfield Street, London W1, Telefon: 020/76814200, U-Bahn: Goodge Street

Monmouth Coffee House, 27 Monmouth Street, London W1, Telefon: 020/78365272, U-Bahn: Covent Garden

Poetry Café, 22 Betterton Street, London WC2, Telefon: 020/4209888, U-Bahn: Covent Garden

Pâtisserie Valerie, 44 Old Compton Street, London W1, Telefon: 020/74373466, U-Bahn: Leicester Square

PUBS
LONDONS WOHNZIMMER

Keineswegs Attrappen: Die Bücherwände der Kette Wetherspoon sind echt und haben den robusten Charme früherer Pubs – so auch der ansprechende Pub Eagle (rechte Seite).

In London erfreuen sich die klassischen Pubs großer Beliebtheit. Sie sind von außen einladend und von innen gemütlich, denn sie erinnern an anheimelnde Wohnzimmer. Wackelige Hocker, abgewetzte Fauteuils und altgediente Theken verleihen ihnen für zwischenmenschliche Begegnungen eine ideale Atmosphäre . Drei Viertel aller Engländer frequentieren Pubs, ein Drittel von ihnen mindestens einmal in der Woche. Pubs sind Teil des Lebensstils und der Kultur in London und im ganzen Land.

Die althergebrachte Zweiklassengesellschaft, in London auch heute noch spürbar, ist innerhalb der Pubs abgeschafft. Hier ist ein faszinierender, demokratischer Querschnitt durch Alltag und Gesellschaft anzutreffen. Hier werden Kartoffelchipstüten aufgerissen und Runden ausgegeben, es wird erzählt, ge-

NEUN GRUNDREGELN FÜR EINEN PUBBESUCH

Das Social Issues Research Institute in Oxford erforscht soziale und gesellschaftliche Trends. Auch der international anerkannte Verhaltensforscher Desmond Morris befasst sich dort mit verschiedenen Themen des modernen Lebens wie der Pubetikette.

§ 1 Es gibt keine Bedienung. Wer etwas bestellen möchte, tut dieses direkt an der Theke beim *publican*, dem Pubbetreiber, oder einem seiner Helfer und nimmt das Getränk dort in Empfang. Beim Essen wird manchmal eine Ausnahme gemacht, das klassische *pub grub* (Sandwiches, Kartoffelchips, Pies, Würstchen) müssen die Gäste jedoch ebenfalls an der Theke abgeholt.

§ 2 Eine größere Gruppe bestimmt eine Einzelperson oder mehrere Personen, die für alle Getränke bezahlen und diese holen.

§ 3 Wer an der Theke bestellen möchte, sucht die Aufmerksamkeit des Barmanns so unauffällig wie möglich zu erheischen.

§ 4 Einzelbestellungen an der Theke werden individuell abgerechnet, Gruppenbestellungen als Gesamtsumme.

§ 5 Die Zahlung erfolgt in bar und sofort.

§ 6 Die Barmänner und -frauen bekommen kein Trinkgeld, freuen sich aber durchaus, wenn ihnen der Gast (*and one for yourself*) ein Getränk spendiert.

§ 7 Schon in einer kleinen Gruppe aus zwei Personen lädt einer den anderen abwechselnd ein. In größeren Gruppen zahlt ebenfalls nicht jeder für sich, sondern es werden reihum Runden ausgegeben.

§ 8 Die letzte Runde wird um 22.50 Uhr mit einer Glocke und den Worten „Last orders!" eingeläutet. Nun beginnt ein letzter Ansturm auf die Theke. Bis 23.20 Uhr haben die Gäste per Gesetz die Möglichkeit, ihr letztes Glas zu leeren.

§ 9 Nichts darf zu ernst genommen werden. Erst recht nicht die eigene Person.

tratscht, geflirtet, und es wird – mit Leidenschaft und beeindruckendem Tempo – getrunken.

„Who is tired of London is tired of life" – nirgendwo sonst ist drei Jahrhunderte nach Dr. Samuel Johnsons Liebeserklärung an seine Stadt, die der berühmte Lexikograph mit der Freude am Leben gleichsetzt, so fühlbar wie kurz nach sechs Uhr abends in einem beliebigen Pub im Zentrum. Büroangestellte, Kurierfahrer, Künstler, Maurer, Schuhverkäufer und Börsianer finden in den sich im Minutentakt füllenden Pubs schnell noch den passenden Platz. Der Durst ist enorm, der Hunger nach Kommunikation nahezu unstillbar, der Lärmpegel hoch. Bald beginnen die Theater- und Kinovorstellungen, ist der Platz im Restaurant reserviert, gilt es, einen Vorortzug zu erreichen oder die Planung des weiteren Abends abzuschließen. Nicht jeder schafft den Absprung. Dazu besteht auch keine Notwendigkeit. Es gibt Musikpubs, Familienpubs, Studentenpubs, Theaterpubs und Gastropubs, deren Essen mittlerweile auch im Michelinführer einen würdigenden Eintrag erhalten hat.

Doch kurz vor elf Uhr abends findet die Lebensfreude ein jähes Ende. Die Sperrstunde, im Ersten Weltkrieg angesetzt, um den Munitionsfabriken des Landes stetige Produktivität zu garantieren, trotzt den vielen Liberalisierungsversuchen. Nun beginnt eine hektische Suche. Je nach körperlicher und geistiger Verfassung fahndet der Londoner Pubgänger nach einer Begleitung, einem Taxi, der druckfrischen Zeitung vom nächsten Morgen, dem letzten Vorortzug, bald auch der letzten U-Bahn. Seine Stadt, die dieses Schauspiel schon seit Jahrhunderten kennt, schaut ihm dabei zu.

GEORGE ORWELL UND DIE JD-WETHERSPOON-STORY

Vor 20 Jahren eröffnete der 24-jährige Jurastudent Tim Martin seinen ersten Pub im Norden Londons und benannte ihn nach einem früheren Lehrer. Heute ist Tim Martin im Vorstand der Pubkette JD Wetherspoon plc, die wöchentlich landesweit zwei Pubs eröffnet und allein im Großraum London über 90 Pubs besitzt. Die wenigsten von ihnen führen allerdings den Namen der Aktiengesellschaft im Pubschild. Oft hingegen tragen sie den Mond im Namen – kein Zufall, sondern eine Hommage an George Orwell, der sich im Blitzkrieg seine Sehnsucht nach einem fiktiven Pub namens The Moon Under Water von der Seele schrieb. Dort wurden dem Gast in angenehmer Atmosphäre immer gutes Essen und ordentliche Getränke serviert.

Dieser so einfach klingenden und überraschend selten realisierten Vorgabe hat sich JD Wetherspoon verschrieben. Als kulinarischen Berater engagierte das Unternehmen beispielsweise den legendären Restauranttester Egon Ronay, der die Kette von den Schrecken des *pub grub* befreite. Statt fetttriefender

Viele Pubs achten auf ihr Äußeres: Blumen, blank geputzte Butzenglasscheiben und Holzverkleidung gehören dazu.

Nichts für zarte Mägen: Zum Frühstück im Pub Fox and Anchor gibt es auf Wunsch bereits um sieben Uhr morgens ein Glas Bier.

erungen haben bei Wetherspoon erfolgreich Einzug gehalten. Im Gegensatz zu vielen herkömmlichen Pubs sind diese musik- und spielefrei, verfügen über ausreichende Ventilation, bieten Behindertenzugänge, rauchfreie Zonen, manchmal sogar Bibliotheken. Hier hätte sich George Orwell durchaus wohlgefühlt. Aber selbst mit seinem Talent der Vorausahnung hätte er es wohl kaum für möglich gehalten, welche Arbeitsbedingungen die *publicans* der Kette heute haben. Ein wahres Privileg im sonst so harten Pub-Alltag sind die 48 Stunden Arbeitszeit in fünf Tagen, gefolgt von zwei zusammenhängenden freien Tagen, für alle durchgearbeiteten Feiertage gibt es einen Ausgleich.

ARME-LEUTE-ESSEN

Zu einer Brotzeit *made in England* gehört noch immer der *black pudding*, vergleichbar der deutschen Blutwurst, allerdings warm serviert und in Anschnitt und Größe an Leberkäse erinnernd. Er wird aus frischem Schweineblut, Milch, Getreide und Talg hergestellt und schmeckt trotz dieser deftigen Zutaten recht fein. Wer sehen will, was er isst, dem empfehlen sich Austern mit Guiness, einst das aus Irland stammende Arme-Leute-Essen. Es ist Zeichen einer guten, bodenständigen Pubküche. Die Austern sollten aus dem irischen Galway kommen.

Würstchen gibt es frischen Thunfischsalat, statt pappiger Pommes Frites Spaghetti mit Rucola. Bei den Getränken zeigt das Unternehmen ebenfalls Gespür. Es offeriert neben einer großen Auswahl an Bieren und Weinen alkoholfreie Getränke. Die galten bis vor kurzem in Pubs als völlig überflüssig. Auch andere Neu-

Austern und Armut, schrieb Charles Dickens in „Die Pickwickier", „always go together". Heute ist das Gegenteil der Fall – wer arm ist, kann sich Austern nicht mehr leisten. Seit die Vorkommen seltener wurden, ist auch ihr Preis gestiegen.

Paul Conlan (rechts) wird nicht selten um seinen Job beneidet: Er braut das Bier der Privat-Brauerei Mash. Die Minibrauerei ist dem Pub direkt angeschlossen.

MASH BRAUT BIER MIT LONDONER WASSER

Nur noch eine Handvoll Minibrauereien des alten Schlags finden sich heute in und um London. Aber eine neue Brauereigeneration wächst heran, die dem Biertrinken einen anderen Status verleiht und sich damit erfolgreich gegen die Übermacht der Großkonzerne wehrt. Biertrinken wird cool.

Sobald ein neuer Gast durch die Pforten der Minibrauerei Mash mit angeschlossenem Pub, Delikatessgeschäft und Restaurant tritt, aktiviert sich über seinem Kopf die Installation „Love Machine" des Londoner Künstlers Murray Partridge. Sie erinnert an die Anzeigetafeln auf Flughäfen, gibt jedoch keine Flugverbindungen, sondern Lebensweisheiten bekannt. Das passt zum Gesamtkonzept von Mash, zu deutsch Mai-

sche. „Biertrinken soll Spaß machen" erklärt der 29-jährige *brewmaster* Paul Conlan die Philosophie seines Arbeitsplatzes, der nur wenige Minuten von der Oxford Street entfernt liegt und zu den begehrtesten der Stadt gehört: Wer kann schon Privatfeste mit selbstgebrautem Bier veranstalten? „Ja", grinst der Brauer, „und Gehalt bekomme ich auch noch!" „Hopfen", setzt er zwinkernd nach, „ist übrigens ein Hanfgewächs. Wie Brennessel und Cannabis."

Um die 2300 Liter Bier wöchentlich braut Paul Conlan, eigentlich gelernter Koch, nach den Vorgaben seines Chefs, des diplomierten Brauereimeisters Alastair Hook, der an der Fachhochschule Weihenstephan Brauereiwesen studierte. Da es ohne künstliche Zusätze hergestellt wird, hält sich das Mash-Bier selbst bei entsprechender Kühlung nur

Klassische Mash-Biere (von links) auf einem *taster tray*: Lager (5,2% Alkohol), Pfirsich (5,1% Alkohol), Weizen (5,2% Alkohol) und Schokolade (5,1% Alkohol).

RETTET DAS ECHTE BIER
CAMRA MACHT MOBIL

Engagierte Organisationen wie CAMRA (Campaign for Real Ale) sehen bereits die Notwendigkeit einer Initiative zur Rettung traditioneller Pubs, die sie durch die steigende Popularität moderner Pubketten und dem Einheitsgeschmack des Biers aus Großbrauereien bedroht sehen. Die Bewahrung des *real ale* ist ein ernst zu nehmendes Anliegen einer seriösen Vereinigung, die für die Nachgärung und damit für das „echte" Bier einsetzt. Sie lehnt das immer uniformere Bier der Großbrauereien strikt ab. Nicht nur aus Geschmacksgründen, sondern weil sich diese zu grenzüberschreitenden Multis entwickeln. Somit ist die Existenz kleinerer Brauereien und unabhängiger Pubs, der *free houses*, gefährdet. Ihnen lässt sich immer leichter der Hahn zudrehen. Öffentlichkeitskeitswirksam sind die Aktionen der Vereinigung mit einem ehrenamtlichen Vorstand und 14 bezahlten Mitarbeitern allemal: Vor Brauereien, die ihre Pforten schließen mussten, hat sie Kränze niedergelegt, an den Schatzkanzler appelliert, die Verbrauchssteuern für Bier zu senken und dem Landwirtschaftsministerium legte sie die finanzielle Unterstützung für Bauern nahe, die auf Biohopfen umsteigen wollen. Natürlich kämpft CAMRA auch für die Liberalisierung der Öffnungszeiten von Pubs, die selbst von der Londoner Polizei befürwortet wird. Beide hoffen, dass sich das „Kampftrinken" kurz vor Pubschluss damit erübrigt, was sich wiederum auf die nächtliche Sicherheit auf den Straßen auswirken dürfte. CAMRA finanziert sich durch Spenden sowie durch Beiträge seiner mittlerweile 50 000 Mitglieder, durch den Verkauf von T-Shirts und Büchern wie dem „Good Beer Guide" und durch Bierfestivals, die in London jährlich stattfinden.

sechs bis acht Wochen. Im Mash-Pub ist seine Lebensdauer noch begrenzter; nach vier bis fünf Tagen ist der wöchentliche Brauertrag ausgetrunken. Wieso ist das Bier aus Minibrauereien eigentlich so begehrt? „Wenn man eine normale Dose Lager aufmacht, riecht man Bier. Das ist aber auch schon alles. Unser Bier hat Komplexität. Man kann die verschiedenen Aromen und Geschmacksrichtungen deutlich herausschmecken", erklärt Paul Conlan.

Das stark gehopfte und hochprozentige *porter* erfreute sich als Stärkungsmittel bei den Warenträgern auf den Großmärkten des East End einst großer Beliebtheit und erhielt von ihnen auch den Namen. Der intensive Geschmack dieses mit dem dunklen *stout* verwandten Biers entwickelt sich dank der Malzröstung bei hoher Temperatur. Heute erlebt dieses klassische Londoner Bier untergärig nachgebraut eine Renaissance.

Ale ist der Überbegriff für obergärige britische Biere. Im Gegensatz zum *beer*, das überregionale Massenware aus Großbrauereien bezeichnet, steht *ale* für nicht industriell produziertes, meist regionales Bier. Das *mild ale* ist wenig gehopft und hat einen niedrigen Alkoholgehalt. Das ursprünglich für den Export in die Kolonien gedachte *India Pale Ale* wurde stark gehopft, damit es den langen Transport unbeschadet

Die Theke eines ganz normalen Londoner Pubs. Die Zapfhähne sind immer peinlich sauber und blank poliert. Typisch sind die unübersehbaren Etiketten der jeweiligen Bierbrauereien.

überstand. Londons und Englands Lieblingsbier ist das körperreiche, leicht malzige und gut gehopfte *bitter*. Das *brown ale* wird nur noch selten gebraut. Es verdankt seinen Namen seiner Farbe und schmeckt süßlich. Der Alkoholgehalt liegt niedriger als der anderer Biersorten.

Auch der beschwipste Apfelsaft *cider* hat in Londoner Pubs eine lange Tradition. Als *cask conditioned* ist er besonders von der Firma Addlestone's zu empfehlen. Er wird ausschließlich aus englischen Äpfeln hergestellt und ist naturtrüb.

Pubs servieren ihr Bier nie eiskalt, sondern bei Kellertemperatur; böse Zungen behaupten sogar bei Zimmertemperatur. Aber auf diese Weise entfaltet sich der Biergeschmack, so zumindest glaubt man hier, am besten. Auch auf die auf dem Kontinent sehr beliebte Bierkrone verzichtet der britische Bierliebhaber gern – zugunsten eines randvoll gefüllten *pint* (0,568 Liter) oder eines *half* (womit ein halbes *pint* gemeint ist). Die genaue Füllhöhe der Gläser verschiedener Größen wird von der Office of Weights and Measures, dem Eichamt, überwacht. Bislang konnte dieses traditionelle englische Maß noch nicht durch das europäische Dezimalsystem verdrängt werden.

Eine Dosis Stickstoff zauberte einem mit einem Hauch Erdbeerpulpe aromatisierten Bier eine sahnige Haube. Im Dezember gibt es Bier mit weihnachtlichem Aroma, im Sommer ein erfrischendes Pfirsichbier, dem als Aromastoff ausschließlich Fruchtfleisch (Pulpe) von Pfirsichen zugesetzt wird. Ein anderer wichtiger Aromastoff ist das Wasser. Mash braut sein lebendes Bier nur mit Londoner Leitungswasser.

STAMMKNEIPEN – LOCALS UND ESTATE PUBS

Londoner und Londonerinnen haben ihre Stammkneipe, den *local*. Die Nähe zur Wohnung ist dabei nicht so ausschlaggebend wie die Vertrautheit, die dem *regular*, wie ein Stammgänger bereits nach mehreren Besuchen genannt wird, hier entgegengebracht wird. Stammkneipen finden sich, außerhalb der touristischen Hochburgen des West End, an jeder Straßenecke.

Die *estate pubs* gehören zu den Einrichtungen der Siedlungen des sozialen Wohnungsbaus. Wer dort nicht zu Hause ist, verirrt sich selten in die oft großen und verhältnismäßig einfach gestalteten Pubs. Eine ausgefeilte Speisen- und Getränkekarte darf der Besucher hier nicht erwarten, dafür aber Klassiker der Pubküche wie zum Beispiel den „Shepherd's Pie".

SHEPHERD'S PIE

Ursprünglich war die „Shepherd's Pie" ein Resteessen. Was vom Hammelbraten übrig blieb, wurde zusammen mit Gemüse- und Kartoffelresten zu einem Auflauf verarbeitet. Heute wird „Shepherd's Pie" in der Regel frisch und oft aus Rinderhack zubereitet. Dieses ist nach der strengen Definition des Klassikers nicht zulässig – seinem Namen entsprechend muss die „Schäferpastete" entweder aus Lamm- oder Hammelfleisch bestehen.

3 Schalotten, fein gehackt
1 Knoblauchzehe, zerdrückt
1–2 TL Pflanzenöl
1 kg gekochtes Hammel- oder Lammfleisch (alternativ Rindfleisch), fein gehackt
2 EL Tomatenmark
1 TL Worcestersauce
1 TL Thymian, gerebelt
1 TL Rosmarin, gerebelt
1 EL Salz
schwarzer Pfeffer aus der Mühle
2 EL Mehl
250 ml Hühnerbrühe
1 kg mehlige Kartoffeln, gekocht und zerstampft
4 EL Butter
1 EL Salz
schwarzer Pfeffer aus der Mühle
1 Prise Muskat
2 EL Butter

Ofen auf 200 °C vorheizen. Schalotten und Knoblauch in Öl dünsten. Fleisch zugeben und von allen Seiten gut anbraten. Tomatenmark unterrühren. Mit Worcestersauce, Kräutern, Salz und Pfeffer abschmecken. Mit Mehl bestäuben. Hühnerbrühe angießen und bei Mittelhitze etwas einkochen lassen. Das Ganze in eine Auflaufform füllen. Kartoffelbrei mit Butter vermengen und mit Salz, Pfeffer und Muskat abschmecken. Über das Fleisch schichten. Butter in Flöckchen auf dem Kartoffelbrei verteilen. In 20 Minuten goldbraun backen.

BLACK VELVET

Die englischen stouts sind gehaltvolle Dunkelbiere. Das berühmteste unter ihnen ist sicherlich das irische Guinness. Ein nahrhaftes *stout* kann auch als eleganter Cocktail zu seinen Ehren kommen:

125 ml *stout*
125 ml Champagner, eisgekühlt

Bier langsam in ein geneigtes Tulpenglas gießen, ohne dass sich eine Schaumkrone bildet. Vorsichtig mit Champagner auffüllen.

DIE GASTROPUBS

In den 80er-Jahren wagten einige Gastronomen die Revolution. Sie boten in ihren Pubs neben der üblichen deftigen Hausmannskost wie „Shepherd's Pie" oder „Bangers and Mash" eine leichte, moderne und leckere Küche an. Klassische Pubgänger reagierten mit anfänglicher Zurückhaltung, denn es galt nicht als besonders männlich, sich zu viele Gedanken um das Essen zu machen. Aber es dauerte nur wenige Jahre, da hatten weitblickende Pubs mit ihrer Küche neue Maßstäbe gesetzt. Das *pint and pie*-Image von einst wurde mit neuer britischer, asiatischer oder mediterraner Küche spielend an die Wand gekocht. Lob und Anerkennung ließen nicht lange auf sich warten; selbst der Michelinführer huldigt den Londoner Gastropubs gerne in seiner Rubrik „bib gourmand" für gutes Essen zu zivilen Preisen.

ADRESSEN

Anglesea Arms, 35 Wingate Road, London W6, Telefon: 020/77491291, U-Bahn: Hammersmith
Mash, 19–21 Great Portland Street, London W1, Telefon: 020/76375555, U-Bahn: Oxford Circus
The Eagle, 159 Farringdon Road, London EC1, Telefon: 020/78371353, U-Bahn: Farringdon
The Engineer, 65 Gloucester Avenue, London NW1, Telefon: 020/77220950, U-Bahn: Camden Town

Die Gastropubs, wie zum Beispiel die Kette All Bar One (links) und das Eagle (oben), haben den Versuch gewagt, der simplen Pubküche den Kampf anzusagen. Mit großem Erfolg.

Deftig: Lamb Shanks.

Mediterran: Black Octopus Paella.

Phantasievoll: Monk Fish Sticks.

Tom Norrington-Davies aus dem Eagle kocht leidenschaft

. Und die Gäste schätzen seine abwechslungsreiche Küche.

INDIENS VEGETARISCHE KÜCHE IN LONDON

Dank der schon im 9. Jahrhundert vor Christus in den Lehrsätzen der Upanischaden verankerten Doktrin des *ahimsa* (Gewaltlosigkeit) hat sich auf dem ganzen indischen Subkontinent die vegetarische Ernährung viel weiter entwickelt als in anderen Ländern. Den Hindus ist es verboten, Rinder zu schlachten und zu verzehren; die Moslems essen kein Schweinefleisch; den streng vegetarisch lebenden Jainas sind sogar Zwiebeln verboten, denn bei ihrer Ernte könnten Kleinstlebewesen vernichtet werden. Aber selbst dort, wo es nicht zwingend durch die Religion vorgeschrieben ist, sind vegetarische Zubereitungen in Indien weit verbreitet.

Auch in den indischen Restaurants von London, die dort so zahlreich sind wie auf dem Kontinent die italienischen Restaurants, pflegen vegetarische und fleischhaltige Gerichte eine friedliche Koexistenz. Mehr noch: Es gibt auch veganische Gerichte für diejenigen, die ganz auf Tierprodukte verzichten und deshalb Milchprodukte oder Eier ablehnen. Für sie kennt die indische Küche

eine Vielzahl von Hülsenfrüchten und Getreidearten, die dank einer raffinierten Würzkunst sehr abwechslungsreich schmecken und es ernährungswissenschaftlich gesehen durchaus sind. Mangelerscheinungen auf Grund von fehlenden Vitaminen (meist B_{12}) und Proteinen können in dieser Länderküche nach Meinung von Ernährungswissenschaftlern mit etwas Umsicht im Speiseplan ausgeschlossen werden.

Für die zahlreichen Vegetarier unter den Londonern ist die indische Küche deshalb eine beliebte Alternative zum klassischen Einerlei aus gedünstetem Gemüse und ganz viel Salat. Im Süden Londons, in Tooting, wo sich der Glamour und die edlen Fassaden des West End noch nicht durchgesetzt haben, lohnt sich ein Streifzug durch die südindische und vegetarische Küche. Unter windschiefen Leuchtreklamen und an wackeligen Tischen mit Blick auf vergilbte indische Gottheiten, die schon seit einem Vierteljahrhundert die Restaurantwände plakatieren, trifft sich eine äußerst heterogene Klientel – von kreativ bis konservativ. Indien hat nie

Klassische Nachspeisen der indischen Küche wie *ladoo* und *jezzbi* sind oft mit Lebensmittelfarbe eingefärbt.

Masala
Mogo
90
per porot

Puran
Puri
1.50
each

Rasmalai

Mogo
1.40
per portion

Rotlo
1.00
each

Thepla
40
each

Theatertruppe einen Tisch mit einigen Anwohnern aus den umliegenden Sozialbauwohnungen, die zwar keine schrägen Stücke aufführen, aber ebensoviel Mut haben, wirklich scharf zu essen.

Einen wirklichen Aufschwung hat der Ruf der indischen Küche in England allerdings erst in den vergangenen Jahren genommen. Nach einigen Nischen wie Tooting, Wembley oder Southall haben sich mittlerweile auch im West End und anderen teuren Innenstadtgegenden Restaurants etabliert, die das klassische Image der indischen Küche, ein preiswerter Sattmacher zu sein, endgültig widerlegen wollen. Man möchte weg vom Vorurteil der Billigküche und von Gerichten, die mit Lebensmittelfarbe künstlich eingefärbt werden und unkundigen Europäern einst signalisier-

Ein preiswertes und populäres Restaurant im Südlondoner Stadtteil Tooting ist das Milan. Auf Komfort und Gemütlichkeit oder gar coolen Schick wird deshalb bei der Inneneinrichtung wenig Wert gelegt.

nur Aussteiger fasziniert, sondern auch die Kolonialbeamten. So sitzt vielleicht neben dem alternden Hippie, in Träume von niedrigen Preisen und sanftem Sandstrand versunken, ein pensionierter Offizier, teilt sich eine kleine

CURRYBLÄTTER

In Deutschland sind frische Curryblätter (*Murraya koenigii*) nur selten in Spezialitätengeschäften erhältlich. Die getrocknete Variante aus dem asiatischen Supermarkt verliert an Würzkraft. Wenn man sie verwendet, empfiehlt es sich deshalb, die angegebene Rezeptmenge um ungefähr ein Drittel zu erhöhen. Curryblätter sind wesentlicher Bestandteil der klassischen Curries, aromatisieren aber auch Chutneys oder Fischgerichte. Frische Curryblätter werden vor dem Servieren entfernt. In der Küche Südindiens sind sie in vielen Gerichten zu finden.

174

Kardamom   Zimtstangen   Gewürznelken

Kreuzkümmel   Koriandersamen

WÜRZEN MIT GARAM MASALA

Garam masala ist eine von vielen Gewürzmischungen, die jede indische Hausfrau für sich selbst zusammenstellt. Gute indische Restaurants mahlen ihre Würzmischungen immer frisch aus. Wie für die Currymischungen, gibt es auch für Garam masala viele Rezepte. Ein Grundrezept ist dieses. Es ergibt ungefähr 100 Gramm.

3 EL (etwa 20) schwarze oder 2 EL (etwa 75) grüne Kardamomkapseln	
3 Zimtstangen	
1 EL Gewürznelken	
25 g Kreuzkümmel	
50 g Koriandersamen	

Kardamomkapseln öffnen, Samen herausnehmen. Zimtstange in kleine Stücke brechen. Alle Gewürze mischen. Eine Pfanne erhitzen, Gewürze hineingeben. Bei Mittelhitze unter Rühren rösten, bis sie dunkel werden. Abkühlen lassen und mahlen. In einem luftdichten Behälter kühl lagern.

ten, dass ihnen ein scharfes, exotisches Essen serviert wird.

Restaurants wie das Veeraswamy, das Zaika und das Café Spice Namaste waren die Vorreiter. Engagiert wird in diesen Restaurants der neuen Generation die faszinierende Bandbreite und Raffinesse der indischen Küche aufgenom-

men. Vielleicht gehört ihnen die Zukunft, denn die klassischen *curry houses*, die nicht immer den Standard von Pizzabuden erreichen, schließen nach neuester Zählung des staatlichen Economic and Social Research Council in den vergangenen Jahren immer häufiger. Das Shree Krishna, das 1973 gegründet wurde und noch in Familienbesitz ist, gilt unter den vielen Restaurants als Klassiker und betreibt gleichzeitig eine Flugbörse. So bietet es seiner Kundschaft die Möglichkeit, vor Ort in Kerala, dem Bundesstaat, aus dem die Familie stammt, die landestypische Küche zu testen. Gar nicht weit entfernt liegt das Kastoori, wo man sich neben südindi-

Chana dal (*Gelbe Schälerbsen*)

Toovar dal (*Gelbe Linsen*)

Urad dal (*Urdbohnen*)

Moong dal (*Mungbohnen*)

DAL – ALLERLEI HÜLSENFRÜCHTE

Hülsenfrüchte sind aus der indischen Küche nicht wegzudenken. Sie sind gesund, billig, sättigend und lassen sich auf vielfältigste Weise kombinieren. Bekannte Sorten sind *moong dal* (Mungbohnen), *toovar dal* (Gelbe Linsen), die auch eingeölt angeboten werden, *urad dal* (Urdbohnen) und *chana dal* (Gelbe Schälerb-

sen), die einen leicht süßlichen Geschmack besitzen. Verschiedene dal-Sorten sind in asiatischen Lebensmittelmärkten erhältlich oder im Spezialitätenregal großer Kaufhäuser zu finden. Typisch für die nordindische Küche ist die schonende, dafür zeitaufwendige Zubereitung, die für eine cremige Konsistenz sorgt.

KHICHDI – WÜRZIGER REIS UND BOHNEN

| 100 g Reis |
| 100 g Mungbohnen |
| 2 EL Öl |
| 3 Gewürznelken |
| 1 Zimtstange |
| 1 Prise Asafoetidapulver |
| 1/2 TL Kurkuma, gemahlen |
| 500 ml Wasser |

| 1 Prise Salz |
| Joghurt als Beilage |

Reis und Bohnen waschen, 30 Minuten einweichen. Öl in einer Pfanne mit dickem Boden erhitzen. Nelken und Zimtstange dazugeben. Sobald sie aufgeplatzt sind, Asafœtidapulver und Kurk-

uma hinzufügen. Eingeweichten Reis und Bohnen mit Wasser zugeben, dann mit Salz abschmecken. Nach dem Aufwallen die Hitze herunterschalten und das Gericht so lange köcheln lassen, bis der Reis und die Bohnen gar sind. Heiß entweder mit Joghurt oder einer anderen Beilage servieren.

LASSI

Das erfrischende Getränk *lassi* wird wahlweise aus Joghurt, Buttermilch oder fettreicher Milch zubereitet. Es gibt eine salzig-pikante und eine süße Geschmacksvariante. Zum Süßen eignen sich Mango- oder Pfirsichmark, alternativ ein Schuss Rosenwasser. Die pikant-salzige Version kann Chilipaste, Korianderblätter oder frische Minze enthalten. Das Mischverhältnis zwischen Milchprodukt und Eiswasser oder -würfeln ist Geschmackssache, ebenso wie die Würzzutaten. Am besten lässt sich die schaumige Konsistenz in einem Mixer erreichen.

scher Küche auch den Spezialitäten aus Gujarat widmet, dem Bundesstaat, aus dem Mahatma Gandhi stammt. Hier und im Milan hat man sich mit *thali*, den äußerst großzügig bemessenen Gerichten mit mehreren Curryvarianten, die auf einem Tablett und in vielen kleinen Schälchen serviert werden, einer weiteren kulinarischen Tradition Indiens angenommen.

ECHT INDISCH – MADHUR JAFFREYS KOCHBÜCHER

In den 60er-Jahren spielte die indische Schauspielerin Madhur Jaffrey mehrfach unter der Regie von James Ivory, der seit Anfang des Jahrzehnts eine Partnerschaft mit dem indischen Produzenten Ismail Merchant (selbst Koch und Kochbuchautor) eingegangen war. Der Film „Shakespeare Wallah" (1965) schaffte es damals sogar bis nach Europa zu den Filmfestspielen von Berlin.

Heute kennt man Madhur Jaffrey als Kochbuchautorin und Fernsehköchin. Mit Büchern wie „A Taste of India" oder „An Invitation to Indian Cooking" verführte sie mit ihren hervorragenden Rezepten und informativen Begleittexten, die die Liebe zu ihrem Heimatkontinent auf wunderbar farbenprächtige und sinnliche Weise spüren ließen, ganze Generationen von Engländern und Amerikanern, die plötzlich lernten, dass es „die" indische Küche gar nicht gibt.

Faszinierend unkompliziert und leicht nachzukochen, sind ihre Rezepte. Dem Blattspinat einfach viel Dill beizufügen und ihn leicht mit Sahne zu perfektionieren, hat Madhur Jaffrey in Mysore gelernt.

INDIENS KÜCHENVIELFALT

Indien gehört zu den bevölkerungsreichsten und flächenmäßig größten Ländern der Welt. Neben der religiösen Vielfalt hat Indien 18 staatlich anerkannte Hauptsprachen und über tausend Dialekte zu bieten. Geographie und Vegetation sind ebenso abwechslungsreich, was Auswirkungen auf die reiche Auswahl an Zutaten hat. Was die indische Küche jedoch eint, ist der meisterliche Umgang mit Gewürzen, der jedes indische Gericht außergewöhnlich macht. Fertige Currymischungen sind in der indischen Küche verpönt. Würzmittel wie Asafoetida, Chili, Kurkuma, Nelken, Zimt, Kreuzkümmel und viele mehr werden stets frisch gemahlen und kurz angebraten, bis sie aufplatzen oder ihre Farbe verändern. Dadurch intensiviert sich ihr Geschmack. Oft dient das auf diese Weise aromatisierte Öl als Geschmacksverstärker von einfach zubereitetem Gemüse oder Hülsenfrüchten. Die Zusammensetzung der Gewürzmischungen, genannt *masala* ist so verschiedenartig und vielfältig wie Indien selbst.

SPINAT MIT DILL

I kg frischer Blattspinat, grob gehackt
4 Bund frischer Dill
2 EL Salz
4 EL Sahne
I EL Pflanzenöl
I/2 TL schwarze Senfkörner
I Msp. gemahlener Kreuzkümmel
I scharfe Chilischote

Spinat zusammen mit den Dillspitzen in einem großen Topf abgedeckt bei Mittelhitze im eigenen Saft 15 Minuten weich dünsten. Sahne zugeben und mit Salz abschmecken. Ohne Deckel unter Rühren garen, bis die Kochflüssigkeit verdampft ist. Pflanzenöl in einer kleinen Pfanne erhitzen und Senfkörner und Kreuzkümmel zugeben. Sobald die Körner platzen, die Chilischote zugeben. Hat sie Farbe angenommen, wird die Würzmischung unter den Spinat gerührt. Chilischote entfernen. Heiß oder lauwarm servieren.

ADRESSEN

Café Spice Namaste, 16 Prescot Street, London E1, Telefon: 020/74889242, U-Bahn: Tower Hill
Kastoori, 188 Upper Tooting Road, London SW17, Telefon: 020/87677027, U-Bahn: Tooting Broadway
Milan, 158 Upper Tooting Road, London SW17, Telefon: 020/87674347, U-Bahn: Tooting Broadway
Shree Krishna, 192–194 Tooting High Street, London SW17, Telefon: 020/86724250, U-Bahn: Tooting Broadway
Veeraswamy, 1. Stock, Victory House, 101 Regent Street, London W1, Telefon: 020/77341401, U-Bahn: Piccadilly Circus
Zaika, 1 Kensington High Street, London W8, Telefon: 020/77956533, U-Bahn: High Street Kensington

Eine Reise in das exotische Wunderland Southall lässt sich vom Zentrum Londons aus leicht mit dem Bus antreten. Für die Rückreise empfiehlt sich der Zeit sparende Vorortzug. Im Gepäck befinden sich dann sicherlich indische Spezialitäten und Küchengeräte, vielleicht auch eine Küchengottheit und schillernde Sari-Stoffe.

EVERYTHING BY BUS
LITTLE INDIA IN SOUTHALL

Schon die Busfahrt nach Southall gleicht einem Abenteuer. Seit Hammersmith bahnt sich die Linie 207 langsam ihren Weg aus dem Innenstadtgewirr in Richtung Middlesex. Geduld und ein fester Magen sind erforderlich, denn im dichten Stop-and-Go-Verkehr von Greater London bremst und beschleunigt der Busfahrer, als gälte es, Verfolger abzuschütteln. Eine Stunde später Richtung Westen wird es ruhiger, aber nur für kurze Zeit. Rechts taucht ein amerikanischer Schnellimbiss in einem Haus im Tudorstil auf und in der Mitte entfaltet sich Little India. So heißt Southall und so heißt auch der kleine Supermarkt auf dem Broadway, der Hauptstraße dieses Vororts, der technisch gesehen schon zu Middlesex gehört. Viel England lässt sich allerdings nicht mehr verspüren. Der Busreisende wähnt sich im Punjab angekommen. Billiger kann die Fernreise nicht sein.

Allein auf dem Broadway gibt es mindestens 20 indische Restaurants. Dicht an dicht reihen sie sich an vollgestopfte Stoffläden. Dort suchen Modestudenten des renommierten College St. Martin's School of Fashion nach Anregungen für die Abschlusskollektion und zukünftige indische Ehefrauen nach Anregungen für ihr Brautkleid. Gleich daneben offerieren Gemüsehändler Senfkohl und Curryblätter, verkaufen Bäcker Süßes, dessen farbliche Bandbreite an Malpaletten erinnert, lassen sich an kleinen Straßenständen die bunten indischen Armreifen im Zehnerpack erwerben und daneben im edlen Juweliergeschäft der prächtige Goldschmuck nach Gewicht.

Um die 35 indische Restaurants gibt es insgesamt in „Londons Hauptstadt der Punjabi-Küche", wie der jährlich erscheinende Restaurantführer des Stadtmagazins Time Out formuliert. Das Gifto's Lahore Karachi gehört zu den beliebtesten unter ihnen. Wer die afrikanische Variante der indischen Küche ausprobieren möchte, kann das in der Southall-Institution Brilliant tun. Und wem das immer noch nicht exotisch genug ist, der kann sich im Kino einen garantiert dramatischen indischen Film anschauen. Nach Hause geht es statt mit dem Bus kürzer und magenfreundlicher mit dem Vorortzug.

Betelblätter, die mit Kardamom, Kümmel und anderen Gewürzen gefüllt und gerollt werden, kaut man zum Abschluss eines reichhaltigen Essens.

WARUM AUSGERECHNET SOUTHALL?

Nach dem Zweiten Weltkrieg änderten sich die Essgewohnheiten der Briten, indem sie sich neuen Gegebenheiten anpassten. Solche Umstellungen hatten historische und soziale Gründe, manchmal hat auch der Zufall ein wenig nachgeholfen. So war der Personalleiter einer großen Textilfabrik in Southall einst Polizist im Punjab gewesen. Die Punjabi waren in der textilverarbeitenden Industrie Mittelenglands sehr ge-

schätzt, denn sie übernahmen die neu eingerichteten Nachtschichten, die den britischen Frauen verboten waren und deren Männer nicht für sie einspringen wollten, weil sie die Tätigkeit an sich für Frauenarbeit hielten. Nun lag es nahe, dass besagter Personalleiter für die Arbeit, die er zu vergeben hatte, insbesondere Arbeiter aus diesem indischen Bundesstaat anwarb. In den 60er-Jahren stammten 90 Prozent der ungelernten Arbeiter in seiner Fabrik von dort. Sie gewöhnten sich nicht an die damals

sehr eintönige Küche Englands, sondern brachten ihre heimischen Rezepte und Zutaten mit, mit denen sie die Küche der neuen Heimat bald nachhaltig bereichern sollten.

DIE KÜCHE DES PUNJAB

Das Punjab, das älteste Kulturland Indiens, hatte eine politisch wechselvolle Geschichte. Hier entstand im 18. Jahrhundert das Reich der Sikh. Mit der Unabhängigkeit Indiens im Jahr 1947 wurde ein Teil dem moslemischen Pakistan zugeschlagen und ein Teil dem hinduistischen Indien. Das heißt, dass auch die Inder die kulinarische Tradition des Punjab erst nach der Unabhängigkeit Indiens beziehungsweise der Teilung dieses Landstrichs kennen lernten.

Die Küche des Punjab ist rustikal. Auf dem Land wird sogar noch heute in großen, gemeinschaftlich genutzten Lehmöfen, den *tandoori*, gebacken und gekocht. Brot spielt eine größere Rolle als Reis: klassische Brotsorten wie *naan* und *roti* lassen sich, wie auch Fleischeintöpfe, sehr gut in diesen Öfen zubereiten und haben mittlerweile selbst Londons Supermärkte erobert. Milchprodukte und getrocknete Hülsenfrüchte spielen ebenfalls eine große Rolle: Ghee und Buttermilch gehören in diese Küche und die langsam kochenden Ein-

TANDOORI CHICKEN

Das indische Multitalent Ismail Merchant ist Koch und Autor, am bekanntesten jedoch als Filmproduzent. Zusammen mit dem Regisseur James Ivory schuf er Filmklassiker wie „Was vom Tage übrig blieb", „Wiedersehen in Howard's End" und „Zimmer mit Aussicht".

Zutaten
1 walnussgroßes Stück Ingwerwurzel, geschält und gerieben
4 Knoblauchzehen, geschält und gerieben
1 TL Kreuzkümmel
1/2 TL Cayennepfeffer
1 Prise Salz
250 ml griechischer Jogurt oder Sahnejoghurt
1 kg Hühnerteile
2 EL Pflanzenöl
1/2 TL Kurkuma

Ingwer, Knoblauch, Kreuzkümmel und Cayennepfeffer mit dem Joghurt vermengen und mit Salz abschmecken. Die Hühnerteile in eine mit Alufolie ausgelegte, ofenfeste Kasserole geben und sorgfältig mit der Marinade bestreichen, gegebenenfalls mit den Fingern etwas nachhelfen. Mindestens zwei Stunden, idealerweise über Nacht abgedeckt im Kühlschrank marinieren. Den Ofen auf 180 °C vorheizen. Das marinierte Fleisch mit Öl beträufeln und mit Kurkuma bestäuben. In eine ofenfeste Form geben und eine Stunde garen, dabei wiederholt mit der restlichen Marinade bestreichen. Mit *naan*-Brot und *dal* servieren.

töpfe mit *dal*. Das Tandoori-Huhn (*tandoori chicken*) trat als erstes Gericht außerhalb des Punjab den Siegeszug an. Die klassische Marinade und die Zubereitungsart im Ofen – mittlerweile sind die Lehmöfen oft durch Edelstahlöfen ersetzt – eignen sich auch für Fisch und Krustentiere sehr gut.

ADRESSEN

Brilliant, 72–76 Western Road, Southall, Telefon: 020/85 74 19 28, British Rail: Southall
Gifto's Lahore Karachi, 162–164 The Broadway, Southall, Telefon: 020/88 13 86 69, Buslinie: 207

MALCOLM GLUCK
WEINTESTER PAR EXCELLENCE

Nach dem Zweiten Weltkrieg hatte in Großbritannien ein bedeutender sozialer Wandel begonnen. Seit den 60er-Jahren nahm die Reiselust der Briten stetig zu, und im Ausland erfahrene Lebensweisen wurden importiert. Wein – vorher ein Luxusgetränk adeliger oder wenigstens gehobener Kreise – entwickelte sich in den folgenden Jahrzehnten zum Alltagsgetränk, verkonsumiert von beiden Geschlechtern und unabhängig von der gesellschaftlichen Stellung. Immer mehr Briten ziehen dem verrauchten Bierpub an der Ecke mittlerweile die feineren *wine bars* vor. Sogar während der Wirtschaftskrise bis Mitte der 90er-Jahre wollten die Briten nicht auf den Genuss von Wein verzichten, was zu diesem Zeitpunkt auch nicht mehr nötig war, denn Qualität und Preise hatten sich der ständig gewachsenen Nachfrage angepasst. Nie zuvor hatte es so viele gut trinkbare Weine zu Preisen um drei Pfund pro Flasche gegeben.

Seit der Weinkonsum eine echte Demokratisierung erfahren hat, entdeckt eine ganze Nation, geführt von ihrer Metropole, ihren Nachholbedarf. Inzwischen befinden sich auf den Hauptstraßen, den *high streets* eines jeden Stadtteils, jeder kleinen Enklave Londons die Filialen der Supermärkte und wie für Oberbekleidung, Bücher, Popmusik gibt es längst auch Fachgeschäfte für Wein. In den Filialen von Oddbins und Thresher oder Nicolas werden 20 Prozent des landesweiten Umsatzes an Wein und Spirituosen getätigt; ungefähr 70 Prozent in den Supermärkten. Die Sortimente werden umfassender und die professionellen Einkäufer verschiedener Supermarktketten profilieren sich durch Eigenmarken mit sehr guter Qualität zu günstigen Preisen. Auch das Angebot an teuren Weinen nimmt – gerade in der Vorweihnachtszeit – erheblich zu, so dass wohlsituierte Bürger ihren Weinbedarf immer häufiger ebenfalls im Supermarkt decken.

Der frühere Werbetexter Malcolm Gluck hat es auf sich genommen, jährlich und im Alleingang 10 000 Weine zu verköstigen, damit seine Landsleute wissen, was gut und gleichzeitig erschwinglich ist. Als er im Jahr 1989 das

Dass Wein-
koryphäen sich
schwer mit
ihm tun, schert
Mr. Gluck
wenig. Er
schreibt erfolg-
reich für wein-
interessierte
Briten mit klei-
nerem Geld-
beutel und gab
dafür seinen Job
in einer Werbe-
agentur auf.

Angebot erhielt, für die Tageszeitung „The Guardian" eine Weinkolumne zu schreiben, schlug er vor, ausschließlich über Supermarktweine zu berichten. Seine Idee wurde mit Begeisterung aufgenommen und das Interesse an seinen Beurteilungen war so groß, dass er bereits zwei Jahre später sein erstes Buch mit Weinkritiken veröffentlichte. „Superplonk", so der Titel, spielt mit dem damals verbreiteten Vorurteil, dass preisgünstiger Wein höchstens Fuselstandard erreichen könnte: *Plonk* ist eine umgangssprachliche Bezeichnung für Billigwein schlechter Qualität.

Seitdem wurde sein Buch jährlich mindestens einmal neu aufgelegt und findet weiterhin reißenden Absatz. Warum? Glucks Informationen über eine Auswahl aus dem jeweiligen Weinsortiment, seine Degustationsnotizen und Preisangaben sowie vor allem seine persönliche Benotung des Preis-Leistungs-Verhältnisses für jeden Wein kommen bei den Lesern gut an und erleichtern auch Weinunkundigen die Qual der Wahl.

1995 erweiterte Malcolm Gluck sein „Schlürfgebiet" – „Streetplonk" untersuchte das Angebot der Weinketten.

Glucks Bücher trugen nicht nur dazu bei, dass das Weintrinken populärer wurde, sie spiegeln auch den Wandel im Weinangebot der 90er-Jahren wider. In diesem Jahrzehnt entdeckten die europäischen Weinliebhaber die Weine aus der Neuen Welt, aus Nord- und Südamerika, Südafrika, Neuseeland und Australien. In Großbritannien waren australische Weine besonders erfolgreich: 1999 stammten 27 Prozent der in Großbritannien gekauften Weine von *down under*. Malcolm Gluck glaubt das Erfolgsrezept zu kennen. Aber auch nach gleichen Methoden arbeitende europäische Weinkellereien (beispielsweise in Südfrankreich oder Osteuropa) sind sehr erfolgreich, denn, so meint Malcolm Gluck, die Weinprodukte seien geschmacklich ebenso zugänglich. Weiche Tannine und intensiv fruchtiger Geschmack sind gefragt – er selbst sucht nach einem „natürlichen und gesunden" Geschmack.

Malcolm Gluck war der erste Weinkritiker, der über Supermarktweine schrieb. Heute äußert sich fast jeder Weinjournalist regelmäßig zu diesem Thema in einer der zahlreichen britischen Tages- und Wochenzeitungen; das Weininteresse großer Teile der Bevölkerung ist mittlerweile so enorm, dass fast jede Zeitung ihren Hausweinkolumnisten hat. Ob Malcolm Gluck die Qualität der Weine im Supermarkt beeinflusst hat? Auf diese Frage reagiert er mit bescheidener Zurückhaltung und verweist auf einen weiteren lukrativen

Zusammenhang: Die Supermarktmanager seien sich dessen bewusst, dass ihre Weinabteilungen Kaufanreize bieten. Wenn Gluck Weine empfiehlt, kaufen Kunden diese Produkt und tätigen gleichzeitig auch andere Einkäufe. Die internationale Fachgemeinde wirft ihm allerdings vor, teurere Tropfen weniger zu würdigen. Dazu erzählt er dies: Auf einer Reise überredete er einen Verantwortlichen der Supermarktkette Sainsbury's, einen 1992er Domaine Leroy Richebourg zu kosten. Der Wein wurde als „Weihnachtsspecial" zum Preis von 199,95 Pfund angeboten. Mister Gluck empfand ihn als zu „volatil", womit er sich auf den Geruchs- und Geschmackseindruck des Weins bezieht, in dem die Essigsäure zu stark heraustritt, und – bevorzugte einen chilenischen Malcbec für nur 4,49 Pfund.

Malcolm Gluck empfiehlt in der Kategorie bis knapp zehn Pfund einen 1997er Church Block Cabernet Shiraz Merlot von den Wirra Wirra Vineyards in Australien, in der Kategorie unter fünf Pfund einen 1999er Fairview Barrel Fermented Chenin Blanc aus Südafrika und in der Zwischenkategorie bis knapp sieben Pfund favorisiert er einen 1996er Fetzer Valley Oaks Cabernet Sauvignot aus Kalifornien.

Weinangebot im Supermarkt: Im Mutterland des Commonwealth gibt es neben vielen französischen und italienischen Weinen eine beeindruckende Auswahl an Weinsorten aus der Neuen Welt.

Bar Italia

Die britische Band Pulp verewigte die Bar Italia vor einigen Jahren in einem gleichnamigen Song. Am frühen Morgen, wenn andere schon wieder zur Arbeit gehen, müssen in Jarvis Cockers Song zwei Nachteulen noch einen Kaffee nehmen, sonst, so singt er, gingen ihnen wirklich bald die Lichter aus. Atmosphäre, italienischer Kaffee, Panini, italienisches Satellitenfernsehen, grelles Licht und italienische Kellner in langen Barschürzen – das ist die Essenz der Bar Italia. Gegründet wurde sie im Jahr 1949, und die gefühlte Zeit ist seitdem höchstens um einige Jahre vorangeschritten. Zwar frequentieren längst moderne *celebrities* wie Richard Gere, Kate Moss oder Johnny Depp die Bar Italia – doch wäre eine blutjunge Claudia Cardinale unter ihnen, so würde das auch niemanden überraschen. Das Lebensgefühl, das auf den wenigen Quadratmetern dieser Institution gepflegt wird, erinnert in seiner Intensität an längst vergangene Zeiten des Optimismus, als der Krieg gerade vorbei war und das Leben jedem offen stand. Seit der Eröffnung sind nur wenige bauliche Veränderungen vorgenommen worden, und heute wie vor 50 Jahren kommen die Londoner zu jeder Tages- und Nachtzeit in die Bar Italia. Sie führen ihre neueste Eroberung oder die neueste Mode vor, stellen sogar wagemutig ihre ausgetrunkenen Espressotassen auf fremde Kühlerhauben und zelebrieren von ganzem Herzen und vor dicht gedrängtem Publikum sich selbst. Nur am frühen Sonntagmorgen wird es für einige Stunden ruhig. Dann hat selbst die Bar Italia geschlossen.

Die Bar Italia ist zutiefst italienisch und gleichzeitig sehr typisch für London. Es gibt exzellenten Espresso, und seit einem halben Jahrhundert genießt sie ungebrochene Popularität.

ADRESSE

Bar Italia, 22 Frith Street, London W1, Telefon: 020/74374520, U-Bahn: Leicester Square

PROBATE KATERREZEPTE
DER MORGEN DANACH

Das Allheilmittel Tee hilft auch gegen Kater. Angeblich verhalf diese Mischung schon den römischen Besatzungstruppen wieder auf die Beine.

Wenn Augen, Kopf und Magen nach einer intensiv durchlebten Nacht am Morgen danach den Dienst verweigern, kommt das Hausmittel „Pick-me-up" von D.R. Harris zum Einsatz. 1790 wurde die feine Apotheke und Drogerie auf der St. James's Street in London gegründet. Zu den preiswertesten Waren, die sich hier erwerben lassen, gehört ein „herrlicher Wiederbeleber", den das Einzelhandelsgeschäft überraschender-

weise auch als Aperitif empfiehlt. Es enthält neben anderen Essenzen Kampfer und Nelkentinktur, wirkt, nach Packungsanleitung eingenommen, tatsächlich wahre Wunder und ist mit knapp unter fünf Pfund zudem wesentlich günstiger, als die Getränkerechnung der vergangenen Nacht war. D.R. Harris beliefert als Halter eines *royal patent* auch die Königinmutter. Das Stadtmuseum, Museum of London, macht

seine Besucher mit einem eigenen Katerrezept bekannt. Es geht auf die Zeiten der Römer in London zurück. Um die Truppen nach ausschweifenden Feiern, die sich erfolgreichen Eroberungszügen offenbar nahtlos anschlossen, für einen weiteren Siegeszug fit zu machen, wurde mit einer belebenden Kräutermischung gearbeitet. Dank den Neuerungen unseres Zeitalters ist dieses Wundermittel nun in Teebeuteln erhältlich und soll als „Roman Morning After" dem Morgen danach erfolgreich die Stirn bieten.

Ob eine richtige Bloody Mary, ebenfalls ein wirkungsvoller Katerkiller, mit Wodka der Marke Wyborowa oder Absolut gemixt wird, ist unter Kennern weniger wichtig als die Frage, ob und wie viel Tabasco sie enthalten muss. Nick Strangeway, der Keeper der Bar Che, bejaht sie und mixt gleich noch etwas frisch geriebenen Meerrettich darunter.

ADRESSEN

Che, 23 St. James's Street, London SW1, Telefon: 020/77 47 93 80, U-Bahn: Green Park
D. R. Harris & Co. Ltd., 29 St. James's Street, London SW1, Telefon: 020/79 30 39 15, U-Bahn: Green Park
Museum of London, 150 London Wall, London EC2, Telefon: 020/76 00 36 99, U-Bahn: Barbican

NICK STRANGEWAYS BLOODY MARY

Das Che öffnet erst mittags. Wer morgens als erstes nach einem Katerrezept sucht, muss sich die Bloody Mary also noch selbst zu Hause mixen.

Eiswürfel
50 ml Wodka (Absolut)
1–2 EL frisch gepresster Zitronensaft
1 Spritzer trockener Sherry, mit einer Chilischote aromatisiert
1 Spritzer Worcestersauce
1 Spritzer Tabascosauce
Meerrettich, frisch gerieben, nach Geschmack
1 Prise Selleriesalz
mehrere Umdrehungen aus der Pfeffermühle
200 ml Tomatensaft
1 Scheibe Zitrone oder wahlweise nur
1 Stange Bleichsellerie für die Garnitur

Ein hohes Glas mit Eiswürfeln füllen. Die Trinkzutaten gut vermengen und das Glas damit bis oben aufgießen. Mit einer Zitronenscheibe und/oder einer Stange Bleichsellerie garnieren.

LONDON FOOD
FÜR ZEHN BIS FÜNFZIG
PFUND

Die Lebensmittelrationierung wurde im Siegerland Großbritannien endgültig erst im Jahr 1954 abgeschafft. Eine ganze Generation hatte mit den einschneidenden Beschränkungen für Fleisch, Eier, Käse, Zucker und Butter gelebt und darüber Grundkenntnisse des Kochens verlernt oder erst gar nicht erwerben können. In den 50er-Jahren unterschied sich London jedoch in einem Punkt nicht von anderen Großstädten, deren Bevölkerung es schon längst wieder besser ging: eine ausländische Küche gab es kaum.

50 Jahre später hat sich dieses Bild einer insularen Küche grundlegend gewandelt. Nur New York kann sich mit dem Angebot Londons messen. Stadtteile wie Chinatown oder Covent Garden widmen sich Länderküchen – ob aus Übersee oder vom Kontinent, und auf der Edgware Road ist der Orient zu Hause.

Und London wäre nicht London, würde es seiner Internationalität nicht auch seinen unverwechselbaren eigenen Stempel aufdrücken: So gibt es neben der klassischen, Michelin-gekrönten Pekingente des Luxusrestaurants selbstverständlich auch eine vegetarische Pekingente aus Tofu, hat das Ökosiegel die Theken von Harrods und die hohe Tafel erreicht und gibt es Persönlichkeiten. Marco Pierre White, einst Drei-Sterne-Koch und heute Manager seines feinen Imperiums, ist die schillerndste unter ihnen. Er erfindet sich immer wieder neu. Der jugendliche Heißsporn ist abgelegt, nun hat er den Gentleman entdeckt. Den haben die *beautiful people* noch nicht im Visier. Sie interessiert die Tatsache, dass sie in London bei ihren Lieblingsdesignern Armani und Donna Karan nicht nur einkaufen, sondern auch den Lunch einnehmen können.

Doch aller Internationalität zum Trotz: An Traditionen wird festgehalten. Der Nachmittagstee ist in London deshalb ebenso unverzichtbar wie ein Bummel durch das Britische Museum oder eine Erkundung der beiden Tate Galleries, vielleicht verbunden mit einem Brunch. Und der ist dann schon wieder ganz international.

Mai 1936 und als sei es mitten in Paris, sitzen die Damen ohne Begleitung auf dem Bürgersteig. Aber es ist nicht Paris. Denn sie trinken nicht Pastis oder ihr tägliches Gläschen Rotwein, sondern Tee auf der High Street.

COVENT GARDEN
LEBENSLUST AUF
HISTORISCHEM PFLASTER

Damals und heute: Bis 1974 war hier noch Londons größter Markt für Obst, Gemüse und Blumen (unten). Heute ist Covent Garden ein Touristenmekka. Atmosphärisch ist es hier jedoch geblieben.

Covent Garden war einst ein Garten, der dem Benediktinerkonvent (deshalb auch ursprünglich Convent Garden) aus Westminster gehörte und später von König Heinrich VIII. an John Russell, den ersten Earl of Bedford, verschenkt wurde. Während die Städte London und Westminster sich entlang der Themse immer weiter ausdehnten und langsam zusammenwuchsen, wurde das heute innerstädtische Gebiet 1632 vom vierten Earl of Bedford erschlossen. Zunächst ließ der Earl an der Mauer seines Gartens kleine Holzschuppen errichten, die er an Obst- und Gemüsehändler vermietete. Auf eine so profane Weise entstand im Laufe der Zeit der Obst- und Gemüsemarkt Covent Garden, der 1670 von Charles II. dauerhaft etabliert und neben Smithfield zum größten Markt der Stadt wurde. Die ersten festen Marktstände stammen erst aus den 30er-Jahren des 19. Jahrhunderts. Ihr Umbau nach dem Umzug des Markts im Jahr 1974 dauerte sechs Jahre.

Während der New Covent Garden Market seither in Nine Elms in Südlondon ansässig ist, entwickelte sich Covent Garden und der inzwischen mit Ladenpassagen und Cafés ausgestattete alte Gemüsemarkt fast über Nacht zu einer Touristenattraktion. Der alte Blumenmarkt beherbergt heute das London Transport Museum. Die Straßen rund herum sind bunt und lebendig geblieben. Zwar sind in diesem mittlerweile sehr teuren Viertel kaum mehr kulinarische Geheimtipps zu entdecken, doch wer nach dem ausgiebigen Bewundern der Gaukler rund um den Vorplatz des früheren Markts Hunger verspürt, kann diesen auf vielfältige Weise stillen. Die Bandbreite der rund 80 Restaurants und Cafés reicht vom mongolischen Grill über thailändische Küche bis zur Bierschwemme.

dort stehen doch immer die guten Geschichten drin! Denn im Belgo sind Muscheln mehr oder weniger Beilage zu rund 100 Sorten Bier und Fritten, pardon, Pommes frites.

Obwohl im Herzen von Covent Garden und seinem nie versiegenden Touristenstrom gelegen, gilt auch den Londonern das Belgo Centraal mit unterirdischer Zugbrücke, Blick auf die Küche und in Habit gewandetes Personal als authentischer Ort für Büroparties und Geburtstagseinladungen in großer Runde. Der erste Belgo wurde 1992 eröffnet und das Konzept nur vorher viel belächelt; die Expansion hat mittlerweile schon New York erreicht.

Das Belgo trifft den Nerv der Londoner auch deshalb, weil es mit großem Augenzwinkern arbeitet, eine Fähigkeit, die der Engländer dem Kontinentaleuropäer sonst gerne abspricht. Die äußerst gelungene Karte offeriert Freischnaps demjenigen, der die berühmten Belgier (von Johnny Hallyday bis Eddie Merckx) kennt, die darauf abgebildet sind, und zeigt auch die figurfatalen Folgen, die ein übermäßiger Genuss von Bier und Fritten üblicherweise mit sich bringt. Ähnlich humorig ist die zweite Restaurantkette angelaufen. Mit dem Restaurant Schnecke und blond bezopften Maiden wird als nächstes die elsässische Küche ergründet.

Nicht gerade staatstragend: Die innovative Belgo-Kette macht einen erfolgreichen Kult daraus, augenzwinkernd genau mit den Stereotypen zu arbeiten, die dem Mutterland Belgien im Ausland gerne entgegengebracht werden.

BELGO – DIE KONTINENT-CONNECTION

Das Bodenständige wird salonfähig. Nun, vielleicht nicht unbedingt salonfähig. Aber äußerst erfolgreich. So erfolgreich, dass ein Salon nicht ausreichend Platz böte für die vielen in- und ausländischen Bierfans, die in die stetig wachsende Restaurantkette Belgo kommen, weil man hier so gut Muscheln essen kann. Eine Rechtfertigung der komplexen Art, die an ähnliche Rechtfertigungen erinnert, beispielsweise warum man den „Playboy" so gerne liest –

MÜSLIS UND GLÜCKLICHE HÜHNER

Vor einem Vierteljahrhundert waren die Straßen rund um Seven Dials noch heruntergewirtschaftet und verkommen. Nur wenige Gehminuten vom Royal Opera House und dem Covent Garden Market entfernt lag hier ein *inner city slum*, dessen Entwicklung hohe Rendite versprach. Etwas entwickeln wollte auch Nicholas Saunders: eine Alternativgemeinschaft rund um einen großen Bioladen. Für 7000 Pfund erwarb er einen Flecken namens Neal's Yard – so winzig, dass das Stück Land noch nicht einmal im Londoner Stadtplan A–Z verzeichnet war – und mauserte sich gegen den Widerstand der Stadtplaner binnen weniger Jahre zum Biobaron einer wohlorganisierten Kooperative. Gruppiert um einen Innenhof entstanden eine Bäckerei, ein Café, eine Mühle, der Käseladen Neal's Yard Dairy, eine Salatbar und eine *apothecary*, ein Laden für duftende Aromaessenzen und Wohlfühlprodukte. Bald zog Neal's Yard nicht nur Müsli-essende Hippies an, sondern auch Touristen, die sich hier im authentischen *swinging London* der 70er-Jahre wähnten. Fast über Nacht eröffneten auf einem winzigen Fleck in der Londoner Innenstadt zahlreiche Restaurants, Cafés, Läden und Galerien. Der Rest ist Geschichte.

Heute denken die wenigen noch verbliebenen Einheimischen mit Wehmut an die Zeit zurück, als man verwahrloste Fabrikgebäude nur mit Gemeinschaftsgeist, Bionahrung und wohl auch der einen oder anderen illegalen Substanz instand setzte, ausgediente Fässer oder Reifen mit Blumen aus dem Bauerngarten bepflanzte und sich und anderen das Gefühl vermittelte, mitten in London ein bisschen aufs Land zurückgekehrt zu sein und Lebensmittelprodukte auf fast archaische Weise produzieren und vertreiben zu können. Überlebt haben diese inzwischen Geschichte gewordene romantische Aufbruchsstimmung immerhin erstklassige Delikatessgeschäfte.

Ob *oat cakes* oder Möhren – Hauptsache, alles, was hier verkauft wird, ist *organic*. Rund um Neal's Yeard etablierte sich vor einem Vierteljahrhundert eine Bio-Kooperative, die heute noch existiert.

Geradewegs aus einer Puppenstube scheint der Käseladen Neal's Yard Dairy zu stammen (rechts und links). Appetitlich lagern die unterschiedlichsten Käserunde: Auch Brot und Butter werden hier verkauft.

NEAL'S YARD DAIRY – HIER IST KÄSE SPANNEND

Die Neal's Yard Dairy sorgte im Alleingang dafür, dass der englische Käse seit einigen Jahren in aller Munde ist. Die Käseliebhaber unter den Franzosen empfinden das als nationalen Affront. Beunruhigt sind sie zu Recht, denn Londons edelste Restaurants verweisen mittlerweile darauf, dass ihre Käseplatten keine *appellation d'origine* tragen, sondern von Kleinfarmen aus Devon oder County Claire stammen und mit dem runden, blaugelben Gütesiegel des kleinen Käseladens ausgezeichnet sind. Auch Harrods bietet mittlerweile eine sehr große Auswahl an Käsesorten von Neal's Yard Dairy an. Allerdings: „Anfangs lagerten sie ihn ohne Lüftung in den hintersten Ecken der Tiefkühltruhen, doch auf diese Weise verlieren sie jeglichen Geschmack", verrät David Lockwood, Chefeinkäufer bei Neal's Yard Dairy und Ex-Broker an der New Yorker Wall Street. In dem kleinen Milch- und Käsegeschäft, das aussieht, als hätte es schon immer so ausgesehen, weiß man hingegen mit Käse umzugehen. Wie ein guter Wein wird er im Keller bis zum richtigen Reifegrad gelagert, und wie ein süßes Baby wird auch der Käse sorgfältig gewaschen.

Von außen erinnern die mächtigen, aufeinander gestapelten Käserunde an die Ledereinbände alter Folianten. Spätestens beim Anschnitt werden die Unterschiede zwischen den Käsesorten sichtbar: Die Farbe kann zwischen schneeweiß und dunkelgelb liegen und die Konsistenz zwischen sanft-schmelzend und hart-bröckelnd. Auch die Geschmackspalette deckt die unterschiedlichsten Wünsche ab. Es gibt gefällige und stallige Käse, zitronige oder sahnige Richtungen und mehrere Blauschimmelvarianten. Einen erfrischen Zitrushauch trägt beispielsweise der Caerphilly, während der Cooleeney den Feinschmecker an Pilze denken lässt, der Cheshire trotz seines definitiven Charakters als Hartkäse leicht krümelig sein kann und ein junger Lancashire in der Farbe zwischen schneeweiß und eierschalenfarben.

ENGLISCHE KÄSESORTEN

Ein Querschnitt durch die heimische Käseproduktion ist aufgebaut, darunter Tymboro, Cooleeney und Gabotin, ein Ziegenkäse, der ursprünglich aus Frankreich stammt. Grundregel ist die Aufbewahrung in Wachspapier oder in speziellen, luftdurchlässigen Käseboxen. Wichtig ist auch der Verzehr bei Zimmertemperatur. Geschält werden sollte der Käse ebenfalls, gerade, wenn er aus Rohmilch hergestellt ist. Auskünfte erteilen die gut ausgebildeten Verkäufer.

Gelagert wird der Käse in einem gut temperierten Kellerraum. Hier reifen die Käselaibe heran, bis sie endlich über eine winzige Treppe in den darüber liegenden Verkaufsraum transportiert werden.

Überraschenderweise hat sich der generelle Trend zu Bioware hier nicht durchgesetzt, was Chefeinkäufer David erklärt: „Wir machen Käse nach alter Manier, in kleinen Käsereien, in Handarbeit. Da stecken Sorgfalt, Wissen und Liebe drin. Zu Mensch und Tier." Nur einige der Käse sind ausgewiesene biodynamische Sorten, doch schmecken sie dem Chefeinkäufer deshalb nicht automatisch besser. Ihm kommt es sehr darauf an, wirklich gute Käsemeister als Geschäftspartner zu gewinnen. Er hält eine weiße Papierserviette in der Hand, auf die eine Telefonnummer gekritzelt ist, als sei es ein Insider-Tipp. „Hier muss ich gleich noch anrufen. Vielleicht ein neuer Lieferant."

So ganz hat er die Jagd nach dem höchsten Tageskurs an der New Yorker Wall Street wohl noch nicht vergessen. Aber hier, nur wenige Schritte vom internationalen Touristen-Trail Covent Garden entfernt, gibt es Aufregenderes zu erschnuppern und erkosten als zwischen New Yorker Häuserschluchten und wild gestikulierenden Börsianern.

Exotisches mit Namen wie Ardrahan, Beenleigh oder Tymsboro. Natürlich auch Stilton und Cheddar (gleich mehrere Sorten). Verkauft wird im ganzen Laib oder am Stück. Eine Vorratslagerung zu Hause empfiehlt David nicht, denn der Käse ist perfekt gereift und hält sich nicht lange. Die anschauliche Bezeichnung *more-ish* sagt alles: Der Käse ist schnell alle und schmeckt nach mehr – nach Perroche oder Emlett oder Spenwood. Namen, die Shakespeare hätte erfinden können. Hat er vielleicht auch. Der Cheshire ist jedenfalls schon seit den Tagen der römischen Besatzung bekannt.

Engagierten und geradlinigen Gourmets wie David Lockwood ist es zu verdanken, dass alte Traditionen aus kleinen Käsereien wieder geschätzt werden und eine Alternative zum Einheitskäse bieten. Die Butter ist hier übrigens auch hervorragend.

ADRESSEN

Belgo Centraal, 50 Earlham Street, London WC2, Telefon: 020/78132233, U-Bahn: Covent Garden
Neal's Yard Bakery, 6 Neal's Yard, London WC2, Telefon: 020/78365199, U-Bahn: Covent Garden
Neal's Yard Dairy, 17 Short Gardens, London WC2, Telefon: 020/73797646, U-Bahn: Covent Garden und 6 Park Street, London SE1, Telefon: 020/76453554, U-Bahn: London Bridge

Mit Käse und Brot von Neal's Yard Dairy lässt sich der klassische Pub-Imbiss zaubern. Zu einem zünftigen „Ploughman's Lunch" gehören, ähnlich wie zu einer Brotzeit, eine kleine Käseauswahl, knusprig frisches Brot und *pickles* oder eingelegte kleine Zwiebeln.

DAUERBRENNER BIOWARE
FOOD YOU CAN TRUST

Mehrere große Lebensmittelskandale erschütterten seit Ende der 80er-Jahre das Inselreich, bis die Rinderseuche BSE auch international für Aufsehen sorgte und das negative Image der englischen Küche im Ausland verstärkte. Doch diese *food scares*, die einem nachträglich Angst und Bange machen konnten, wenn man darüber nachdachte, was man oft guten Glaubens gegessen hatte, führten tatsächlich zu einem gewissen Umdenken. Mehr und mehr Menschen erkannten, dass Gesundheitsapostel und engagierte Persönlichkeiten des öffentlichen Lebens wie beispielsweise Prince Charles ernst zu nehmen sind. Letzterer baut auf seiner Duchy of Cornwall Home Farm seit dem Jahr 1990 ausschließlich Bionahrung an, hält Vieh artgerecht und setzt sich mit beeindruckender Hartnäckigkeit für den Bioanbau ein. Er hatte den richtigen Riecher, denn es dauerte nur noch wenige Jahre, bis die Biobranche boomte, deren Umsatz zu Beginn des neuen Jahrtausends bereits bei jährlich einer Milliarde Pfund liegt.

In London entwickelte sich aus der Subkultur der 70er-Jahre-Bioläden rasch ein Trend, dem heute beispielsweise *farmers markets* und der auf Bionahrung spezialisierte Markt von Spitalfields Rechnung tragen. In den altehrwürdigen

Noch eindeutiger kann eine Botschaft nicht sein: großer Weidenkorb, Fahrrad, Biobrot. So werden auf dem Biomarkt Spitalfields im Londoner East End organische Lebensmittel angeboten.

Brot vom Bio-
bauern (oben)
und frische
Wurstwaren
(unten) vom
Spitalfields
Market: An der
Verkaufstheke
des einzigen
deutschen Met-
gers ist immer
viel los: Die
Londoner teilen
die Liebe der
Deutschen zur
Wurst.

Hallen dieses seit dem Jahr 1682 an der gleichen Stelle existierenden Großmarkts können Hobbyköche bei einem Bummel an einem Sonntagvormittag alles für die klassische Institution des *Sunday lunch* erwerben, sei es scharfe Chilimarmelade aus heimischer Handproduktion oder ein halbes Lamm aus artgerechter Haltung.

Aber nicht nur kleine und große Bauernmärkte haben sich dem neuen Biotrend verschrieben. Auch die Schrebergärten der Londoner Stadtteile erleben eine Renaissance. In Kriegszeiten wurde in London jeder verfügbare Fleck zum Anbau von Lebensmitteln genutzt; selbst die Befestigungsanlagen des Tower trugen reiche Ernte und halfen, der drohenden Lebensmittelknappheit zu begegnen. Während diese der Vergangenheit angehört, geht es heute darum, zwischen üppig rankender Clematis und klassischen englischen Rosen Nutzpflanzen zu ziehen, von denen man mit Sicherheit weiß, dass sie weder gespritzt noch genmanipuliert sind.

Die Zeichen der Zeit erkannt hat der Bio-supermarkt Planet Organic, der inzwischen in London zwei Läden unterhält. Die Nachfrage nach Biopro-dukten über-steigt bei weitem das hei-mische Ange-bot.

BIONAHRUNG AUS DEM SUPERMARKT

So wichtig war dem Traditionsunter-nehmen Sainsbury's das Thema Biowa-re, dass es auf seinen Internetseiten da-mit wirbt. Hier ist auch die Erklärung zu finden, was ein Nahrungsmittel zur Bio-ware macht: Es wird ohne Zusatz von Kunstdünger, Chemikalien oder Insek-tenvertilgern produziert und ohne gene-tische Manipulation gezüchtet. Natür-liche Anbaumethoden machen den Boden fruchtbarer und entlasten die Umwelt. Und das ist auch der Grund, warum immer mehr Menschen zur Bio-ware greifen, abgesehen davon, dass viele auch von der geschmacklichen Überlegenheit überzeugt sind. So hat die Kette klug auf die Zeichen der Zeit reagiert: Der Umsatz mit Bioware ist bei Sainsbury's seit 1995 um das 125-fache gestiegen. „Es ist der Bereich mit der größten Wachstumsrate – und der Be-darf steigt weiter", erklärt Ian Merton, der zuständige Manager bei Sainsbury's. Dasselbe gilt für den Konkurrenten Tesco, der Sainsbury's von seinem seit Generationen unangefochtenen Spit-zenplatz unter den Supermärkten ver-drängt hat. Eine anfängliche Modeerscheinung hat die Nachfrage nachhaltig geprägt. Nach Umfragen von Tesco ist dies mittlerweile den Müttern zu verdanken, die ihren Babies Bionahrung verabreichen. Damit verändern sich die Essgewohnheiten der gesamten Familie.

Ein weiterer Grund für den Boom ist die Angst vor genmanipulierten Lebensmitteln. Nicht zuletzt aufgrund einer ungeschickt geführten PR-Kampagne endete vor wenigen Jahren der erste Versuch, in einer Testphase genmanipulierte Nahrungsmittel auf englischem Boden anzubauen, in einem wahren Desaster. Anbauplätze wurden geheim gehalten, Forschungsergebnisse nicht vollständig veröffentlicht und der große Nutzen, den der Großkonzern Monsanto dieser Biotechnologie zusprach, nämlich den Hunger endgültig abzuschaffen, wirkte weniger glaubhaft als der Profit, den dieser wohl damit einfahren würde. Bald machte das Schlagwort

vom *Frankenstein food* die Runde. Daraufhin wiesen immer mehr Supermarktketten sogar in Anzeigenkampagnen darauf hin, dass ihre Lebensmittel kein GM *food*, die Abkürzung für genmanipulierte Bestandteile, enthalten. Monsanto versprach mehr Transparenz.

PLANET ORGANIC – LONDONS BIOSUPERMARKT

„Sie sind ja gar kein Hippie", entfuhr dem Finanzexperten einer Bank, der das Gründungsvorhaben von Renée Elliott auf mögliche Unterstützung abklopfen sollte. Und tatsächlich: Renée Elliott sieht aus wie eine sehr erfolgreiche Anwältin. Doch ihr gehört der erste Biosupermarkt auf britischem Boden, der in London bereits einen Ableger hat und in den nächsten Jahren auch landesweit Filialen eröffnen möchte. „Ich bin kein Hippie, ich bin privat sogar richtig altmodisch", sagt die zierliche junge Frau, „aber ich wollte einen Job, der mir außergewöhnlich viel Spaß macht und dass ich den in einem herkömmlichen Umfeld nicht finden würde, war mir klar." Nach diesem Job suchte sie lange, war Journalistin und Weintesterin und kam erst in ihrer Heimat, den Vereinigten Staaten, auf die Idee, einen Biosupermarkt zu eröffnen. Muss wirklich eine Amerikanerin dafür sorgen, dass es in London einen Supermarkt für Bioware

Typisches Angebot im Biosupermarkt Planet Organic. Das Obst und Gemüse heutiger Bioläden hat mit dem verschrumpelten Angebot der Gründerjahre schon lange nichts mehr gemein.

Soil Association, um bei Entscheidungen mitreden zu können, sie bewundert ihre Kollegen in anderen Supermärkten, die jetzt ebenfalls auf den Bioanbau setzen, weil sie viel bewegen können und dieses auch tun. Doch auch Renée Elliott hat schon einiges bewegt, wie beispielsweise den männlichen Kollegen im Dachverband der Soil Association, der sie nach ihrer Wahl mit folgendem Satz in die vorher ausschließlich männliche Runde einführte: „Renée Elliott ist es gelungen, Bionahrung sexy zu machen." Es ist noch nicht allzu lange her, da war die 1946 gegründete „Soil Association" eine eher belächelte, gemeinnützige Stiftung mit einer Handvoll Mitarbeitern, die darüber wachten, dass die wenigen Biobauernhöfe des Landes sich an die vorgeschriebenen Reinheitsgesetze hielten. 30 Jahre lang wurde die Arbeit von einem Bauernhof in Suffolk erledigt. Jetzt arbeiten über 80 Mitarbeiter unter anderem an der Sicherung des Etiketts *organic*. Denn immer mehr Betriebe stellen auf Biobewirtschaftung um und schließen sich dem kontinentalen Trend an, auch wenn Länder wie Deutschland im Jahr 2000 beispielsweise noch das Achtfache an Bioware produzierten und die in Großbritannien auf Ökobewirtschaftung umgestellte Landfläche noch unter einem Prozent lag.

Die Unternehmerin Renée Elliott vor ihrer Supermarkt-Dependance unweit der Tottenham Court Road. Die gebürtige Amerikanerin eröffnete 1995 den ersten Bio-Supermarkt in London.

gibt? Sie lächelt vergnügt und verweist mit Stolz auf amerikanische Werte wie Pioniergeist und Wagemut, lobt aber die Engländer im gleichen Atemzug. Sie seien nicht so fortschrittshörig wie die Amerikaner und deshalb sofort gegen genmanipulierte Nahrung Sturm gelaufen. Und Renée Elliott lief an der Spitze mit. „Wie viele Leute habe auch ich mir früher leider wenig Gedanken darüber gemacht, wie das Nutzvieh und das Gemüse behandelt werden, die auf meinem Teller landen. Jetzt ist mir das sehr bewusst." Seit 1995 existiert ihr Planet Organic. Sie sitzt im Dachverband der

THE STAMP COLLECTION

Zwei Stil-Ikonen der 60er-Jahre: Model Jean Shrimpton, heute Hotelbesitzerin in Cornwall, und der immer noch erfolgreiche Schauspieler Terence Stamp, inzwischen erfolgreicher Kochbuchautor und überzeugter Vegetarier.

Feinschmecker, die auf Lebensmittelallergien achten müssen, wissen sich in London einem oscarnominierten Schauspieler zu Dank verpflichtet: Der gebürtige East Ender Terence Stamp, seit den 60er-Jahren ein Garant für außergewöhnliche Filme („The Limey") ebenso wie für Hollywood-Produktio-

nen („Superman"), zog aus seiner Weizen- und Milchproduktallergie den logischen Schluss: Er schrieb ein Kochbuch („The Stamp Collection Cookbook") und entwickelte eine gleichnamige Produktlinie. Mittlerweile sind sein weizenfreies Brot und Mehl, Chips, Pizzasaucen und Käse in einigen Supermarktketten der Stadt fest etabliert.

Die Versorgung mit Bionahrung zu einer Selbstverständlichkeit zu machen, ist jedoch auch für eine Renée Elliott nicht so schnell zu schaffen. Die Nachfrage übersteigt bei weitem das heimische Angebot. Bis zu 75 % ihrer Waren muss auch sie importieren und damit liegt sie im Landesdurchschnitt. Bioware ist teurer als herkömmliches Obst, Gemüse und Fleisch. Aber Renée Elliot ist optimistisch. Sie hat beobachtet, dass die Menschen für alles, was Qualität hat, mehr Geld ausgeben, ob es nun Make-up ist oder ein Auto: „Es muss ihnen einfach nur bewusst werden, dass es schlicht und einfach nichts Hochwertigeres gibt als Nahrungsmittel und Produkte, die im Einklang mit der Natur hergestellt wurden."

Was in amerikanischen Großstädten seit 20 Jahren und auch in Deutschland

schon seit geraumer Zeit gebräuchlich ist, braucht in London etwas länger. Doch inzwischen können auch Londoner ihr Gemüse nach Marktangebot beziehen. Es kommt aus dem Umland, und immer mehr Händler schätzen den ökologischen Vorteil kurzer Transportwege. Einige Anbieter werben bereits auf eigenen Internetseiten mit Direktverkauf vom Hersteller. Selbst Biochampagner ist dort zu finden – zu Preisen, bei denen Herr Krug und andere Champagnerproduzenten neidvoll erblassen dürften.

ADRESSE

Planet Organic, 42 Westbourne Grove, London W2, Telefon: 020/72 21 71 71, U-Bahn: Bayswater und 22 Torrington Place, London WC1, Telefon: 020/74 36 19 29, U-Bahn: Goodge Street

TERENCE STAMPS KÄSESOUFFLÉ

Terence Stamp meint dazu: „Bitte nicht vom Wort Soufflé irritieren lassen. Das Rezept ist überhaupt nicht kompliziert und das Ergebnis die Arbeit wert." Die einfache Regel für Soufflé gilt allerdings auch hier: Die Gäste warten, nicht das Soufflé.

5 TL Sonnenblumenöl
5 EL Olivenöl
1 1/2 TL scharfes Senfpulver
1 Msp. Paprikapulver
1 Msp. Chiliflocken
1–2 Knoblauchzehen, zerdrückt
100 g weizenfreies Mehl
500 ml Ziegen- oder Schafmilch
schwarzer Pfeffer aus der Mühle
5 Eier, getrennt
250 g harter, geriebener Ziegenkäse
5 EL geriebener Pecorino
Butter für die Form

Ofen auf 220 °C vorheizen. Öle, Gewürze und Knoblauchzehen in einer schweren Pfanne bei Mittelhitze eine Minute dünsten. Vom Herd nehmen und Mehl einrühren. Milch zufügen, bis sich eine glatte Mehlschwitze bildet. Auf dem Herd weiter rühren, bis die Sauce eindickt und Blasen wirft. Vom Herd nehmen und etwas abkühlen lassen. Mit schwarzem Pfeffer pikant abschmecken.

Eigelbe einzeln langsam einarbeiten, bis die Sauce glatt und glänzend ist. Käse unterziehen. Pfanne beiseite stellen. Eiweiße in einer trockenen Schüssel schlagen, bis sich Spitzen bilden. Anfangs esslöffelweise unterziehen, dann mit einem großen Metalllöffel die restlichen Eiweiße portionsweise unterheben.
Eine Souffléform etwas einfetten. Mischung hineingeben. 25 bis 30 Minuten auf dem mittleren Rost backen, bis das Soufflé aufgegangen ist und auf leichten Druck nicht mehr nachgibt. Gleich servieren.

BRUNCH ODER LUNCH
ENTSPANNEN MIT TRADITION

Um die Jahrhundertwende, so beschrieb es der amerikanische Publizist H. L. Mencken, war der Brunch eine englische Institution, erst dann wurde er nach Amerika importiert. Mittlerweile hat diese vorgeblich durch und durch amerikanische Tradition eine erfolgreiche Rückführung in die Heimat erlebt. In London erfreut sich der Brunch großer Beliebtheit, weil er inmitten der Hektik der Riesenmetropole als willkommene Gelegenheit zum Durchatmen gilt. Wer Brunch oder Lunch nicht mit Freunden zu Hause zelebriert, trifft sich in den zahlreichen Restaurants und Cafés. Selbst viele Pubs haben den Brunch zu einer Spezialität gemacht. Eine auf den ersten Blick ungewöhnliche Kombination ist die aus Kunst und Kulinaria. Aber Museen haben sich dem Brunch-Trend längst geöffnet. Schließlich gehört London zu den drei bedeutendsten kunstschaffenden Metropolen der Welt und zieht mit seinen Museen jährlich Millionen von Besuchern an. Und die brauchen schließlich zwischen Alten Meistern und Moderne auch mal eine Verschnaufpause.

SPEISEN ZU JAZZKLÄNGEN IM V & A

Wer erkunden möchte, von welchen Tellerchen und mit welchen Löffelchen die Menschen in früheren Jahrhunderten aßen, kann diese Neugier in Verbindung mit einem entspannten Brunch im New Restaurant des Victoria & Albert Museum stillen. Der liebevoll zu „V & A" abgekürzte Ort beherbergt die größte kunsthandwerkliche Sammlung der Welt, darunter originalgetreu eingerichtete Zimmer aus viktorianischer Zeit, eine umfangreiche Silbersammlung, Kostbarkeiten wie den Jadebecher des

Ein atemberaubender Blick auf die Themse und die City mit St. Paul's Cathedral bietet sich vom Museumsrestaurant der Tate Modern. (Unten) Puppenküche aus der Mitte des 19. Jahrhunderts im V & A.

indischen Herrschers Shah Jahan sowie Porzellan- und Glaswaren aus vielen Jahrhunderten. Aber das Museum, das Königin Victoria in Gedenken an ihren Prinzgemahl Albert umbenannte, öffnet sich gerne auch neuen Trends: So zeigt es eine umfassende Dauerausstellung über Mode, in der auch „das kleine Schwarze" nicht fehlt. Der Einfallsreichtum setzt sich beim Essen fort – zu arrivierten Jazzklängen wird zum Brunch geladen. Wer essen möchte, aber nicht zunehmen will, dem sei als kleine Herausforderung vor dem Brunch ein Besuch der Modeausstellung empfohlen.

Für seine feine Restaurantküche ist die Tate Britain seit langem hochgeschätzt: Räucherschinken vom Keiler, dazu ein Fruchtsalat aus Papaya und Birne, ansprechend angerichtet.

Ein wunderschönes Ambiente mit einem Wandgemälde von Rex Whistler birgt das Restaurant der Tate Britain, jetzige Heimat der klassischen und zeitgenössischen bildenden Kunst des Landes.

LUNCH IN DER TATE

Der Tate Gallery mangelte es schon seit vielen Jahren an Ausstellungsfläche für ihre beeindruckende Sammlung. Abhilfe versprach der Umbau des über 60 Jahre alten ehemaligen E-Werks von Gilbert Scott, das auf der anderen Seite der Themse nun als Tate Modern die moderne und zeitgenössische Kunst beherbergt, während die frühere Tate Gallery sich als Tate Britain jetzt ausschließlich der heimischen Kunst verschrieben hat. Dante Gabriel Rossetti, Constable, Epstein und natürlich William Turner, Namensgeber des jährlich verliehenen Turner Prize für moderne Kunst, lassen

sich bei einem ausgedehnten Bummel durch die ansprechenden Räume der Tate Britain wiederentdecken. Das Restaurant des Museums liegt im Souterrain und ist nicht minder edel und geschmackvoll eingerichtet.

REX WHISTLERS
BERÜHMTES WANDBILD

Rex Whistler hieß der viel zu früh verstorbene englische Maler, Illustrator und Designer, auf den heutige Restaurantarchitekten gerne verweisen, wenn es um die Frage geht, wer ihnen eigentlich bei der Innengestaltung Vorbild war. Rex Whistler, Jahrgang 1905, tat

EIN KLASSISCHES LONDONER SONNTAGSMENÜ

No place like home: Ein Sonntagsbraten in Ruhe zu Hause für Familie und Freunde gebrutzelt, ist für viele Londoner immer noch der Inbegriff für ein gepflegtes Lunch. Der Braten zieht über Nacht in einer Marinade aus frischen Kräutern und wird dann – ohne viel Aufwand – in der Küche zubereitet. Beilagen sind Kartoffelpüree mit Safranaroma und Erbsen mit feiner Minze. Zum Dessert gibt es Reispudding. Für acht Personen.

4 kg Hohe Rippe
2 EL schwarze Pfefferkörner, ganz
3 Lorbeerblätter
2 EL Salz
3 Knoblauchzehen, geschält
2–3 EL frischer Thymian, gerebelt
2 EL frischer Rosmarin, fein gehackt
4 EL Olivenöl
500 ml Rinderfond aus dem Glas
1 Zweig frischer Rosmarin
2 Zweige frischer Thymian
1 Knoblauchzehe

FÜR DAS KARTOFFELPÜREE

1 kg weichkochende Kartoffeln, geschält
2 EL Salz
1 TL Safranfäden
4 EL Butter
100 ml Sahne
schwarzer Pfeffer aus der Mühle

FÜR DIE ERBSEN-BEILAGE

500 g Tiefkühl-Erbsen
3 EL Butter
2 Schalotten, in feine Ringe geschnitten
Salz und schwarzer Pfeffer aus der Mühle
4 Zweige frische Minze, gehackt

Das Fett bis auf eine dünne Schicht vom Fleisch schneiden. Pfefferkörner, Lorbeerblätter und Salz in einem Mörser grob zerstoßen. Knoblauchzehen, Thymian und Rosmarin zugeben und einarbeiten. Das Öl unterziehen. Das Fleisch sorgfältig von allen Seiten mit der Marinade bestreichen. In einer Kasserolle abgedeckt an einem kühlen Ort über Nacht, mindestens aber acht Stunden marinieren. Vor dem Braten auf Zimmertemperatur bringen. Den Ofen auf 230 °C vorheizen und das Fleisch auf der mittleren Schiene 20 Minuten braten. Temperatur auf 180 °C herunterschalten und eineinhalb bis zwei Stunden braten, bis der gewünschte Gargrad – medium oder durch – erreicht ist. Aus dem Ofen nehmen und 20 Minuten abkühlen lassen. Unterdessen Kartoffeln in wenig Wasser mit Salz und Safran kochen. Die Tiefkühl-Erbsen noch gefroren mit Butter und Schalottenringen bei Niedrighitze weich garen, kurz vor Garende die

Minze unterziehen. Für die Bratensauce das Fett aus der Kasserolle abschöpfen, den Fond, frische Kräuter und Knoblauch zugeben und bei mittlerer Hitze auf dem Herd einkochen lassen. Mit einem Stampfer Butter in die Kartoffeln einarbeiten, dann Sahne unterziehen und mit Pfeffer pikant abschmecken. Braten in Scheiben schneiden, Sauce darüber gießen und mit Kartoffelpüree und Erbsen servieren.

FÜR DEN REIS-PUDDING

250 g Jasminreis, ungekocht
120 g Zucker
1 TL Salz
1,25 l Vollmilch
1 Bourbon-Vanilleschote
1 ganze Mandel, gehäutet
100 g Butter, zerlassen
frische Muskatnuss

Ofen auf 150 °C vorheizen. Reis, Zucker, Salz und Milch in eine ofenfeste Form geben. Das Mark aus der Vanilleschote schaben und alle Zutaten gut mengen. 30 Minuten backen, dann sorgfältig verrühren. Nun in die Mitte den „Glücksbringer" (die Mandel) drücken. Reispudding mit der zerlassenen Butter begießen und mit frischer Muskatnuss nach Geschmack bestreuen. Weitere zwei Stunden backen. Noch warm oder kalt servieren.

sich nach einem Studium an der weltberühmten Londoner Slade School of Fine Art auch als Gestalter von Wandbildern hervor. Zwischen 1926 und 1927 erstellte er für das Restaurant der Tate Gallery (heute Tate Britain) als Auftragsarbeit ein Wandbild passend zum Thema „In Pursuit of Rare Meats" (etwa: Auf der Jagd nach rohem oder vielleicht auch seltenem Fleisch) benannt. Die Anerkennung heutiger Restaurateure konnte Whistler nicht mehr genießen: er fiel am ersten Tag seines Soldatenlebens in der Normandie, im Jahr 1944.

DIE TATE MODERN – LUNCHEN MIT AUSSICHT

Drei Millionen Besucher in einem halben Jahr – das ist selbst in der Millionenstadt Londons eine beeindruckende Zahl. Schon binnen weniger Wochen nach ihrer Eröffnung offenbarte sich die neue Tate Modern als Publikumsmagnet. Auf 12 500 Quadratmetern und acht Stockwerken sind Exponate zwischen Moderne und Zeitgenössischer Kunst untergebracht – Salvador Dalí, Mark Rothko, Andy Warhol, Gilbert & George, Joseph Beuys und andere Wegbereiter und Klassiker.

Das wunderschön gelegene Industrieareal wurde nach Plänen des Schweizer Architektenbüro Herzog & de Meuron neu gestaltet und von Londonern

und Touristen gleichermaßen begeistert angenommen. Hinter dem riesigen Eingang geht es bergab auf eine riesengroße Fläche, die Studenten, Kunstliebhaber und Neugierige bevölkern: Sie sitzen auf dem Boden, tauschen Kataloge, Eindrücke, Adressen und genießen einen unverbauten Blick nach vorne und nach oben – in London hat auch das Seltenheitswert.

Längsseits liegt ein Café mit Themseblick und im siebten Stock können die Gäste – dank einer Gesamtverglasung – nicht nur ihr Lunch, sondern auch ein atemberaubendes Panorama genießen.

ADRESSEN

Tate Britain, Millbank, London SW1, Telefon: 020/7887 8000, U-Bahn: Pimlico
Tate Modern, 25 Sumner Street, London SE1, Telefon: 020/7887 8000, U-Bahn: Southwark
Victoria & Albert Museum, Cromwell Road, London SW7, Telefon: 020/7938 8500, U-Bahn: South Kensington

Design oder Nicht-Sein ... Das kühle Logo der Tate Modern findet sich im Restaurant auf den Wasserflaschen mit altmodischem Verschluss und wird sogar mit Kakao auf den Cappuccino geschrieben.

BRITISH MUSEUM

Diese Miniatur aus einem Manuskript von Sultan Husain (Museum für Islamische Kunst, SMBPK, Berlin) zeigt einen Fleischerladen im Basar von Isfahan um das Jahr 1590. Das British Museum ermöglicht mit dem von ihm herausgegebenen Kochbuch, die kulinarischen Überlieferungen dieser alten Weltmetropole nachzuerleben.

Über 300 000 Quadratmeter erstreckt sich im British Museum eine der weltgrößten Sammlungen mit Exponaten vom Altertum bis zur Moderne. Im Jahr 2003 feiert es als ältestes Museum der Welt seinen 250. Geburtstag und seine Anziehungskraft ist ungebrochen. Für das Jahr 2001 werden sechs Millionen Besucher erwartet. Neuer Anziehungspunkt ist der sogenannte Great Court, der von Stararchitekt Norman Foster entworfene Kuppelsaal. Das British Museum ist eines der meist besuchten öffentlichen Gebäude Londons, und selbst nach häufigen Museumsgängen werden die Wenigsten die gesamte Ausstellungsfläche erkundet haben. Griechische, römische Kunst und altägyptische Kunst, die prähistorische Zeit, die Epoche der Römer in Britannien, Kunst aus dem Westteil Asiens, aus dem orientalischen Raum, aus Mexiko, neuerdings eine afrikanische Sammlung, Zeichnungen, Drucke, Banknoten, Münzen, Sonderausstellungen – die Schätze des Museums sind atemberaubend.

Zu den Highlights gehört die altägyptische Sammlung. Im British Museum steht der Stein von Rosette, dessen Inschrift die Entzifferung der Hieroglyphen ermöglichte. Mit viel Akribie und Detailwissen bringt das Museum Besuchern die altägyptischen Bestattungsriten, die Mumifizierung und die Vorstellung des Weiterlebens nach dem Tod nahe. Auch eine 2000 Jahre alte mumifizierte Katze ist Teil der ständigen Ausstellung.

Amüsanter und auf das Diesseits bezogen ist eine 2000 Jahre alte Einkaufsliste, die ein römischer Soldat einst auf ein Wachstäfelchen ritzte. An oberster Stelle: ein sündhaft teurer, aber absolut notwendiger wärmender neuer Umhang. Die am Hadrianswall ausgegrabene Gedächtnisstütze lässt darauf schließen, das das englische Wetter schon damals Ausländer in die Flucht schlagen konnte …

Vier Kilometer lang ist ein Rundgang durch alle 94 Ausstellungsräume des Museums. Hungrigen Besuchern empfiehlt sich anschließend noch ein ausgedehnter Spaziergang auf die andere Seite der Oxford Street. Entlang der Edgware Road sind in den unzähligen Restaurants und Saftbars die klassischen Kulturen von einst kulinarisch noch heute vertreten.

وكفش خوزرا طلبيدان جوان همان روزاول كفشرا
كرده بود بقصد انكه يكينه كه پرواي آن دارد كه اينت

بازطلبه يانه او حوز پرواي پردازشت جمعي جاپردان
باحكيم كفت اندكسي كفتى اكه بعنايت مختصر سنت جول

KORESH FAISINJAN

Für sechs Personen.

1–2 Enten oder Hühner, entbeint und zerteilt
2 EL Olivenöl
1 große Zwiebel
250 g Walnüsse, grob gehackt
1 Zimtstange
1 EL brauner Zucker
Salz und schwarzer Pfeffer aus der Mühle
350 ml Granatapfelsirup
Saft von 1–2 Zitronen

Ofen auf 180 °C vorheizen. Geflügel in einer ofenfesten Kasserolle auf dem Herd von allen Seiten in Öl anbraten. Aus der Kasserolle nehmen und beiseite stellen. Zwiebeln im Sud goldgelb dünsten. Geflügelteile wieder in die Kasserolle geben, Gewürze mit Zitronensaft verschlagen und auf dem Fleisch verstreichen. Mindestens eineinhalb Stunden im Ofen backen, bis das Fleisch gar ist. Aus der Kasserolle heben und auf einem ofenfesten Teller nochmals in den Ofen geben, bis die Haut knusprig gebräunt ist. Unterdessen bei Bedarf Fett aus der Kasserolle schöpfen und für eine spätere Verwendung aufheben. Sauce mit Zitronensaft und Pfeffer abschmecken und bei Tisch dazu reichen. Als Beilage passt Reis.

KOCHEN WIE IM ALTEN PERSIEN

Wer Kulinarisches über die im British Museum dokumentierte viertausend Jahre alte Menschheitsgeschichte erfahren möchte, kann „The British Museum Cookbook" im Museumsshop erwerben. Darin sind Rezepte gesammelt, die Lust darauf wecken, zu Hause in einer kleinen Küche nachzuempfinden, was in den beeindruckenden Hochkulturen Persiens oder Ägyptens einst auf den Tisch kam.

Für die Autorin Michelle Berriedale-Johnson war das kein einfaches Unterfangen, existieren doch gerade aus jener Zeit überhaupt keine schriftlich überlieferten Rezepte. Bis zu welchem Grad alte Rezepte modernisiert werden können, ohne ihre Authentizität zu verlieren, beschäftigt auch andere *food historians*, die sich mit der Geschichte des Essens und der Ernährung auseinander setzen. Das Kochbuch des British Museum hat sich anstelle einer dokumentgetreuen Wiedergabe, die unter Umständen nicht mehr erhältliche Zutaten oder nicht mehr praktikable Zubereitungsarten erfordert, einer Wiedergabe der zeittypischen Geschmacksrichtungen verschrieben.

Um dem modernen Koch den Zugang zu erleichtern, sind den Kapiteln, die sich mit dem alten Persien und Ägypten, Griechenland, Britannien zur Zeit der Angelsachsen, Mexiko vor der Eroberung oder dem kaiserlichen China beschäftigen, Vorschläge für ganze Menüs vorangestellt. Aus dem alten Persien stammt ein *koresh* mit süßer Note. Gerichte wie diese findet man auch im heutigen Nahen und Mittleren Osten überall. Dazu wird immer Reis serviert.

Fruchtsalate und Sorbets (*sherbets*) waren in der Küche des alten Persiens (und heutigen Irans) sehr gefragt, wie Michelle Berriedale-Johnson weiß. Und auch andere Grundzutaten haben sich seit den Zeiten des alten Persiens nicht wesentlich verändert – Walnüsse, Pflaumen und anderes Trockenobst, Kräuter wie Koriander und Estragon oder Lammfleisch sind auch heute noch Grundnahrungsmittel.

ENKLAVE EDGWARE ROAD

WASSERPFEIFEN UND ARABISCHE KÜCHE

Der Anblick eines Scheichs ist auf der Edgware Road nichts Ungewöhnliches. Auch fällt Fremden hier noch auf, dass Kinder ihre tief verschleierten Mütter die großzügig wie ein Pariser Boulevard angelegte Straße entlang führen. Nur wenige Schritte von Marble Arch entfernt gelten westeuropäische Gesetze nicht; hier herrschen andere Zeiten und ein ruhigeres Tempo. Zuerst stellen Besucher verwundert fest: In den gängigen Reiseführern ist diese kleine Enklave des Nahen und Mittleren Ostens nicht verzeichnet. Auf den zweiten Blick registrieren sie Cafés für Wasserpfeife rauchende Männer. Einen bleibenden Eindruck behält, wer hier die faszinierende, traditionsreiche Küche des Morgenlands probiert, in der schon seit lan-

Die vier Dependencen ihrer Restaurantkette hat die Familie sinnigerweise auf Maroush I–IV getauft. Nummer eins und Nummer vier befinden sich in der Edgware Road wie auch der Beirut Express und die Ranoush Juice Bar, die dem kleinen Imperium ebenfalls angehören. Klassische libanesische Küche bieten alle an, doch die Ranoush Juice Bar, ein Schnellimbiss, der bis nachts um drei Uhr geöffnet ist, kommt völlig ohne Alkohol aus.

219

HALOUMI

Auf das *mezze*-Büffet des östlichen Mittelmeerraums gehört der aus Schaf-, Ziegen- oder Kuhmilch hergestellte *haloumi*-Käse. Er wird in wenig Öl in der Pfanne ausgebacken, zerläuft nicht, behält seinen fein milchigen, leicht salzigen Geschmack und passt gut zu Kräutern und frischen Salaten.

gen Jahrhunderten Einflüsse aus der islamischen Welt zwischen Persien, dem Libanon und den arabischen Ländern nebeneinander und miteinander existieren. Über 2000 Jahre nach Christus ist es möglich, mitten in London auf denselben Geschmack zu kommen wie die Vorfahren aus dem Alten Orient. Rund um Edgware Road und Paddington gibt es 20 Restaurants, und wie das Maroush haben sich die meisten von ihnen der orientalischen Küche verschrieben, aber auch Fernöstliches zwischen Malaysien und Japan findet sich auf den Speisekarten.

MEZZE – DIE ARABISCHEN ANTIPASTI

Eine ursprünglich persische Tradition hat sich im ganzen Vorderen und Mittleren Orient ausgebreitet und reicht selbst bis nach Griechenland: *mezze*.

Das sind Appetithäppchen oder gesamte Tafeln voller kleiner Köstlichkeiten. Libanesische *mezze* gelten unter Kennern als die Besten; einige Rezepte wie *tabbouleh* sind mittlerweile auch im Abendland bekannt und werden in vielen Restaurants als Vorspeisen angeboten. Aber auch eine Handvoll Oliven, ein paar Stücke frischer oder eingelegter Fetakäse, gegrillter oder gebräunter *haloumi*-Käse oder frische Kräuter, die zusammen mit Brot gereicht werden, gelten als *mezze*.

ADRESSEN

Beirut Express, 112–114 Edgware Road, London W2, Telefon: 020/77 24 27 00, U-Bahn: Edgware Road

British Museum, Great Russell Street, London WC1, Telefon: 020/76 36 15 55, U-Bahn: Russell Square

Defune, 61 Blandford Street, London W1, Telefon: 020/79 35 83 11, U-Bahn: Marble Arch

Mandalay, 444 Edgware Road, London W2, Telefon: 020/72 58 36 96, U-Bahn: Edgware Road

Maroush I, 21 Edgware Road, London W2, Telefon: 020/77 23 07 73, U-Bahn: Marble Arch

Maroush IV, 68 Edgware Road, London W2, Telefon: 020/72 24 93 39, U-Bahn: Marble Arch

Ranoush Juice Bar, 43 Edgware Road, London W2, Telefon: 020/77 23 59 29, U-Bahn: Marble Arch

Die Kräuter werden gehackt und mit den übrigen Zutaten für die Füllung vermischt, die man dann roh einige Zeit ziehen lässt.

Die Füllung erhält dadurch eine gewisse Bindung und fällt nicht körnig auseinander, wenn sie auf das Blatt gelegt wird.

Beim Aufrollen des Weinblattes ist es wichtig, darauf zu achten, dass alle „Finger" des Blatts nach innen geschlagen werden.

Dicht an dicht werden alle *dolmas* so in einen hohen Topf eingepasst, dass die offenen Blattspitzen unten liegen.

Die *dolmas* dann mit Tellern beschweren und die genau bemessene Menge Wasser sowie das Olivenöl angießen.

Nach dem Kochen ist das Wasser vollkommen absorbiert, und das Olivenöl bildet einen glänzenden Film auf den *dolmas*.

DOLMAS – GEFÜLLTE WEINBLATTROLLEN

400 g Reis
Saft von 2 Zitronen
natives Olivenöl extra
1 Bund Lauchzwiebeln, fein gehackt
2 Bund Dill, fein gehackt
1/2 Bund glatte Petersilie, fein gehackt
750 g frische Weinblätter in Öl-Lake
Salz und frisch gemahlener schwarzer Pfeffer

Den Reis waschen, in einen Kochtopf geben, Zitronensaft, etwas Olivenöl, die Zwiebeln, Dill und Petersilie zugeben, mit Salz und Pfeffer würzen, umrühren und zwei bis drei Stunden stehen lassen. Wasser in einem Topf erhitzen und die Weinblätter kurz eintauchen und dann mit der glänzenden Seite nach unten auf die Arbeitsfläche legen. Unge-

fähr einen Esslöffel Reis aus das Blatt geben und fest einwickeln. Die gefüllten Weinblätter dicht an dicht in einem Topf anordnen, salzen und pfeffern, mit Tellern beschweren und mit 800 Milliliter Wasser und etwas Olivenöl angießen. Bei Mittelhitze so lange kochen, bis das ganze Wasser aufgenommen ist. Noch warm oder kalt servieren.

M'TABAL AL-BATINJAN

Wer den Namen dieses Gerichts nicht aussprechen kann: Es ist auch unter *baba ghanoush* bekannt. Diese Auberginenpaste ist ein Klassiker des *mezze*-Büffets.

700 g Auberginen
1 Knoblauchzehe, geschält
1 TL Salz
2–3 TL Tahinipaste
4 TL Zitronensaft
1 Hand voll glatte Petersilie, fein gehackt
1 Msp. Cayennepfeffer
1–2 EL Olivenöl nach Bedarf
Granatapfelkerne zum Garnieren

Backofengrill vorheizen. Auberginenhaut an mehreren Stellen einritzen. Auf Backpapier und damit abgedeckt zehn Zentimeter unterhalb des Grills 20 bis 30 Minuten backen, zwischendurch einmal wenden. Die Auberginen sind fertig, wenn die Haut dunkel ist und Blasen

wirft und das Innere weich ist. Unterdessen in einer Schüssel Knoblauchzehe mit Salz zerdrücken.

Auberginen aus dem Ofen nehmen, etwas abkühlen lassen. Fleisch aus der Haut schaben und in der Küchenmaschine einige Sekunden pürieren. Mit den restlichen Zutaten mengen und pikant abschmecken. Zum Garnieren eignen sich besonders frische Granatapfelkerne.

Donna Karans jüngste Kollektion, umrahmt von der äußerst verlockenden Speisehalle ihres Ladens in der Edel-Modemeile New Bond Street. Der Kuchen des Tages darf bei den Desserts nicht fehlen.

THE BEAUTIFUL PEOPLE
BEAUS, BOHEMIENS UND ANDERE MODEBEWUSSTE

Wer jung, schön und hip ist, den zieht in Europa nur eine Stadt an – London. Und das schon seit Jahrhunderten. Während der kurzen Epoche des Regency Anfang des 19. Jahrhunderts war es beispielsweise George Ryan Brummell, der als der junge, schöne Beau mit Dandymanieren die Aristokratie beeindruckte und mit seinem treffsicheren Geschmack die Männermode revolutionierte. Leider war er auch dem Glücksspiel verfallen und endete in einer Anstalt für Geisteskranke in Frankreich.

Spätestens seit den 50er-Jahren des vergangenen Jahrhunderts hat die Jugendkultur London endgültig fest im Griff. Es begann mit den Teddies, den Mods und den Rude Boys and Girls of Jamaica. Jede dieser Bewegungen hat nicht nur ihre eigene Musik, sondern auch ihr eigenes Outfit, das stolz auf der Straße, in den Plattengeschäften und Espressobars oder vor den Hamburgerläden zur Schau gestellt wird. Seitdem kennt jedes Jahrzehnt seine Moden und das darauffolgende erlebt erstaunlicherweise auch oft deren Revival.

ESSEN UND DESIGN IN EDELBOUTIQUEN

Früher gab es als Nervennahrung beim Shoppen höchstens ein Glas stilles Mineralwasser oder ungesüßten schwarzen Kaffee. Ausgerechnet zwei Designer, für deren Mode eine schlanke Silhouette Grundvoraussetzung ist, verknüpften im London der 90er-Jahre als erste Mode und Essen. Bei Giorgio Armanis Jugendlabel „Emporio" und bei Donna Karan lässt es sich zwischen Pullovern und Taschen ansehnlich speisen.

An den zerbrechlich wirkenden Gestellen hängen die feinen Fummel der New Yorkerin Donna Karan. Die Glasvitrinen enthalten exquisite Accessoires. Die Speisen sind etwas erschwinglicher.

223

Die sparsame Einrichtung täuscht – hier bleibt nichts dem Zufall überlassen. Große Sorgfalt wird ständig darauf verwandt, dass der optische Gesamteindruck stimmt, Kaffeetasse inklusive.

Bei Armani fühlt man sich fast an die Schockfarben des Mailänder Moderivalen Versace erinnert – knallgrün, rot, orange. Kein Grund zur Sorge, die elegante Farbpalette der gedämpften Emotionen ist Giorgio Armani nicht abhanden kommen. Nur in der Küche seines „Emporio Armani Cafés" hantieren die Köche mit den Farbexplosionen der italienischen Küche. In Schnupperweite der edlen Damenoberbekleidung wird in opulenter Farbenpracht geschwelgt. Knallgrüner Rucola, dunkelgelbe Parmesanschnittchen, blutorangefarbenes Eis gibt es hier für müde Shopper, die den Blick stolz auf ihre Einkaufstaschen geheftet haben und vom ersten Stock des *Emporio Armani* in das edle Einkaufsparadies der Brompton Road blicken. Dass die Kalorienzahl der Gerichte die Zahlen auf den Preisetiketten der Armani-Mode um einiges übersteigt, stört niemanden. Bei „Donna Karan" wird die Charakterstärke der Kunden auf eine ebenso harte Probe gestellt. Direkt gegenüber von zerbrechlichen Gestängen, an denen Bekleidungsstücke in Miniaturgröße baumeln, steht die weiß gflieste Theke mit nährstoffreichen Leckereien.

DAS AUGE ISST MIT

Der internationale Siegeszug der Sushi-Bars ist vollzogen. In London lockte Yo!Sushi mit einem witzigen Konzept, angesiedelt zwischen Robotern, Manga-Comics und frisch zubereiteten coolen Fischstäbchen, nicht nur die eigenen Landsleute in den Imbiss. „Das einzige Restaurant Londons, wo die Leute draußen stehen bleiben und schauen, wer drinnen was isst", beschreibt ein ausgewanderter Franzose das Yo!Sushi und denkt mit Wehmut an die schaufenstergroßen Verglasungen der klassischen Pariser Restaurants und Brasserien. In Paris gehörte ein gewisser kulinarischer Exhibitionismus schon immer zum Lebensgefühl. In London galt es lange Zeit als sehr unfein, sich Nichtessenden beim Essen zu zeigen.

Mit ihrer Gesamtverglasung vom ersten Stock bis zum Bürgersteig weckt die Erfolgskette Yo!Sushi nun aber auch beim Londoner Publikum darstellerische Fähigkeiten und das bereitet tradierten Vorstellungen von Privatsphäre einen fröhlichen Garaus.

Direkt auf den Teller reicht der Blick von draußen aber doch nicht. Dafür sorgt die Aufteilung des Restau-

rants. Mitten in dem hell erleuchteten Raum, der bewusst provisorisch wirkt, steht eine riesige rechteckige Theke, an der die Kundschaft zu fast allen Tageszeiten dicht gedrängt und mit dem Rücken zur Straße sitzt, Singles, verliebte Paare, Touristen, Geschäftsleute gleichermaßen. Wenn sie den Kopf nicht gerade tief über ihre Tellerchen beugen und andächtig Reishäppchen zum Mund heben, halten sie ihn neugierig

Das Logo von Yo!Sushi erinnert ein wenig an die knalligen Manga Comics aus dem japanischen Mutterland.

zugtempo ein kleiner Roboter, der auf seiner Ladefläche Sojasauce, Besteck und Getränke transportiert. Der japanischen Leidenschaft für Kampftrinken mit Sake wird hier nicht gefrönt, denn dazu sind die Barhocker zu unbequem. Der kontinentalen Leidenschaft für stundenlanges Palavern vor und während des Essens auch nicht – aus dem gleichen Grund.

erhoben und spähen auf das Fliessband. Dort zieht eine kleine Köstlichkeit nach der anderen an ihnen vorbei, preislich gekennzeichnet durch unterschiedlich eingefärbte Tellerränder. Die Bedeutung der grünen oder pinkfarbenen Farbränder für den Geldbeutel ist einer Tafel zu entnehmen, die über den Köpfen der Sushiköche hängt, die sich innerhalb einer rechteckigen Fläche aus den verschiedenen Töpfen bedienen und den lieben langen Tag rollen, kleben, verkleben, zurollen und portionieren. Um das Fließband herum fährt im Bummel-

Im Yo!Sushi holt sich der gesundheitsbewusste Esser eine große Dosis Eiweiß (delphinfreundlich, wie es das Unternehmen beteuert), unter den Augen einer staunenden Öffentlichkeit, die vor der Eingangstür steht und jeden, der sein Sushi-Marathon absolviert hat, beschaut. Yo!Sushi ist einfach in und hat schon für unendlich viele Nachahmer gesorgt. Doch so perfekt wie hier, im Herzen von Soho, gelingt ein durchgestylter Gesamtauftritt nur selten. Die internationale Jet Set Klientel wird hier nicht enttäuscht, zahlreiche Prominente sollen hier bereits gewesen sein. Beim Knabbern von Sushi is(s)t man jung oder wird es wieder und wie es dem weltweit bewunderten japanischen Gefühl für Ästhetik entspricht, isst zudem das Auge mit.

Hygienisch von durchsichtigen Deckeln beschirmt, fahren die edlen Fischstäbchen auf dem Laufband an den hungrigen Kunden vorbei, bis sie einen Abnehmer finden und durch frische ersetzt werden. Ein Roboter bietet Getränke feil (links).

Für wirkliche Revolutionen viel zu teuer – das Che, eine populäre Cocktailbar mit angeschlossener *cigar bar* in der St. James's Street. Hier ist die Revolution höchstens rein geschmacklicher Art.

CHE – DIE BESTE BAR DES MILLENNIUMS

Ob Weinbar, Hotelbar, Zigarrenbar, Cocktailbar – im schnelllebigen London werden Ausgehtrends über Nacht geboren und oft ebenso jäh begraben. Für das Che, von der Londoner Zeitung „Evening Standard" mit dem Jahrtausendlob bedacht, sprechen zwei wesentliche Charakteristika moderner und klassischer Barkultur: ausgezeichnete Drinks und eine separate *cigar bar*.

Diese wird geleitet von Neil Millington, Verfasser eines Führers über Zigarren. In seiner Zigarrenbar wird in tiefen Lederfauteuils geschmaucht. Sie bietet stilecht in einer Bibliothek die stadtgrößte Auswahl an Zigarren, darunter so einige aus vorkommunistischer kubanischer Zeitrechnung. Eine halbe Etage höher liegt die *drinks bar*, eingebettet in

ADRESSEN

Che, 23 St. James's Street, London SW1, Telefon: 020/77 47 93 80, U-Bahn: Green Park

Donna Karan, 19 New Bond Street, London W1, Telefon: 020/74 99 80 89, U-Bahn: Green Park

Emporio Armani Express, 191 Brompton Road, London SW3, Telefon: 020/78 23 88 18, U-Bahn: Knightsbridge

Yo!Sushi, 52 Poland Street, London W1, Telefon: 020/72 87 04 43, U-Bahn: Oxford Circus

Ein cleveres Konzept: Die Zigarrenbar kombiniert die gediegene Behaglichkeit der traditionellen Herrenclubs von St. James's mit der kühlen blausilbernen Eleganz der modernen Zeit.

buntstiftfarbene Leuchtkästen. Mit einem ebenfalls leuchtenden Kommunistenstern wird Kubas gedacht, doch wahre Revolutionen geschehen hier, in Sichtweite des Hotel Ritz, nicht.

Die Barkeeper des Che, deren Zunft in London *mixologists* heißt, versuchen in jedem Jahr wieder, einander bei den Wettbewerben, die Zeitungen, Zeitschriften oder Alkoholproduzenten ausloben, von den vordersten Plätzen zu drängen. Natürlich kennt *mixologist* Nick Strangeway einige exotische Cocktails, die besonders gut zu den alten Havanas passen.

SAZARAC

Dieser französische Klassiker ist über zwei Jahrhunderte alt und erfordert bei der Herstellung gute Beziehungen: In Deutschland ist der Verkauf von Absinth verboten.

1 Tumbler oder Old-Fashioned-Glas
1/2 TL Zucker
1 1/2 EL Wasser
1 TL Absinth
2 Spritzer Peychaud
50 ml Bourbon
Eiswürfel

Aus Zucker und Wasser einen Sirup köcheln. Glas mit Absinth ausspülen. In einem Cocktailshaker Peychaud mit einem Teelöffel Zuckersirup und Bourbon auf Eis mixen, bis alle Zutaten heruntergekühlt sind. Durch ein Cocktailsieb in das Glas abseihen.

OLD-FASHIONED

Um 1900 taten sich ein Whiskeyproduzent und ein Barmann zusammen und erfanden in Louisville, Kentucky, diesen Drink. Nicht überraschend also, dass er Bourbon enthält. Im Che wird er zur Zigarre empfohlen.

1 Tumbler oder Old-Fashioned-Glas
1 Stück Würfelzucker
1–2 Spritzer Angostura
50 ml Bourbon
Eiswürfel
Orangenzest zum Garnieren

Zucker in das Glas geben, mit Angostura tränken, zerstoßen. Mit Bourbon aufgießen. Zwei Eiswürfel zugeben und shaken, bis sich der Zucker aufgelöst hat. Mit Eiswürfeln auffüllen und mit Orangenzest garnieren.

AFTERNOON TEA
UND CREAM TEA IM HOTEL

stündiges Spielmarathon nicht durch die Profanität eines Dinners unterbrechen wollte. Mögen die Details dieses klugen Einfalls auch im Bereich der Legende angesiedelt sein: Die Tradition des nachmittäglichen *tea* setzte sich sehr schnell durch.

Zu unterscheiden sind *afternoon tea*, *cream tea* und *high tea*. Als einfacher Imbiss dient der *cream tea*, zu dem neben Tee mit Milch süßes Gebäck wie *scones* mit *clotted cream* und Erdbeermarmelade gereicht werden. Wie dieser ausschließlich süße Imbiss wird auch der gehaltvollere *afternoon tea* im edlen Ambiente

Der Nachmittagstee sollte mit Stil und Pomp zelebriert werden. Die großen Hotels rund um den Hyde Park verstehen sich perfekt darauf. Sie organisieren sogar gerne ein Geburtstagsständchen.

Irgendwann im Jahr 1840 beschloss Anna, die siebte Herzogin von Bedford, dem kleinen Hunger zwischendurch nachzugeben und sich am Nachmittag ein Tablett mit Tee, Sandwiches und Gebäck auf ihr Zimmer bringen zu lassen. Dieser leichte Schwächeanfall legte den Grundstock zu einer Zwischenmahlzeit, die längst rituellen Charakter besitzt. Notwendigerweise vorangegangen war die Erfindung des Sandwichs durch den vierten Earl von Sandwich, der im Jahr 1762 ein 24-

CLOTTED CREAM

Diese Sahne ist eine Spezialität der Grafschaft Devon und eine Kalorienbombe. Unpasteurisierte und nicht entrahmte Milch wird bei niedriger Temperatur erhitzt, bis sich an der Oberfläche eine etwas festere Schicht gebildet hat. Diese wird nach dem Abkühlen abgehoben. Sie passt zu *scones*, frischen Früchten oder Nachtisch.

der großen Londoner Hotels rund um den Hyde Park besonders stilvoll zelebriert. Zu einem richtigen *afternoon tea* werden erst die klassischen englischen Sandwiches serviert – in Dreiecke geschnitten und ganz edel vom Rand befreit. Ihnen folgen die *scones* oder *crumpets*, die zusammen mit kleinen Kuchen gereicht werden. Weniger formelle Regelungen gelten für den Zeitpunkt des *afternoon tea*. Theoretisch ist er für Punkt vier Uhr nachmittags ange-

Der mit Palmen dekorierte *drawing room* des Hotel Ritz in Piccadilly oder der Salon im Art-Deco-Stil des Hotel Claridge's in Mayfair bieten den edlen Rahmen für einen Nachmittagstee der Luxusklasse.

ZWEI TIPPS FÜR DEN TEA FOR TWO

Da Hotels wie das Claridge's, das Dorchester, das Ritz oder das Brown's nicht nur zu den schönsten der Stadt, sondern auch zu den teuersten der Welt gehören, empfiehlt sich ein prüfender Blick ins Portemonnaie und in den Spiegel. *Afternoon teas* kosten das Vielfache eines Abendessens in einem netten indischen Restaurant. Krawatten- und Jackettzwang werden wie ein Jeansverbot durchaus ausgesprochen. Um nicht vor die Wahl eines Leihjacketts gestellt zu werden, erkundigt man sich besser vorher telefonisch. Denn die Portiers sind hilfreich und freundlich, aber unerbittlich. Selbst wenn die Jeans von Gucci ist…

setzt, praktisch handhaben viele Hotels die Uhrzeit individuell etwas flexibler. Ein herzhafter und sehr gehaltvoller Imbiss ist der *high tea*. Dazu gehören neben Marmeladen auch *pies*, Aufschnitt, Salate, pikante oder süße Backwaren, sogar Fischgerichte.

Obwohl er fast einer vollwertigen Mahlzeit entspricht, wird beim *high tea* nicht unbedingt auf das Teeservice verzichtet. In anderen Gegenden des Landes (vornehmlich in der Arbeiterschicht) ist der *tea* gleichbedeutend mit dem Abendessen. Und da die Briten laut Statistik jährlich um die 185 Millionen Tee trinken, gehört er auch oft zum Abendbrot.

ADRESSEN

Brown's Hotel, 33–34 Albemarle Street, London W1, Telefon: 020/75 18 41 08, U-Bahn: Green Park

Claridge's, Brook Street, London W1, Telefon: 020/76 29 88 60, U-Bahn: Bond Street

Savoy, Strand, London WC2, Telefon: 020/78 36 43 43, U-Bahn: Charing Cross

The Dorchester, 54 Park Lane, London W1, Telefon: 020/76 29 88 88, U-Bahn: Hyde Park Corner

The Lanesborough Hotel, Hyde Park Corner, London SW1, Telefon: 020/72 59 55 99, U-Bahn: Hyde Park Corner

The Ritz, Piccadilly, London W1, Telefon: 020/74 93 81 81, U-Bahn: Green Park

SCONES

Schottischen Ursprungs, sind die *scones* mittlerweile in ganz England nicht mehr wegzudenken. Eine klassische Variante ist die Zugabe von Buttermilch. Zu diesem süßen Gebäck passt am besten Erdbeermarmelade und darunter ein zarter Aufstrich aus *clotted cream*. Ergibt sechs bis acht Stück.

250 g Mehl	
1 EL Backpulver	
2 EL Zucker	
1 Prise Salz	
6 EL Butter	
125 ml Buttermilch	
1 Ei, verschlagen	

Ofen auf 220 °C vorheizen. Alle Trockenzutaten in einer Schüssel vermengen. In der Mitte eine Mulde formen, Butter in Flocken hineingeben. Buttermilch angießen. Erst mit einer Gabel, dann mit einem Handrührer unter das Mehl arbeiten, bis sich ein weicher, aber formbarer Teig bildet. Auf einer leicht bemehlten Arbeitsfläche drei Zentimeter dick ausrollen und mithilfe eines Glases mit befeuchtetem Rand Kreise ausstechen. Die Teigoberflächen mit Ei bestreichen. Auf Backpapier zehn bis 20 Minuten goldgelb backen. Vor dem Verzehr abkühlen lassen.

IM ZUCKERBÄCKERSTIL
LONDONER
DESIGNERTORTEN

Einfach zum Anbeißen sind sie, diese phantasievoll dekorierten Designertorten, ob man sie nun von der landesweit bekannten Jane Asher stammen oder von der fingerfertigen Schwiegermutter.

Beim Namen Jane Asher fällt einer ganzen Generation älterer Ladies neidvoll der Name des langjährigen Freundes ein, um den sie Jane damals so sehr beneideten: Paul McCartney. Später heiratete sie jedoch nicht ihn, sondern den Cartoonisten Gerald Scarfe, wurde Mutter, blieb Schauspielerin und wurde mit ihren Backbüchern gleich ein weiteres Mal berühmt. Unter *Jane Asher Sugarcraft* hat sie diverse Bücher zum Thema Backen und Torten verzieren veröffentlicht und verkauft fertige Backmischungen. Ihr Laden im Stadtteil Chelsea bietet Dekorationspakete für Anfänger und Fortgeschrittene an. Wer die Kunst des Tortengusses nicht selber meistern möchte, kann diese vom Bukett bis zum Einzelblatt auch in Teilen bestellen. Das Dekorieren von Torten ist eine echte englische Leidenschaft. Ob es gilt, die schwierige Situation am neunten Loch darzustellen, einer Spitzenklöpplerin für ein weiteres Jahr Fingerfertigkeit zu wünschen, oder ein junges Brautpaar zu bejubeln – mit bunten Streuseln, Modelliermasse aus Marzipan, eingefärbtem Zucker und vielen auch im Supermarkt erhältlichen Verzierungen begeistert sich eine ganze (Heim-)Industrie an der Produktion einer schönen Welt aus hellblauem Zuckerguss und rosa Herzchen. Es darf beim Dekorieren etwas *over the top* zugehen: Geschmackliche Zurückhaltung ist hier nicht gefragt.

ADRESSEN
Jane Asher Party Cakes, 22–24 Cale Street, London SW3, Telefon: 020/ 75846177, U-Bahn: South Kensington

GURKENSANDWICH

Schon Oscar Wilde, ein Kenner der englischen Oberschicht und ihr süffisant-geistreicher Porträtist, erwähnt das Gurkensandwich im Zusammenhang mit feinen Sitten. „Es gibt Gurkensandwiches?" mokiert sich Jack in Wildes Theaterstück Bunbury oder wie wichtig es ist, ernst zu sein. „Welch gewagte Extravaganz und das in einem so jungen Alter! Wer kommt denn zum Tee?" Wohl mehr als jede andere englische Speise trägt *„the cucumber sandwich"* die Saat potenzieller Verhohnepiepelung in sich. Denn es verkörpert ein Englischsein, das eigentlich bereits mit der „Titanic" untergegangen sein sollte. Dabei schmecken Gurkensandwiches wesentlich besser als ihr Ruf. Ihr Hauptbestandteil, die Salatgurke, gehört zu den am frühesten kultivierten Gemüsesorten der Welt. Der hohe Wasseranteil von 96 Prozent macht die Salatgurke sehr erfrischend. Wohl auch, weil es sich im Gegensatz zu dicker belegten Sandwiches eleganter verzehren lässt, gehört das Gurkensandwich noch heute zum nachmittäglichen Teebüffet. Eine ungeahnte Renaissance erlebte es als Snack für engagierte Vegetarier.

GURKENSANDWICH

Ergibt ein Sandwich.

6–8 Scheiben hauchdünn geschnittene und geschälte Salatgurke
Salz
2 Scheiben Toastbrot
2 EL Frischkäse
schwarzer Pfeffer aus der Mühle

Gurkenscheiben zum Entwässern mit Salz bestreuen. Auf Küchenkrepp abtropfen lassen und trocken tupfen. Toast mit Frischkäse bestreichen. Einen Toast mit Gurkenscheiben belegen und mit Pfeffer bestreuen. Den anderen Toast darüber klappen. Ränder mit einem scharfen Messer abschneiden. Sandwich in vier Dreiecke teilen.

Traditionelle Gurkensandwiches sind köstlich und sehr erfrischend. Nur einen Nachteil haben sie: Sie lassen sich nicht gut vorbereiten, sondern schmecken frisch einfach am besten.

235

PICKNICK
DAS KALTE BÜFFET UNTER FREIEM HIMMEL

Die ersten Picknicks sind aus dem Mittelalter verbürgt, als hungrige Jagdgesellschaften mit ihren Hunden und Hofdamen auf praktische Weise mit Nahrhaftem versorgt werden mussten. Eine wahre Blütezeit erlebte das Picknick im 19. Jahrhundert. Literarisch verarbeitet wurde die Vorliebe, bei Wind und Wetter unter Ah's und Oh's einen prall gefüllten Korb mit Essbarem zu öffnen und sich entlang eines Flusslaufs oder unter sanft sich wiegenden Baumwipfeln zu betten, damals von berühmten Romanciers wie Jane Austen und Charles Dickens. Da bot sich die Möglichkeit, gleich zwei Talente unter Beweis zu stellen: das der Landschaftsbeschreibung und das der Wiedergabe von Zwischentönen unter zivilisierten Menschen.

Ein Picknickkorb ist ein Schlüssel zu Tradition und Geschichte. Während die Picknickgruppe es sich am Themseufer gemütlich macht und gebratene Hühnerschlegel auspackt, dringen vielleicht knappe Signale von der Wassermitte ans Flussufer: Sie stammen von den Steuermännern der konkurrierenden Eliteuniversitäten Oxford und Cambridge, die beim University Boat Race ihr Boot zum Sieg lotsen wollen. Und wer am Sonntagnachmittag auf dem Hampstead Heath andächtig in ein hart gekochtes Ei beißt, mag an Karl Marx

Kaum zu glauben, dass alles, was zu einem typischen Picknick gehört, in einem Korb Platz findet.

EIN PICKNICKKORB WIRD GEPACKT

1. eine Flasche Pimm's Cup (alternativ eisgekühlter Jahrgangschampagner)
2. eine Salatgurke (die Schale wird für den Pimm's-Cup-Cocktail benötigt)
3. zwei Zitronen
4. viele Eiswürfel
5. eine Flasche Lemon Soda oder Ginger Ale
6. einen gewaschenen Kopfsalat im Ganzen (er wird geviertelt und dann mit Miracle Whip bestrichen)
7. ein mittleres Glas Miracle Whip
8. knusprige *rolls* oder ein frisches Brot
9. gebratene Hühnerschlegel
10. ein Glas Cornichons oder *pickles*
11. Kirschtomaten
12. ein großes Stück Cheddar
13. hartgekochte Eier
14. Instantkaffee
15. Teebeutel, heißes Wasser in der Thermoskanne
16. Schokoladenkekse
17. Milch, Zucker, Salz, Pfeffer
18. ein gutes Messer

Auch in London gibt es Plätze, wo man sich vom Großstadtlärm erholen kann wie hier, an einem der Teiche im weitläufigen Hampstead Heath.

denken, der hier auch schon der Lust des Picknicks frönte. Ein Korbinhalt der Familie Marx wurde uns wie folgt von Karl Liebknecht überliefert: „…ein mächtiger Kalbsbraten war das durch Tradition geheiligte Hauptstück für den Sonntag auf Hampstead Heath. [...] Daneben Tee mit Zucker und gelegentlich etwas Obst [...] Brot, Käse, Butter und Bier, neben den ortsüblichem Shrimps, Brunnenkresse und Gemeine Strandschnecken…"

Wie das Wort *picnic* andeutet, muss der Inhalt eines Picknickkorb vor allem einfach sein – denn es bezeichnet im Englischen auch eine Sache, die leicht von der Hand geht. Zwar bieten auch Hoflieferanten wie Asprey & Garrard Picknickkörbe an, doch was wirklich zählt, sind nicht deren materielle Werte. Ist der erste Hunger gestillt, stellt sich ein Glücksgefühl ein – hier, zwischen krabbelnden Ameisen oder bedroht von dunklen Gewitterwolken, saßen schon vor Jahrhunderten Londoner und vergnügten sich damit, zusammen mit Freunden einen Nachmittag auf angenehmste Weise zu vertrödeln.

HAMPSTEAD HEATH

Die Londoner Parks sind weltberühmt. Hyde Park, Kensington Gardens, Green Park, St. James's Park, Regent's Park, Battersea Park oder Holland Park sind grüne Lungen, die Touristen lieben und Londoner schätzen. Im Hyde Park lässt es sich sogar ausreiten oder auf dem See rudern, im Green Park Fußball spielen oder in Ruhe joggen. Etwas außerhalb der Innenstadt liegt Hampstead Heath, kein Park im eigentlichen Sinne, sondern mit 316 Hektar eine riesige Grünfläche. Hier gibt es Wäldchen, Heidegrund, Täler und Höhen, Forellenteiche, natürliche Badeteiche für Männer und Frauen und viel Platz. Vor Kenwood House, einem von Robert Adam 1764 umgestalteten Herrenhaus mit sehr schöner Gemäldesammlung, erfreuen im Sommer klassische Konzerte die Besucher. Auf dem nahe gelegenen Parliament Hill steht eine Aussichtsplattform. Von hier aus bietet sich ein prächtiger Blick auf die Skyline Londons, und auf einer Tafel werden alle Sehenswürdigkeiten erklärt. Sie liegen nur wenige Kilometer entfernt gut sichtbar, aber scheinen weit entfernt. Statt Hektik und Lärm spürt man auf Hampstead Heath Ruhe und Stille und erschnuppert im Laub oder frisch gemähten Gras die Jahreszeiten. Ein idealer Picknickort.

WER ODER WAS IST PIMM?

Es gab tatsächlich einen Mister Pimm, der Erfinder und Namensgeber dieses englischen Klassikers war. James Pimm kreierte diesen Likör auf Ginbasis im Jahr 1859 und verkaufte ihn anfänglich ausschließlich in seiner *oyster bar* in der Londoner City, als Tonikum zur besseren Verdauung. Es enthält Kräuter und Chinin. Zwischenzeitlich gab es sechs verschiedene Pimm's Cups, von eins bis sechs durchnummeriert, und bald wurde Pimm's No. 1 landesweit vertrieben und gelangte sogar in die Offiziersmesse von Khartum.

PIMM'S CUP

2–3 Eiswürfel
1 dünne Zitronenscheibe
1 Gurkenschalen-Spirale, wahlweise Gurkenscheiben
60 ml Pimm's Cup
Lemon Soda oder Ginger Ale nach Belieben

Zutaten in ein Glas geben, mit Lemon Soda oder Ginger Ale auffüllen. Bei Wunsch mit Zitronenmelisse garnieren.

EVERYTHING BY BUS

MIT DER LINIE NO. 19 QUER DURCH DAS LONDONER LEBEN

Seltenheitswert haben in London mittlerweile die Doppeldeckerbusse mit ihrer Aussicht. Doch die Linie 19 soll den Londonern noch erhalten bleiben.

Zwei Stunden lang betrachtet man gebannt das Leben auf Londons Straßen, das sich sechs Meter tiefer ausbreitet und immer noch an Romane von Charles Dickens erinnert. Dieser privilegierte Ausguck befindet sich in der ersten Reihe im ersten Stock eines Busses der Linie Nummer 19 und bietet einen faszinierenden Panoramablick auf das kosmopolitische London. Die Fahrt verläuft vom Norden der Stadt durch Central London in den Süden der Stadt. Besser als es jeder engagierte Lokalpolitiker der Riesenstadt könnte, verdeutlicht eine Fahrt mit dieser Buslinie, wie weltstädtisch London ist, wie groß die Unterschiede zwischen den einzelnen Stadtteilen sind und wie verschiedenartig die Essgewohnheiten ihrer Bewohner.

Die Fahrt selbst kostet nicht viel mehr als ein Sandwich und beginnt hinter Finsbury Park. Anfangs gleiten niedrige, abgebröckelte Häuserfronten und kleine Restaurants mit schiefen Fassaden an dem rundum verglasten vorderen Busfenster vorbei. Bald werden die Häuser mehrstöckig und teurer. Der Bus nähert sich Highbury Barn. In der Gegend rund um den namensgebenden Heuschober sind heute Bioläden und Bäckereien untergebracht. Im King's Head lässt sich gleichzeitig dem Bier, dem *pub grub* und dem Theater frönen – eine Zusammenstellung fleischlicher und geistiger Genüsse, wie sie perfekt zum Image von Islington passt. Früher gab es hier viele Punk-Pubs, später labte sich Tony Blair als Innenminister der Opposition mit seinen Labour-Genossen auf der Upper Street am Euro-Pudding aus spanischer, türkischer, italienischer, griechischer und französischer Küche. Die Heimat ist nur mit einem Geschäft vertreten, das allerdings der Spitzenklasse angehört: Barstow & Barr

Rein optisch etwas verwirrend ist dieser Koloss mit seiner grünen Fassade (rechts); stilvoller dagegen die Pizzeria gegenüber vom Hyde Park, auch populär, weil es hier oft guten Jazz zu hören gibt.

gilt als einer der besten Käseläden der Stadt.

Weiter in Richtung Innenstadt prägt das weltberühmte Theater Sadler's Wells sein Umfeld. Hier gibt es kleinere und größere Restaurants, darunter das Ravi Shankar (vegetarische, klassische indische Küche), Filialen der kleineren Ketten Chez Gérard und Café Med (die trotz ihres Namens nicht unbedingt klassische französische Küche, sondern eher die britische Vorstellung einer solchen servieren) und auch einen griechischen Tempel namens Kolossi, dessen kolossales Fassadengrün hoffentlich nie auf die Speisekarte abfärbt.

Sobald mehr Filmfirmen, Pubs und Restaurants wie Fryer's Delight, The Bloomsbury und Alfred zu sehen sind, hat der Bus die Shaftesbury Avenue erreicht. Hier sind insbesondere die Theater und Buchläden zu

Hause. Im Café des großen Buchladens Borders kann man in Büchern blättern, in dem kühl-funktional eingerichteten Restaurant Teatro die neue britische Küche genießen. Eine steigende Zahl von Touristenfallen ist zu registrieren, sobald sich der Bus Piccadilly Circus nähert.

Die gleichnamige Straße Piccadilly präsentiert dem Passanten in Sichtweite des Buckingham Palace das spätkapitalistische Gegenstück zum Blair'schen Euro-Pudding – China House, Caviar House, The Ritz, Café Richoux und Fakhredine. Die Klientel des edlen libanesischen Restaurants ist wohlhabend und angegraut, denn auch der libanesische Nachwuchs tummelt sich lieber im Pizza-Express-Ableger Pizza on the Park, der gegenüber dem Hyde Park liegt.

Zwischen den beiden konkurrierenden Kaufhäusern Harvey Nichols und Harrods biegt der Bus nun in die Sloane Street ein, auf der internationale Modehäuser ihre Londoner Dependencen und Restaurants vielleicht auch aus kalorienträchtigen Gründen das Nachsehen haben. Erst kurz vor dem Sloane Square hat sich mit dem Traditionshaus Partridge's ein Delikatessgeschäft behaupten können – wohl auch, weil die hohen Preise nur den Kauf kleiner Töpfe mit Leckereien zulassen, die der Linie nicht abträglich sind. Direkt am Sloane Square liegt das Oriel, so edel eingerichtet wie es bei den Immobilien dieses Viertels, die zu den teuersten der Welt gehören, nicht anders zu erwarten ist.

Auf der King's Road hält der Bus direkt vor Peter Jones, einem riesengroßen Kaufhaus, das unter Denkmalschutz steht und gut betuchten Londonerinnen schon seit mehreren Generationen ihre *wedding list* ausrichtet. Ansonsten gleicht die King's Road eher einem überquellenden Kleiderschrank als einem Brauttisch. Noch immer zeigt auf

Das feine Fakhreldine (links) gedenkt der prachtvollen Zeiten des alten Orient. Andere Eindrücke verschafft die Busfahrt durch das West End an einem frühwinterlichen Abend.

dieser Flanierstraße die Jugendkultur ihr neuestes Gesicht. Den Pub Chelsea Potter passierend, entdeckt der Busfahrende den Traum Londoner Autofahrer: eine Tankstelle mitten in der Stadt. Zumindest war das Bluebird einst eine Tankstelle. Die größte Europas. Mit Wartelounges für die Damen und separaten Zimmern für ihre Chauffeure. 1923 wurde sie gebaut, heute steht sie unter Denkmalschutz und Sir Terence Conran baute sie zu Restaurant, Bar und einem Supermarkt für leider sehr teure Delikatessen um.

Kurz danach biegt der Bus nach links ab, überquert die Themse in Richtung Battersea und fährt am Buchan's vorbei, das für seine gute britische Küche bekannt ist. In Südlondon kehrt wieder ein beschaulicheres Tempo und ein bescheidenerer Lebensstil ein.

Les Misérables
★ PALACE ★

"Genuinely touching"
Mail on Sunday

ART

St MARTIN'S

'A TRULY ENTERTAINING CLASSIC THRILLER'

'THE PLAY'S MYSTERY IS SUPERBLY MAINTAINED UNTIL THE VERY END'

'THE MOUSETRAP IS ONE OF THE MOST SKILFULLY WRITTEN MURDER MYSTERIES EVER PRODUCED'

WILLY RUSSELL'S BLOOD Brothers

PHOENIX

HE GREATEST MUSICAL OF

VORHANG AUF
THEATERTELLER RUND UM
DIE SHAFTESBURY AVENUE

Die schwungvoll zum *theatre land* ausgerufene Enklave hat mitnichten die geographischen Ausmaße eines Landes. Eher die eines Inselchens – umtost von Piccadilly, Shaftesbury Avenue, Charing Cross Road, Haymarket und dem Strand. Auf wenigen Quadratkilometern gibt sich hier Prominenz aus England und Hollywood bei Paraderollen, Gehversuchen oder Comebacks auf der Bühne die Klinke in die Hand. Ein Abend im West End ist für Londoner und Pendler aus dem weitläufigen Umland eine Institution. Oft wird er mit einem *pre-theatre dinner* eröffnet oder mit einem *post-theatre dinner* beendet. Viele Restaurants bieten vor der klassischen Abendkarte Theaterteller an, und der Theaterliebhaber kann sicher sein, dass das Personal mit dem Zeitdruck bis zum ersten Vorhang umzugehen weiß.

J. SHEEKEY – DER ELEGANTE KLASSIKER
Mehr als hundert Jahre alt ist das traditionsreiche Fischrestaurant, und deshalb wird Tradition auch in der Küche groß geschrieben. Natürlich finden sich moderne Gerichte wie „frischer Thunfisch mit Fenchel" auf der Karte, aber auch Klassiker wie der „Fish Pie" erfreuen sich immer noch großer Nachfrage. Besonders stolz ist das J. Sheekey auf die Verbindung zwischen Restaurant und Theater und spielt dabei auch selbst gerne mit. In London geht eines auch nicht ohne das andere: „Wie wir unseren

Vom amüsanten Gassenhauer oder Musical bis zum seriösen Drama bietet das Theaterland für jeden Geschmack und viele Geldbeutel etwas. Theaterteller eingeschlossen.

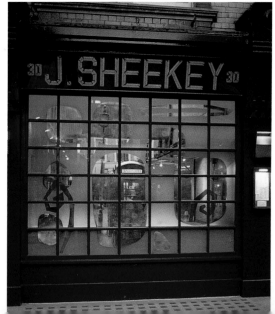

Wolfsbarsch präsentieren und erst am Tisch zerlegen und servieren, das ist einer Theateraufführung gar nicht so unähnlich und in London einmalig", so Manager Robert Holland.

Vor einigen Jahre wurde das J. Sheekey von der kleinen feinen Restaurantgruppe gekauft, zu der auch The Ivy und Le Caprice gehörten. Alle drei Restaurants wurden inzwischen von der Belgo-Gruppe übernommen. Qualität und der Geist des *understatement* sind jedoch ebenso unverändert geblieben wie das dezente und geschmackvolle Interieur. Im Gegensatz zu den wohlig kleinen, holzgetäfelten Innenräumen ist das Restaurant von außen in einem Farbton gehalten, der auch in London nur der Feuerwehr gehört.

Ob in einen Fischauflauf nur eine Sorte Fisch gehört oder mehrere, das ist eine Frage, der sich englische Männer mit Verve widmen. Das J. Sheekey verwendet für seine *fish pie* ausschließlich Lachs.

HAMBURGER BEI JOE ALLEN

Die Speisekarte von Joe Allen birgt keine Überraschungen, aber dafür all die beliebten Klassiker – „Salade Niçoise", „Caesar Salad", „Chili con carne" oder Pekanuss-Kuchen. Die Steaks haben amerikanische Proportionen, denn die vielen US-Touristen stehen europäischen Mengen skeptisch gegenüber. Ähnlich klassisch wie die Karte ist auch der Ruf des Restaurants – das stets volle Joe Allen hat es schon immer gegeben und seine Klientel aus Theatermachern und Theaterfans auch.

AGENTENTREFF BEI ORSO

Eine diskrete Verbindungstür führt aus dem handfesten Joe Allen in das edlere Orso. Hier gibt es keine Hamburger,

FISH PIE AUS DEM J. SHEEKEY

4 große mehlig kochende Kartoffeln, geschält
250 g Lachsfilet, in Fischfond gedünstet
1 EL Tomatenketchup
1 TL Anchovispaste
1–2 TL Senfpulver
Salz und schwarzer Pfeffer aus der Mühle
3 EL Semmelbrösel

Kartoffeln kochen und ohne Zugabe von Fett zu einem Püree zerstampfen. Fisch mit der Gabel zerpflücken. Die Hälfte mit den Kartoffeln vermengen und mit den Gewürzen pikant abschmecken. Die zweite Hälfte vorsichtig unterheben. In eine Portionsschüssel füllen, mit Semmelbrösel bestreuen und mehrere Stunden abgedeckt im Kühlschrank ruhen lassen. Ofen auf 200 °C vorheizen und die Pie 20 Minuten goldbraun backen.

Sehr geschmackvoll und dennoch sehr gemütlich ist das J. Sheekey in Gehweite des Londoner Broadways, der Shaftesbury Avenue. An der Wand hängen Fotos von Londoner Bühnenstars.

sondern einen anderen New Yorker Klassiker, nämlich italo-amerikanische Küche. Das riesige Kellergewölbe des Restaurants gilt als Treff für Schauspieleragenten.

INCOGNICO

Die gediegene Atmosphäre erinnert an einen Gentlemen's Club, doch Nico Ladenis (ihm gehört auch das Chez Nico) Neueröffnung ist auch bei der jungen Szene angesagt. Kein Wunder: Frische, gut gewürzte Salate, „Ossobuco mit Parmesan-Risotto und Artischocken" oder „Kalbsnieren in Senfsauce" sind eine wahre Wonne.

VON MÄUSEN UND HEXEN – THEATERKLASSIKER

Im Jahr 2002 feiert „Die Mausefalle" ihr 50. Bühnenjubiläum. Die Attraktivität dieses milden Krimiklassikers von Agatha Christie ist ungebrochen – zumindest beim Nicht-Londoner Publikum. Davon zeugen die 20000 Vorstellungen, die bereits bis Dezember 2000 gegeben wurden. Zur Erstbesetzung der Premiere am 25. November 1952 im Ambassador Theatre gehörte auch Richard Attenborough; 1974 zog die Produktion in das St. Martin's Theatre um, vielleicht die hübscheste unter den kleineren Bühnen der Stadt. Der mittlerweile in den Adelsstand gehobene Jungschauspieler

gab damals den Detective Sergeant Trotter. Ob er auch zu denjenigen gehörte, die seit der Uraufführung am Verzehr der mittlerweile 320 Tonnen Eiscreme mitgewirkt haben, ist nicht bekannt. Zu den neuesten Großinszenierungen auf Londons Bühnen gehört „Die Hexen von Eastwick". Das Stück nach einem Gesellschaftsroman von John Updike thematisiert das Leben von drei Freundinnen, deren recht provinzielles Leben durch die Ankunft eines geheimnisvollen Fremden eine völlig unerwartete Wendung erfährt. Nach ihrer Verfilmung kam die Farce erfolgreich als Musical ins Prince of Wales Theatre.

War es der Gärtner? Selbst Londoner scheinen Agatha Christies Mausefalle immer noch sehen zu wollen. Doch auch ohne sie bliebe das Stück ein Erfolg – dank der vielen Touristen, meist aus Übersee.

ADRESSEN

Incognico, 117 Shaftesbury Avenue, London WC2, Telefon: 020/78 36 88 66, U-Bahn: Leicester Square
Joe Allen, 13 Exeter Street, London WC2, Telefon: 020/78 36 06 51, U-Bahn: Covent Garden
J. Sheekey, 28–32 St. Martin's Court, London WC2, Telefon: 020/72 40 81 14, U-Bahn: Leicester Square
Prince of Wales Theatre, Coventry Street, London W1, Telefon: 020/78 39 59 72, U-Bahn: Leicester Square
St. Martin's Theatre, West Street, Cambridge Circus, London WC2, Telefon: 020/74 97 05 78, U-Bahn: Covent Garden
Teatro, 93 Shaftesbury Avenue, London W1V, Telefon: 020/74 94 30 40, U-Bahn: Piccadilly

HOHE KÜCHE
ZU NIEDRIGEN PREISEN

Nostalgisch wirken die Aschenbecher mit den dazu passenden Streichholzbriefchen. Dies ist nur eines von vielen kleinen und feinen Details, die den Charme des Mirabelle ausmachen.

ondon ist teuer. Diese Erkenntnis bestätigt sich im Minutentakt. Wer nur noch sporadisch daran denkt, ist entweder Londoner oder im Begriff, es zu werden. Denn dass alles seinen Preis hat, davon geht jeder aus, der in dieser Riesenmetropole zu Hause ist. Für etwas ausgleichende Gerechtigkeit sorgt die Tatsache, dass manchmal die Tageszeit den Preis bestimmt. Die hohe Küche der Stadt bietet preisgünstige Lunchmenüs zwischen 15 und 25 Pfund an. Das füllt die Restauranttische und macht vielleicht zusätzlich Appetit auf einen abendlichen Restaurantbesuch. Der schlägt dann allerdings gleich doppelt und dreifach zu Buche.

Ein Beispiel unter vielen ist das wunderschöne Restaurant Mirabelle in Mayfair, einem der teuersten und elegantesten Stadtteile, das diese Regelung schon seit Jahren und mit großem Erfolg praktiziert. Auch der ebenfalls michelingekrönte Richard Corrigan bietet im Lindsay House einen solchen Lunch an – ebenso Fernsehkoch und Buchautor Gary Rhodes in seinem Rhodes in the Square. Selbst Londoner konsultieren auf der Suche nach solchen Sparschlupflöchern die vielen kulinarischen Stadtführer.

MARCO PIERRE WHITE – DIE LEGENDE

„Wenn Sie gut essen wollen, sollten Sie nicht ins Mirabelle gehen," so sagt sein Inhaber. Einer der berüchtigten Restaurantkritiker der Stadt schrieb unlängst, er würde gerne viel öfter im Mirabelle essen gehen, hätte er nicht so viel Angst vor diesem Mann. Gemeint ist Marco Pierre White, der einige Jahre lang auch der Chefkoch war. Marco – wie ihn jeder nennt, auch wenn er ihn nicht kennt – hat seine eigene Auffassung davon, wo man richtig gut isst: Im Oak Room, für den er als erster englischer Koch auf heimischem Boden drei Sterne erkocht hat, bis er beschloss, sich mehr seinem Privatleben zu widmen.

Vor Marco muss frau Respekt haben. Und mann vielleicht wirklich ein bisschen Angst: „Ins Mirabelle bringen Sie Ihren neuen Freund zum Lunch. Damit er gleich weiß, wo es künftig langgeht". Eine Legende ist Marco Pierre White je-

denfalls. Dabei stammt er aus Yorkshire, ist gerade 40 und besitzt die Art von Ego, die nur der jahrzehntelange erfolgreiche Umgang mit Töpfen und dem anderen Geschlecht mit sich bringt. Mit 19 Jahren heuerte er im Michelin-Tempel Le Gavroche an. Chef Albert Roux bat ihn, sich die Haare schneiden zu lassen und drückte ihm danach, so zumindest ist es überliefert, den Kochlöffel in die Hand. Das jahrzehntelange Schuften hat sich für ihn auf alle Fälle gelohnt, drei Sterne hat er eingeheimst. Und die hat er später wieder zurückgegeben, was dann ein weiteres Mal für Furore sorgte.

Natürlich lässt es sich im Mirabelle gut, schön und stilvoll speisen; sein Inhaber leistet sich einfach nur den Luxus, abfällig über ein Restaurant zu sprechen, in dem der Gast dank viel Liebe und hohen Investitionen die Eleganz vergangener Tage nachempfinden kann. Zeit für einen Drink an der Art-Déco-Bar oder in den tiefen Sesseln des Antechambre muss sein. Danach wird man an vielen raffinierten Verspiegelungen vorbei an seinen Tisch geleitet, auf dem Aschenbecher mit fröhlichem Design und dazu passenden Streichhölzern an das Italien der 50er-Jahre erinnern. Weitere Klassiker bietet die Speisekarte,

Für sein Buch über das Mirabelle hat der jetzige Inhaber Marco Pierre White viele Speisenkarten aus der Geschichte des Restaurants gesammelt. Hier ein Blick in die Menükarte.

THUNFISCH MIT SAUCE VIERGE

Eine der Grundsaucen des Mirabelle ist die Sauce Vierge, die zu feinem Weißfisch genauso passt wie zu geschmacksintensiverem Thunfisch. Thunfisch kann in der Farbe zwischen hellrosa bis dunkelrosa changieren. Er hat festes Fleisch, das sich braten lässt wie Kalbfleisch.

SAUCE VIERGE
85 ml Olivenöl

25 ml Zitronensaft

1 TL Korianderkörner, zerstoßen

8 Basilikumblätter, in Juliennestreifen geschnitten

Konkassée von 2 Tomaten

THUNFISCH
4 Thunfischsteaks (à 150 g)

4 EL Olivenöl

Salz und schwarzer Pfeffer aus der Mühle

Kerbel, Estragon, Schnittlauch

Für die Sauce Vierge Öl in einem Töpfchen vorsichtig anwärmen. Zitronensaft einrühren, vom Herd nehmen.
Koriander und Basilikum einige Minuten im Ölsud ziehen lassen. Tomaten unterziehen. Unterdessen die Thunfischsteaks in einer großen und beschichteten Pfanne in Olivenöl von beiden Seiten drei Minuten anbraten, salzen und pfeffern.
Mit frischen Kräutern dekorieren. Sauce Vierge beträufeln. Gleich servieren.

darunter insbesondere das „Omelette Arnold Bennett", benannt nach dem englischen Romancier aus einem vergangenen Jahrhundert, der sein Omelette am liebsten nicht gefaltet und mit geräuchertem Schellfisch aß.

Der zweigängige Lunch – im Sommer im tiefergelegten Atrium einzunehmen – liegt bei 20 Pfund. Zum Nerven-kitzel wird er für den, der dazu eine Flasche Chateau d'Yquem aus dem Jahr 1834 wählt. Dann wächst beim Bezahlen die Erkenntnis, dass Computer endgültig die Welt regieren und abstruse Zahlen figurieren. Aber es sind gar nicht die Computer. Das Mirabelle ist berühmt für seine alten Weine, die mehr kosten als ein Neuwagen.

JEAN-CHRISTOPHE NOVELLI

Mit nur fünfhundert Pfund Startguthaben eröffnete Jean-Christophe Novelli 1997 sein erstes Restaurant Maison Novelli in Clerkenwell. Sofort folgten ein Michelin-Stern, eine Fernsehreihe und weitere Restauranteröffnungen. Nur einige Jahre später jedoch war das kleine, feine und köstliche Küchenimperium schon am Ende – wäre nicht Marco Pierre White eingesprungen. Ihr nächstes Restaurant machen sie gemeinsam. Zwei Sterneköche von internationalem Format in einer Küche, ein Novum, auf dass man, wie üblich bei Marco Pierre White, gespannt sein darf. Das Buch „Your Place Or Mine" (1998) drückt die große Faszination, fast Hingabe an das Essen aus, die Jean-Christophe Novellis Küche bestimmt. Wie er selbst sagt, macht er den Lesern darin den Schatz seines „Wunderkastens" zugänglich – das Raffinement der Würzzutaten, die für die ausdrucksstarke Küche seines Maison Novelli typisch sind: mit Kardamon, Orangensaft und Bourbon-Vanille aromatisiertes Öl, Saft von getrockneten, gezuckerten Tomaten, selbstgefertigtes Steinpilz-Pulver, Spiralen aus selbstgezogenem Karamell, frittierte großblättrige Kräuter, „so farbintensiv und durchscheinend, dass sie an Buntglasfenster erinnern".

ICH BIN LONDONER

MARCO PIERRE WHITE

Ich komme aus Leeds!" protestiert der charismatische und attraktive ehemalige Drei-Sterne-Koch, der sich heute erfolgreich dem Management seiner Restaurants widmet. Doch erst in London ist er berühmt geworden.

Das gibt er zu. So gerne er seinem Lokalpatriotismus glaubhaft Ausdruck verleiht, kommt auch ein Marco Pierre White nicht daran vorbei, dass England für viele Menschen gleichbedeutend mit seiner Metropole ist. Etwas viel

Wichtigeres ist dem aus einfachsten Verhältnissen stammenden Nordlicht allerdings gelungen: „den Leuten zu Hause zeigen, wie weit man es ohne nennenswerte Bildung bringen kann."

Sein Vorname, den er von seiner italienischen Mutter hat, kam in Marcos Heimat, einem von Armut und Unwissenheit geprägten Arbeiterviertel, gar nicht gut an. Dennoch: „als Marc White wäre ich heute nicht da, wo ich bin."

Das prägendste Erlebnis wiederfuhr dem sechsjährigen Marco Pierre jedoch, als seine Mutter vor seinen Augen starb. Dieser Verlust weckte den Überlebensinstinkt, den Ehrgeiz und die Erfahrung, dass er sein Leben selbst gestalten kann. Und die Erkenntnis, auf die er mit unvergleichlichem Charme und Selbstvertrauen baut: „Alles, was in meinem Leben passiert ist, verdanke ich der Tatsache, dass ich es gelernt habe, den Narren zuzuhören."

Mit seiner Familie lebt Marco Pierre White heute in dem beschaulichen und optisch ansprechenden Stadtteil Holland Park. Da haben es die drei Kinder nicht weit zur Schule und Marco Pierre White nicht weit zur Arbeit, die er gerne vom Antechambre des „Mirabelle" aus erledigt. Und das ist kein Zufall: „Ich gehe viel aus, aber nur in meine eigenen Restaurants." In seiner Freizeit geht der leidenschaftliche und stolze Familienvater wie schon seit seiner Kindheit gerne angeln und jagen. Beruflich spürt der selbsternannte Klassizist Restaurants auf, die einer Wiederbelebung bedürfen. Als er 1997 das Restaurant „Mirabelle" erwarb, erklärte er lächelnd, er habe das Gefühl, „die Kronjuwelen erstanden zu haben."

Neuere geschäftliche Entwicklungen wie die Leitung der Küche einer landesweiten Hotelkette, die sich vorher auf kulinarischem Gebiet eher negativ hervorgetan hatte oder die Eröffnung eines Restaurants im Park der römischen Villa Borghese zeugen von Visionskraft: „Mein Instinkt sagt mir, wie ich ein Restaurant gestalten soll." Dabei betritt er gerne neue Pfade, denn immer das zu tun, was er schon kann, langweilt ihn leicht. Neuestes Projekt: Zwei Köche in einer Küche. Mit seinem besten Freund Jean-Christophe Novelli, einem gebürtigen Franzosen und ebenfalls Sternekoch, steht er gemeinsam in einer Restaurantküche. Zuviele Köche verderben den Brei? Nein – vor Jean-Christophe Novelli habe er grenzenlosen Respekt, sagt Marco Pierre White und sein von Ehrlichkeit und Komplexität geprägter Charakter, der sich auch in seiner Küche deutlich widerspiegele, beeindrucke ihn sehr.

Der Chef in seinem Arbeitszimmer: Das ansprechende Antechambre des Mirabelle benutzt Marco Pierre White gerne, um bis zum Eintreffen der Mittagsgäste seine Arbeit zu erledigen.

CHEZ BRUCE –
FEINE VORORTKÜCHE

Der Vorortzug überquert die Themse und nimmt Kurs auf Südlondon. Er durchschneidet die endlosen Häuserzeilen aus viktorianischer Zeit, die sich treppauf, treppab aneinander reihen. Auf einer solchen Fahrt wird deutlich, dass London riesig ist und aus lauter Dörfern besteht. Jedes hat seine Kirche und seinen *common*, eine Gemeindewiese. Der Zug passiert Battersea und die Battersea Power Station, eines der Lieblingswahrzeichen der Londoner. Sie wurde 1930 von Sir Giles Gilbert Scott gebaut, dem Schöpfer eines noch viel bekannteren Klassikers, des roten Telefonhäuschens. Als nächstes gleitet Clapham vorbei, und sieben Minuten von Victoria Station entfernt ist der Reisende in Wandsworth Common und auf dem Land eingetroffen. Plötzlich geht es beschaulich, fast behäbig zu. Miss Marple hätte hier gut leben können, oder auch Inspektor Jury. Wenn es nicht regnet, tummeln sich auf dem *common* jung und alt, üben Cricketspieler und werden Picknicks ausgepackt. Vom großen Fenster des Restaurants Chez Bruce lässt sich diese Beschaulichkeit in Ruhe genießen. „Schade, dass es nur so wenige Restaurants gibt wie die-

Viel einfacher und kleiner ist Marco Pierre Whites erstes Restaurant im Südlondoner Vorort Wandsworth. Das damalige Harvey's wird heute als Chez Bruce erfolgreich von Bruce Poole geleitet.

TARTARE OF MACKEREL WITH SMOKED SALMON, CRÈME FRAÎCHE AND CAVIAR

Das folgende Rezept ist ein handschriftliches Bruce-Poole-Original. „Wir arbeiten nicht nach Rezepten, wir improvisieren." Dabei blieb es.

4 Filets von der Atlantischen Makrele
Salz
1 Msp. Cayennepfeffer
Saft von 1/2 Zitrone
1 Bund Schnittlauch, in feine Röllchen geschnitten

125 g Crème fraîche
so viel Kaviar, wie man sich leisten kann und nach Wunsch
4 große dünne Scheiben Räucherlachs
4 Scheiben Vollkorntoast
4 TL Butter

Makrelenfilets von der Haut befreien und restliche Gräten entfernen. In feine Würfel schneiden. Erst kurz vor dem Servieren mit Salz, Cayennepfeffer und Zitronensaft abschmecken und die Schnittlauchröllchen unterziehen. Den Räucherlachs auf einer großen Servierplatte anrichten und das Makrelentartar als Hügel in die Mitte setzen. Mit je einer Quenelle Crème fraîche und Kaviar bekrönen. Dazu gebutterten Toast servieren. Einfach köstlich!

Überraschend, wie schnell man in London ländliche Ruhe findet. Chez Bruce, nur wenige Minuten von Victoria Station entfernt, erinnert außen ein wenig an ein gemütliches Landgasthaus.

ses," sagt Chefkoch, Mitbesitzer, Manager und Namensgeber Bruce Poole und meint das aufrichtig. Natürlich will er seine klassische französische und dennoch sehr preisgünstige Küche loben, mit der er sich nach drei Jahren einen Stern erkochte. Ebenso liegt ihm an einem Hinweis auf die über 350 Flaschen zählende und wortwörtlich ausgezeichnete Weinliste: „Es ist uns viel daran gelegen, sie preisgünstig zu halten, obwohl das ein hartes Stück Arbeit ist". Wirklich stolz ist er jedoch darauf, dass Chez Bruce ein Restaurant für die Bewohner von Wandsworth ist, das seine Anhänger in der ganzen Stadt hat.

Gute Küche, gute Weine, nationaler Bekanntheitsgrad: keine schmale Leistung für jemanden, der erst im Alter von 25 Jahren zum ersten Mal in einer Profiküche hantierte. Zwar ist Bruce Poole mit gutem Essen aufgewachsen, denn die Eltern – beide Lehrer – kutschierten ihren Nachwuchs oft wochenlang im Wohnwagen durch Frankreich und machten ihn mit der französischen Küche vertraut: „Aber lange war ich nur

Auf Qualität und Auswahl seiner Käseplatte legt der frankophile Chefkoch Bruce Poole großen Wert. Seine vielen treuen Gäste wissen es zu schätzen.

ein interessierter Amateur." Bruce Poole hat Geschichte studiert, wollte aber nach der Uni nicht als Historiker arbeiten oder Geschichtsbücher schreiben. Stattdessen entschied er sich für eine Ausbildung im Hotel- und Restaurantgeschäft. „Obwohl ich mittlerweile ständig essen gehe, liebe ich Restaurants nach wie vor und finde sie immer

noch aufregend!" So aufregend, dass er sich den unzähligen Kollegen nicht anschließen möchte, die Kochbücher auf den Markt bringen. Lieber würde er ein Buch über ein Restaurant schreiben – seine Gäste, seine Anekdoten, was in der Küche für Katastrophen passieren, wenn Feuer ausbricht oder der Strom ausfällt oder die Polizei kommt, um je-

Küchenherd, ein knallrotes Wunderwerk, das an eine alte Dampflok erinnert und zu Marcos überschäumendem Temperament sicher besser passte als zu Bruce Pooles witziger Intelligenz. Die Liebe zur französischen Küche ist nach dem Weggang von Marco Pierre White geblieben. „In meiner Küche wird man keine asiatischen Gewürze finden. Nicht, weil ich chinesisches und thailändisches Essen nicht mag. Aber ich mache nichts, was ich nicht gut genug kann."

Und was er kann, macht er gut. Die Gäste sind zufrieden. Die Ehefrau auch. Sie lädt er oft zum Essen ein. Manchmal auch ins Chez Bruce.

Sorgfältig gedeckte Tische, aufmerksamer Service, die michelingekrönte Küche und zum Verdauungsspaziergang ein Park gleich vor der Tür – die Popularität des Chez Bruce wundert nicht.

manden aus der Brigade abzuführen: „In meiner Küche ist das alles schon passiert. Allerdings haben wir auch schon so gelacht, dass ans Kochen nicht mehr zu denken war."

Das würden Stammgäste und Gourmets nicht gerne erleben. Mittags und abends ist Chez Bruce immer ausgebucht, obwohl es nicht im West End liegt, und Bruce Poole ist völlig schleierhaft, wieso da jemand ein Restaurant aufmachen will. Das hat er auch nicht nötig, denn sein Restaurant zieht seit langem Stammgäste an. Hier erkochte in den 80er-Jahren ein blutjunger Marco Pierre White zwei Michelin-Sterne und begeisterte die ganze Stadt. Aus seiner Zeit stammt der 90 000 Pfund teure

ADRESSEN

Chez Bruce, 2 Bellevue Road, London SW17, Telefon: 020/86 72 01 14, BR: Wandsworth Common

Mirabelle, 56 Curzon Street, London W1, Telefon: 020/74 99 46 36, U-Bahn: St. James

Oak Room, Le Méridien, 21 Piccadilly, London W1, Telefon: 020/74 37 02 02, U-Bahn: Piccadilly

Rhodes in the Square, Dolphin Square, Chichester Street, London SW1, Telefon: 020/77 98 67 67, U-Bahn: Pimlico

Richard Corrigan at Lindsay House, 21 Romilly Street, London W1, Telefon: 020/74 39 04 50, U-Bahn: Leicester Square

IM HERZEN VON SOHO
KULINARISCHE FREIHEITEN
ZWISCHEN LACK UND LEDER

London sei die zivilisierteste Stadt der Welt, hat Fred Zinnemann einmal gesagt, der bedeutende Filmregisseur deutschen Ursprungs, der durch die Filme „12 Uhr mittags", „Verdammt in alle Ewigkeit" und „Julia" berühmt wurde. Er meinte damit die Londoner Fähigkeit zur Toleranz – eine beneidenswerte Eigenschaft, die Soho wie kaum ein zweiter Stadtteil symbolisiert. Was ist Soho nicht alles schon gewesen! Eigentum von Westminster Abbey beispielsweise. In der ersten Hälfte des 16. Jahrhunderts wurde das Gebiet zum Jagdareal – daher stammt auch der einem Jagdsignal entlehnte Name. Nach dem Feuer von 1666, das die City of London fast vollständig zerstörte, siedelte sich die Oberschicht in Soho an und ein Straßennetz wurde angelegt. Nun kamen Flüchtlinge, die aus religiösen und politischen Gründen den Kontinent verlassen mussten: Anfangs waren es Griechen, gefolgt von Franzosen, Italienern, Deutschen und Chinesen. Im ausgehenden 18. Jahrhundert entwickelte sich das Viereck zwischen Oxford und Regent Street, Charing Cross Road

und Leicester Square dann zum Geschäfts- und Handelszentrum. Später folgten die Oben-ohne-Bars, die Schwulentreffs, die Espressobars, die Filmindustrie, der Modekult um die heute bedeutungslose Carnaby Street, kamen die Punks sowie Lack und Leder für Alltagsfetischisten. Allerneuester Trend – hier hinkt Soho ausnahmsweise der Entwicklung hinterher – sind seit 1999 Fußgängerzonen. Wie in Italien sind die Bürgersteige bei schönem Wetter zum Wohnzimmer geworden.

Die in London so selbstverständliche Toleranz im alltäglichen Zusammenleben manifestierte sich in Soho schnell auch durch die Akzeptanz importierter Restaurantkultur. Die Restaurants und Cafés französischer Hugenotten, die nach der Aufhebung des Edikts von Nantes im Jahr 1685 um ihr Leben bangen mussten, waren die ersten kulinarischen Newcomer in London. Es folgten italienische Auswanderer, die sich als Köche und Küchenhilfen niederließen, später *sandwich shops*, Restaurants oder traditionelle Delikatessgeschäfte wie das winzige I. Camisa eröffneten oder

Champagnerbars, Stripteasebars, Coffeebars – in den engen Gassen des vor Leben sprudelnden Stadtteils Soho findet sich das ganze Programm großstädtischer Vergnügungen.

Einst das Restaurant gekrönter Häupter, heute eine Pizzeria. Das Kettner's gehört dem Restaurateur Peter Boizot, dem Gründer der Pizza Express-Kette. Vielleicht soll der Baldachin an den Glanz einstiger Zeiten erinnern.

Pizzeria mit angeschlossener Bar, die über 30 Champagnersorten führt. Vor über hundert Jahren gründete Auguste Kettner, ehemals Koch von Napoleon III., das Restaurant. Königliche Umgangsformen pflegte er angeblich auch mit Edward VII. Dem stellte er für horizontale Freuden eigens ein Separee zur Verfügung.

Unweit des Kettner's liegt eine andere Institution von Soho, die sich noch nie königstreu gebärdete. Das Gay Hussar serviert Emigrantenküche aus Ungarn und bot, als es so etwas noch gab, Umstürzlern und Bohemiens einen Unterschlupf und ein Zuhause. Im Andrew Edmunds gibt es Heringsfilet, Pasta, *cassoulet*, echten Wildlachs, der allerdings nur während seiner Laichwanderung gefangen werden darf – und sehr viel Alkohol.

Lina Stores, der wochentags tapfer schon um sieben Uhr morgens seine Pforten öffnet. Dann zogen die ersten indischen Restaurants nach und auf nächste Entwicklungen lässt sich ebenfalls gespannt sein. Denn noch heute liegt über den kleinen Straßen ein Hauch von Exotik, den selbst Londoner verspüren, wenn sie in Soho einen Abend verbringen.

Aber die wilden Zeiten von Soho sind erstmal vorbei. Wer sich lebhaft an sie erinnert, der erzählt mit stolz erhobenem Whiskyglas von den turbulenten Nachkriegsjahren, wo man in Soho zentral und ohne Zentralheizung wohnte, von berühmten Freunden, die alle auch kein Geld, aber viel Lebenslust besaßen, und vom Leben selbst, das eine unmittelbare Intensität barg, auch wenn oder vielleicht gerade weil es damals in Soho noch keine schicke Kneipe gab, die Freedom hieß …

KETTNER'S, GAY HUSSAR, ANDREW EDMUNDS

Eine plüschige Hollywood-Aura verbreitet der große Baldachin vor dem opulenten Haus von Kettner's, einer

262

ALASTAIR LITTLE

Eine konventionelle Kochausbildung hat er nicht genossen. Dennoch hat sich der sympathische Alastair Little mit mittlerweile fünf Büchern und vielen Fernsehauftritten landesweit einen Namen erkocht. Mitten in Soho liegt sein Restaurant, wo er – getreu der Maxime *keep it simple* ohne viel Federlesen unterschiedliche Länderküchen zusammenführt. Die nachstehenden Rezepte vermitteln einen Eindruck von der Vielfalt seiner eigenen Küche sowie des kulinarischen Angebots in Soho.

ALASTAIR LITTLES KALBSLEBER MIT ROTER BETE

350 g Kalbsleber
4 EL Mehl
1 Schalotte, gehackt
1 kleine rote Bete, gekocht, geschält und hauchdünn aufgeschnitten
1 Bund Schnittlauch, in feine Röllchen geschnitten
100 g Butter
1 EL Sherryessig
4 EL Kalbsfond
frisch geriebener Meerrettich
Salz und Pfeffer aus der Mühle

Mehl mit Salz und Pfeffer aromatisieren. 50 Gramm Butter in einer Pfanne zerlassen. Mehl in eine Plastiktüte füllen, Leber darin schütteln – so verteilt sich das Mehl gleichmäßig. Überschüssiges Mehl abklopfen. Sobald die Butter schäumt, Leber darin 90 Sekunden auf jeder Seite anbraten, auf einen Teller geben und warm halten. Bei starker Hitze Schalotte, rote Bete und Essig eine Minute unter Rühren braten. Mit Fond ablöschen und bei starker Hitze zu einer leicht sirupartigen Konsistenz reduzieren. Vom Herd nehmen, restliche Butter unterziehen. Sauce über die Leber löffeln, mit Schnittlauch sowie Meerrettich bestreuen und servieren.

ALASTAIR LITTLES PASTA E FAGIOLI

Für sechs Personen.

250 g Pasta (Conchiglie oder Mezze Penne)
800 g Borlottibohnen aus der Dose
1 kleines Bund glatte Petersilie, fein gehackt
4 Knoblauchzehen, fein gehackt
2 Zwiebeln, fein gehackt
1 Möhre, fein gehackt
2 Bleichselleriestangen, geschält und fein gehackt
150 g Pancetta, fein gewürfelt
2 Lorbeerblätter
5 EL Olivenöl
Salz und schwarzer Pfeffer aus der Mühle
frischer Parmesan nach Geschmack

Knoblauch, Zwiebeln, Möhre, Bleichsellerie und Pancetta in einer großen Kasserolle mit drei Esslöffel Olivenöl zehn Minuten bei Niedrighitze anschwitzen. Etwas Wasser angießen und 15 Minuten garen. Bohnen zugeben und 20 Minuten weich garen.

Mit Salz und Pfeffer abschmecken, restliches Olivenöl unterziehen. Pasta zugeben und vorsichtig untermengen. Fünf Minuten köcheln lassen, nochmals verrühren. Vom Herd nehmen und abgedeckt zehn Minuten ziehen lassen, bis die Pasta *al dente* ist und die Kochflüssigkeit der Bohnen aufgesogen hat. Bei Tisch Parmesan und Petersilie zum Bestreuen der Suppe reichen.

zösische Volk jenseits von Vichy. Hier flatterten vom ersten Stock als Willkommensgruß Union Jack und Tricolore im Geiste von Freiheit, Gleichheit und Brüderlichkeit. Das Restaurant kochte *new British* und damit gutbürgerlich raffiniert; immerhin ist die Inhaberin mit dem Chef(koch) des Restaurants St. John verheiratet, der stolz auf Reelles in der Küche ist.

Wehmütig denken Sohoites und Gourmets an das French House Dining Room zurück, das im Herbst 2001 seine Pforten schloss (dem Pub wurde Gott sei dank nicht der Garaus gemacht). Im schnelllebigen und hochpreisigen Londoner West End sind Restaurantneueröffnungen und -schließungen an der Tagesordnung; das gilt sogar für etablierte Restaurants wie das French. Doch Margot Clayton plant nicht, den Kochlöffel an die Wand zu hängen.

Im Pub beten die dort verkehrenden Maler, Schauspieler, Schriftsteller, Journalisten und Musiker, dass er noch lange existieren möge – und: das noch andere Menschheitsträume wahr werden. Dass beherztes Trinken nicht alt macht, sondern konserviert. Dass man mit 65 Jahren in einem goldfarbenen Lederanzug sexy aussieht – auch, weil man die Maler Francis Bacon und Lucian Freud kannte, die hier einst Stammgäste waren. Dass man einmal so berühmt wird,

Säufer, Staatsmänner und Stammgäste sind im French House Dining Room zu Gast gewesen. Darunter auch Charles de Gaulle, der sich hier während des Zweiten Weltkriegs mit französischen Widerstandskämpfern traf.

THE FRENCH HOUSE DINING ROOM

Stammgäste kürzten den Namen dieses Restaurants mit hauseigenem Pub so selbstverständlich ab, wie der Adel den Buckingham Palace ab einer gewissen Standeszugehörigkeit „Buck House" nennt. The French House Dining Room hingegen hieß ab einem gewissen Grad an Loyalität und Trinkfestigkeit „The French". Im Gegensatz zu Buck House beherbergte das French allerdings zwei Lokalitäten unter einer Adresse, einen ebenerdigen Pub und ein kleines Restaurant im ersten Stock.

Seinen Namen trug das French mit Stolz und nicht von ungefähr. Hier schrieb Charles de Gaulle seine berühmte Rede aus dem Exil an das fran-

dass man unerkannt saufen möchte und wie die Bands Guns'n'Roses oder Madness hierher kommen kann. Dass man einen literarischen Wurf landet wie Dylan Thomas mit „Unter dem Milchwald", der das Manuskript zu seinem Klassiker eines Nachts im French hinter der Theke deponierte und dort vergaß, weil er schon vorher vergessen hatte, mit dem Trinken aufzuhören.

An die Ursprünge des French erinnert heute nichts mehr. Einst gehörte das Etablissement einem Deutschen, der dank der bedenklich besitzergreifenden Auslandsaktivitäten des letzten deutschen Kaisers schlagartig an Beliebtheit verlor und im Ersten Weltkrieg an einen Belgier verkaufen musste. Doch wenigstens ein Menschheitstraum moderner Zeiten ist hier lange Zeit wahr geworden: gutes Essen in gemütlicher Runde, bestätigt von zahlreichen Gastrokritikern, obwohl das French auch ohne deren Urteil florierte.

Im French verkehren auch ganz normale Menschen: Das Nebeneinander kennzeichnet Soho. Im Sommer hält sich auch das French an die alte Pubtradition, öffnet die großen Fenster und lässt die Gäste drinnen und draußen trinken.

Weit geöffnete Fenster; im Sommer typisch für Pubs.

ADRESSEN

Alastair Little, 49 Frith Street, London W1, Telefon: 020/77 34 51 83, U-Bahn: Tottenham Court Road

Andrew Edmunds, 46 Lexington Street, London W1, Telefon: 020/74 37 57 08, U-Bahn: Piccadilly Circus

Freedom, 60 Wardour Street, London W1, Telefon: 020/77 34 00 71, U-Bahn: Leicester Square

French House, 49 Dean Street, London W1, Telefon: 020/74 37 24 77, U-Bahn: Leicester Square

Gay Hussar, 2 Greek Street, London W1, Telefon: 020/74 37 09 73, U-Bahn: Tottenham Court Road

Kettners, 29 Romilly Street, London W1, Telefon: 020/77 34 61 12, U-Bahn: Leicester Square

ZIMMER MIT AUSSICHT
RESTAURANTS
MIT THEMSEBLICK

Tausendmal gesehen, doch noch immer ein wunderschöner Anblick. Die geschichtsträchtige Themse, hier bei den Houses of Parliament und Big Ben. Rechts der Themseblick aus dem Restaurant Putney Bridge.

Ein klassischer Londoner Himmel kann sehr traurig sein. Zwar lastet selten eine Bleidecke über der Stadt, doch oft werden selbst sommerliche Sonnenstrahlen schnell von heftigen Schauern eingeweicht. Versöhnlich wirkt in solchen Momenten das mittlerweile wieder in seiner Qualität unbedenkliche Wasser der Themse, das sich sanft fließend durch die Metropole schlängelt. Mit Namen nennen die Londoner die Themse nie – sie heißt einfach nur *the river*. Entlang der Ufer bieten die unterschiedlichsten Restaurants und Pubs gute Küche mit Ausblick. Wer die Blickrichtung umkehren möchte – die Themse lässt sich auch vom Boot aus genießen. Am Tower und am St. Katharine Pier legen Katamarane in Richtung Greenwich an; am Westminster Pier geht es übrigens los in Richtung Greenwich.

eine Erwähnung wert. Die Hochglanz-zeitschrift Harpers & Queen verglich die Architektur des Restaurants anschaulich mit der einer Fähre: Besucher können von jedem Sitzplatz aus den Flussblick genießen.

Die Küche ist schon auf einigen kontinentalen Wellen geschaukelt, bis sie sich an der französischen Küste fest verankert hat. Der Sommelier des Putney Bridge empfiehlt eine breitgefächerte Karte auf unaufdringliche Weise und dem französischen *savoir vivre* wird sogar mit einem speziellen Kindermenü Respekt gezollt – das hat man aus Frankreich gelernt, denn auch kleine Franzosen entdecken ihren Gaumen nur durch *learning by doing*.

CANYON

Im Canyon herrschen amerikanische Sitten. Das Restaurant mit Themseblick gehört zu einer kleinen Gemeinschaft neuer amerikanischer Restaurants, deren Namensgebung eindeutig auf den Wilden Westen hinweist – neben dem Canyon sind beispielsweise westliche Bundesstaaten wie Montana, Dakota und Idaho verewigt. Das zeugt jedoch nicht von rauen Sitten, sondern – kulinarisch gesprochen – von raffinierten. Aus der kreolischen Küche von New Orleans und des Kochs Paul Prudhomme stammt beispielsweise eine Zu-

Das RIBA, der königlich-britische Architektenverband, hat das Putney Bridge mit einer Auszeichnung versehen.

PUTNEY BRIDGE

Das Royal Institute of British Architects (RIBA) verlieh der Architektur des Restaurants Putney Bridge eine Auszeichnung, und auch den amerikanischen Architektenkollegen vom American Institute of Architects war der 23 Millionen Pfund teure Bau des Architektenbüros Paskin Kyriakides Sands

bereitungsart für Fisch- und Fleischgerichte, die in der internationalen jüngeren Küche als *blackened* bekannt ist. Dazu wird eine gusseiserne Pfanne bei hoher Temperatur bis fast zum Glühen erhitzt. Fisch oder Fleisch werden mit Cajun-Gewürz eingerieben und dann in wenig Fett nur kurz von beiden Seiten angebraten; das Ergebnis ist eine sehr aromatische und knusprige Kruste. So hat der Gast im Canyon die Wahl zwischen *blackened* Tunfisch und einem Caesar Salad, der eine Veredelung mit Tintenfisch und hauchdünnen, frittier

ten Anchovis-Scheiben erfahren hat, alternativ gibt es auch Thunfisch im Couscous Bett. Zum Dessert konkurriert ein Fruchtsalat mit Götterspeise auf Tequila-Basis.

Die Klientel des Canyon ist wohlhabend genug, in der Woche Designermode zu tragen und diese am Wochenende gegen arktisches Fleece auszutauschen. Dies ist durchaus empfehlenswert, denn die flussseitig gelegene Verglasung des Canyon wird häufig zur Seite geschoben, und damit wird der Themseblick zum *al fresco*.

Mit Kakteen bepflanzt und im Ranch-Stil gebaut, wäre das Canyon auch am Pazifik nicht fehl am Platz. In Richmond ermöglicht eine geschickt gelöste Verglasung den freien Blick auf die Themse.

Eine 36 Meter
breite Fenster-
front mit
Themseblick:
Die begehrten
Plätze mit Blick
auf die Hunger-
ford Bridge und
Cleopatra's
Needle können
vorbestellt
werden.

THE PEOPLE'S PALACE

Einem maoistischen Weltverständnis
entlehnt scheint dieser Name: Auch
den Massen gebührt ein Palast. Zumindest den Massen, die sich allabendlich
an den Kassen der Royal Festival Hall
drängen und die international berühmten Konzertserien genießen wollen.
Auch dass dem Menschen das Recht auf
einen freien Blick zustehe, verwirklichen die Raumaufteilung und die Anordnung der Sitzplätze in diesem Restaurant. Die gesamtverglaste Flussfront
bietet einen herrlichen Blick auf das
gegenüberliegende Victoria Embankment, das nach Westminster und den
Houses of Parliament führt. Abenteuer-
lich-atmosphärisch: die Themse vom
Victoria Embankment über die Hunger-
ford Bridge zu überqueren.

STADTSPAZIERGÄNGE IN LONDON

Im Südosten nahe des City-Airports liegt die Themsewehr, die Thames Flood Barrier. Von hier zieht sich entlang der Südseite der Themse ein Gehweg bis zur Quelle, der an vielen Stellen direkt am Flussufer verläuft. Für Spaziergänger bietet London viele Möglichkeiten: ob im Battersea Park, etwas außerhalb in Hampton Court oder im Stadtbezirk SE1, der sich entlang der South Bank zwischen Vauxhall Bridge und St. Saviour's Dock erstreckt. Ein Fußmarsch entlang des Südufers ist mit unübersehbaren Hinweistafeln ausgezeichnet und dauert zwei bis drei Stunden. Unterwegs lassen sich viele Sehenswürdigkeiten wie beispielsweise das Globe Theatre, das National Film Theatre, die Royal Festival Hall, das Londoner Aquarium und das London Eye, die neueste Touristenattraktion, erkunden.

Zwischendurch empfiehlt sich zum seelischen oder physischen Auftanken ein Stop im Pub – vielleicht im Old Thameside Inn. Sir Francis Drakes Schiff Golden Hinde, ein schwimmendes Museum, liegt als Replik des im 16. Jahrhundert gebauten Originals gleich neben dem ebenfalls direkt an der Themse gelegenen Pub mit einer einladenden Terrasse.

ADRESSEN

Canyon, Riverside, Richmond, Surrey, Telefon: 020/89 48 29 44, U-Bahn: Richmond
Old Thameside Inn, Pickford's Wharf, 1 Clink Street, London SE1, Telefon: 020/74 03 42 43, U-Bahn: London Bridge
Putney Bridge, The Embankment, London SW15, Telefon: 020/87 80 18 11, U-Bahn: Putney Bridge
The People's Palace, Level 3, Royal Festival Hall, South Bank Centre, London SE1, Telefon: 020/76 20 22 26, U-Bahn: Waterloo

Das „Duck confit", dieser vielgeliebte, aus der französischen Küche stammende Klassiker, ist im The People's Palace typisch für die hochgelobte Küche des jungen Chefkochs Guy Bossom.

DIE CHINESISCHE KÜCHE IN LONDON
MEHR ALS CHINATOWN

Nur zwei chinesische Restaurants in ganz Europa sind mit einem Michelinstern ausgezeichnet. Im edlen Hotel The Dorchester, während des Kriegs Hauptquartier der US-Armee, liegt eines davon, The Oriental. Stolz glaubt Henri Brosi, der gebürtige Deutsche, der neben dem Oriental noch den zwei anderen Restaurants des Hotels vorsteht, dass hier bessere chinesische Küche geliefert wird als in Hongkong. Er setzt auf neue Ideen und will die Trendsetterrolle, die sich das Restaurant in der asiatischen Küche erkocht hat, nicht aufgeben.

Sehr teure Trendsetter – aber es geht um Qualität. Auf den Michelinstern ist das Oriental seit 1994 sichtlich stolz. So stolz, dass man in der ständigen Angst lebt, er könnte aberkannt werden. „Niemand weiß, wer die Tester sind", sagt Henri Brosi. „Dass sie da waren, merken wir erst, wenn sie bezahlt haben. Dann legen sie ihre Visitenkarten auf den Tisch und gehen. Und dann", nun grinst er lakonisch, „wissen wir es."

The Oriental gehört zur Oberklasse der Londoner Restaurants und hat viele internationale Stammgäste, die, so erklärt Restaurantmanager Benson Zhang, selten auf die Speisekarte schauen. Entweder haben sie eine präzise Vorstellung, was sie essen möchten oder lassen sich ein Menü einfach vorschreiben. Keine einfache Aufgabe, denn dazu muss das Restaurant seine Gäste schon sehr gut kennen. Das tut es, und dieser Service ist auf den ersten Blick der größte Unterschied zu den oft rüden Restaurants von Chinatown, die räumlich gar nicht weit entfernt liegen. Der nächste ist die Weinliste – mehr als 450 Weine werden angeboten, ein großer Teil speziell auf die kantonesische Küche des Oriental abgestimmt. Die Pekingente des Hauses gehört für Kenner

Geschnitztes Gemüse ist typisch für die chinesische Küche, denn in China spielt Optik eine große Rolle. Restaurantmanager Benson Zhang (rechts) und sein Chefkoch Kenneth Poon wissen das.

273

Den Enten, die später als Pekingenten serviert werden, ist ein kurzes, aber intensives Leben beschieden. Sie werden gemästet und leben in kleinen Käfigen, die übermäßige Bewegung nicht zulassen, damit ihr Fleisch zart bleibt.

zu den besten des Landes; die Zutaten dafür erwerben sich wiederum am besten in Chinatown.

CHINESISCHE KOCHKUNST

Die Tradition der feinen chinesischen Küche halten im Londoner West End neben dem Oriental, das zudem über drei wunderschön eingerichtete Privaträume für kleine Dinnerparties verfügt, auch Restaurants wie Mr. Chow oder Mandarin Kitchen hoch. Im Gegensatz zu den meisten der weit über 3000 chinesischen Restaurants, die es in London gibt, stammt die Ware dieser Restaurants von Direktfliegern aus der Heimat, ist die Kundschaft vermögend und international und liebt auch Luxus-

artikel wie Haifischflossen und ganze Hummer. Letzteren verkauft das Mandarin Kitchen oft hundertmal am Tag.

PEKINGENTE – EINE DELIKATESSE

Verbrieft war das Vorgängergericht der Pekingente bereits in der Ming-Dynastie zwischen 1368 und 1644. In dieser Zeit entwickelte sich die Aufzucht von Enten rund um die Kaiserstadt zu einem profitablen Geschäft. Doch das Gericht, das man heute international als Pekingente kennt, stammt erst aus dem 19. Jahrhundert. Ein Herr Yang kam vom Land in die Stadt und gründete in Peking einen kleinen Laden, der Hühner und gemästete Enten verkaufte. 1860 investierte er darüber hinaus in ein Restaurant, dessen Kochkünste wohl der kaiserlichen Küche entlehnt waren, wo man sich auf das Braten von Enten verstand. Diese Synergieeffekte trugen dazu bei, dass sich der Ruhm der Pekingente über die Landesgrenzen hinweg verbreitete. Die chinesische Diplomatie sorgte in den ausländischen Botschaften für die Bekanntheit einer ursprünglich lokalen Delikatesse. In den 70er-Jahren des 19. Jahrhunderts ließen die Amerikaner sogar Enteneier in die USA importieren, um die begehrte Art dort selbst züchten zu können. Die Pekingente trat ihren internationalen Ruhmeszug an.

HOISIN-SAUCE

Die süßlich schmeckende, dickflüssige Hoisinsauce findet in der chinesischen Küche breite Verwendung. Sie wird aus Sojabohnen, Knoblauch, Chillies und Gewürzen hergestellt, eignet sich zur Aromatisierung von Fleisch- und Geflügelgerichten und Saucen und wird zusätzlich oft bei Tisch als Würze gereicht.

PEKINGENTE NACH ART DES ORIENTAL

Natürlich gibt es ein Rezept – allerdings steht es in den Köpfen der Köche. Es wurde eigens für dieses Buch von der chinesischen Küchenbrigade erst auf kantonesisch niedergeschrieben und dann übersetzt. Die Enten des Oriental stammen vom britischen Lieferanten Cherry Valley. Für zehn Personen.

1 ganze Pekingente à 2,6 kg
1 l kochendes Wasser
2 EL Malzzucker
1–2 EL chinesischer Rotweinessig
1–2 EL Shaoh-Sing-Wein
1/2 TL Bikarbonat
140 ml kochendes Wasser
Salatgurke, in dünne Scheiben geschnitten
Frühlingszwiebeln, als Fächer geschnitten
rote Chilischoten, fein gehackt

FÜR DIE PFANN-KUCHEN

650 g amerikanisches Weizenmehl
120 g Klebreismehl
1 TL Salz
450 ml kochendes Wasser
Öl zum Frittieren

FÜR DEN DIP

1–2 EL Pflanzenöl
50 ml Hoisinsauce
1 EL Wasser
1 TL gehackte Zwiebel
1 EL Wasser
2 TL dunkle Sojasauce
3 EL Zucker
1 TL Sesamöl
1 TL Yellow Bean Sauce (Nuoc Tuon)
1 EL Austernsauce

Ente von innen und außen sorgfältig mit kaltem Wasser reinigen. Füße, Hals und Flügelspitzen abtrennen. Schwanzende mit Stahlspießchen zusammenfädeln.

Hals mit einem festen Bindfaden abbinden und daran über den Ausguss hängen. Ein Liter kochendes Wasser über die Ente gießen, abtropfen und trocknen lassen. Malzzucker, Essig, Wein, Bikarbonat und kochendes Wasser vermengen. Ente mit der Marinade bestreichen und in einem trockenen Raum sechs Stunden bis zur vollständigen Austrocknung aufhängen. Ofen auf 190 °C vorheizen. Ente 50 Minuten backen, bis die Haut goldbraun, knusprig und zart ist. Unterdessen alle Zutaten für den Dip vermengen und anrichten. Für die Pfannkuchen alle Zutaten zu einem Teig verarbeiten und in 90 Kügelchen teilen. Ausrollen und in Öl frittieren. Brustfleisch und Schenkel der Ente abtrennen und in feine Scheiben schneiden. Auf einer Servierplatte mit Salatgurke, Frühlingszwiebeln und roten Chilischoten anrichten. Dazu Dip und Pfannkuchen reichen.

MONOSODIUMGLUTAMAT

Kenneth Poon, Chefkoch des Oriental, würde gerne Monosodiumglutamat (MSG), das Salz der Glutaminsäure, in der Küche verwenden, weil es in der kantonesischen Küche Brauch so ist, aber das widerspräche nicht nur der Philosophie dieses Restaurants. Der Restaurantmanager reagiert sogar allergisch auf diesen Zusatzstoff, der aus pflanzlichen Eiweißen von Mais, Soja, Weizen oder Zuckerrüben gewonnen wird, und lobt die Konkurrenz: Er ginge in London entweder italienisch essen, sagt Benson Zhang, oder zu den Kollegen von Royal China, die auf diesen Geschmacksverstärker ebenso getrost verzichten können. Zwar findet MSG schon seit vielen Jahrzehnten in der chinesischen und japanischen Küche Verwendung, geriet allerdings in Verruf, als im Westen häufiger Fälle einer Überdosis bekannt wurden. MSG kann neben Kopfschmerzen Schwindelgefühle, Übelkeit oder Hitzewallungen verursachen. Auch wenn neuere Studien wieder Entwarnung geben, dient es heute vor allem in minderen Küchen dazu, wenig geschmacksintensiven Gerichten oder Zutaten von mangelhafter Qualität etwas Pepp zu verleihen.

北京片皮鴨

光鴨一隻 約 2.6KG 用清水洗整，切去膶、至及翼，用鋼針把鴨的尾部穿起，在鴨的頸部近翼在用人字鈎鈎起，用滾水淋在鴨身，然後鴨皮水（麥芽糖 28g 大紅浙醋 25ml 紹興酒20ml 梳打粉 ½茶是溶於140ml水內），放至乾涼地約 6小時至皮乾，然後放進焗爐，爐溫 375°F (190°C) 焗約 50分鐘，直至皮脆金黄色。

食法： 在鴨的胸部片肉，用鴨皮把鴨肉、青瓜絲、紅椒絲，葱絲及鴨醬包好進食。

鴨醬做法：
海鮮醬	50g
老抽	10ml
白糖	36g
芝蔴醬	9g
磨豉醬	9g
蠔油	18g
水汁	7g
水	16ml
菜油	20ml

洋葱切碎煎油，把洋葱取出。加入所有汁料煮至滾起。

鴨皮做法：
美國麵粉	650g
糯米粉	120g
塩	1茶匙
滾水	450ml
菜油	20ml

把以上的用料勻和，分成 90份，輾開成薄片放至鑊中煎

Ein echtes Original ist das Rezept für die Pekingente des hochgeschätzten Restaurants Oriental im Dorchester Hotel. Es wurde eigens für dieses Buch niedergeschrieben und übersetzt.

ONLY IN LONDON
DIE VEGETARISCHE PEKING-ENTE IM BAH HUMBUG

Es gibt Namen, die so alltäglich sind, dass man Schwierigkeiten hat, sie sich zu merken. Heißt der Kollege John oder Dave oder Mike? Heißt das Restaurant nun China Garden, China-Restaurant oder China Dragon? Bah Humbug merkt man sich sofort. Auch wenn man sich nichts darunter vorstellen kann. Das ist vielleicht gewollt. Dann kann man sich unvoreingenommen auf Bah Humbug als Gesamtkunstkonzeptwerk einlassen. Teil dieses Konzepts ist seine Rolle als vegetarisches Restaurant, das alljährlich mit fast eintöniger Regelmäßigkeit zu den besten Londons gewählt wird.

Das Bah Humbug liegt nur wenige Schritte vom Kino-Klassiker Ritzy, dem Club The Fridge und der U-Bahn-Station Brixton entfernt in der Krypta von St. Matthew's im hippen und schwarzen Stadtteil Brixton. Dem göttlichen Vermieter ist die sakrale Note der dekorativen Elemente – roter Samt, Wandfackeln, handgeschmiedete Ornamente – verpflichtet. Erst recht wird göttlichen Geboten Folge geleistet: Man liebt seinen Nächsten, denn die Karte mischt gekonnt italienische und fernöstliche Ansätze und verzichtet als vegetarisches Restaurant auf Gewalt in der Küche. Nicht nur darüber hätte sich der heilige

Eine Pekingente der anderen Art – aus Tofu! Darauf muss man sich allerdings erst verstehen, aus dem geschmacksneutralen Grundstoff etwas zu brutzeln – wie im Bah Humbug.

Im Bah Humbug geht es angenehm schummerig zu. Riesige Altarkerzen dienen als Beleuchtung. Nur die offene Küche ist selbstverständlich gut ausgeleuchtet und liefert gekonnt vegetarische Gerichte.

Franziskus gefreut, sondern auch über die Kennzeichnung der Toiletten, für deren geschlechtsspezifisch korrekte Benutzung man einige Semester Käferkunde studiert haben muss. Begeistert hätte er sicherlich auch gelobt, dass im Bah Humbug eine vegetarische Pekingente angeboten wird, die aussieht wie die echte und besser schmeckt als die meisten. Aus Chinatown sei man bereits hierher gekommen, erzählt die Bedienung, um vor den Tricks der Köche zu kapitulieren, die aus Tofu längliche Fitzelchen brutzeln, die optisch an *shredded duck* erinnern und mit etwas Hoisinsauce, Pfannkuchen, Salatgurke, Frühlings-

zwiebeln und einen Hauch Phantasie auch so schmecken.

Nach diesen fleischlosen Genüssen kann man sich guten Gewissens fleischlichen Gelüsten hingeben, denn auf gleicher Kelleretage befindet sich in ein cooler Club, der bis in den sonntäglichen Morgen Musik wummert, permanent gut besucht ist und die ein oder andere attraktive Begegnung verspricht.

St. Matthews gehört zu den christlichen Kirchen, die in die Gastronomie eingestiegen sind und nicht mehr für den ursprünglichen Zweck genutzt werden. Schließlich hat schon Jesus Wasser in Wein verwandelt.

DIM SUM

Die chinesische Küche lässt sich grob in vier Regionalküchen aufteilen, von denen die kantonesische und die Küche rund um Chinas Hauptstadt Beijing in Europa am populärsten sind. Daneben existieren noch die scharf würzende Küche von Szechuan und die Küche des Ostens rund um Shanghai. Wichtiger Bestandteil der kantonesischen Küche sind die Dim sum, kleine Zwischenmahlzeiten oder Appetithäppchen, die ursprünglich nur morgens zu Tee gereicht wurden. Ihre Verbreitung in Europa führte jedoch dazu, dass sie in den Restaurants oftmals bis in den frühen Abend auf der Speisekarte stehen.

Dim sum werden gedünstet, gebraten oder frittiert. Unterschiedlich ist auch die Art und Weise, diese Häppchen zu verpacken, die meist auf einen Satz in den Mund wandern können: es gibt glitschige Hüllen aus Reisstärke und knusprige aus Frühlingsrollenteig, aber auch Hüllen aus Klößchchenteig, Weizenmehlteig oder fast durchsichtigem glutenfreien Teig.

ETWAS, DAS DAS HERZ ERFREUT

Mit entwaffnendem Stolz raunt es der junge und mehrsprachige Restaurantmanager: „Kenner halten unsere Dim sum für die besten in ganz Europa." Dim sum, diese pikanten Petit fours, lassen die klassischen Einstiegsriten in die chinesische Küche vergessen, die für viele zunächst mit süss-sauren oder schamesroten Tunken verbunden sind. Das beste Restaurant, das London für Dim sum aufzubieten hat – Restaurantkritiker stimmen der höflich gehauchten Prahlerei zu – liegt allerdings nicht in Chinatown, sondern im multikulturellen Queensway im Stadtteil Bayswater. Eine Dependance hat das Royal China in dem gutbürgerlichen Vorort St. John's Wood, in Rockkreisen beliebt, weil hier

immer schon Paul McCartney wohnte und heute einige seiner berühmten Pop-Nachfahren leben. Erfunden wurden die chinesischen Appetithappen einst für eine kaiserliche Konkubine, die sich langweilte.

Das Royal China hat seine Innenausstattung dem höfischen Treiben früherer Tage angepasst. Ausdruck des Stolzes, mit dem man sich der Heimat und ihrer vielfältigen Pracht kulinarischer Fertigkeiten verbunden fühlt. Gemüse und Kräuter kommen aus Hongkong sowie vom chinesischen Festland, und auf seine Köche ist der Restaurantmanager ganz besonders stolz: „Sie sind hervorragend ausgebildet, haben den Mumm, etwas Neues auszuprobieren, und sind vor allem gute Zuhörer". Gutes Zuhören sei eine wirklich wichtige Eigenschaft, versichert er. Sie sei eine Grundbedingung dafür, in der Küche das umzusetzen, von dem der Gast vorher nur träumen konnte. Übersetzt bedeutet Dim sum nämlich „etwas, das das Herz erfreut".

Lotospaste, Mangos, Sesamsaat, Wasserkastanien … die Liste der Zutaten in der chinesischen Küche ist exotisch und endlos. Sie machen die Häppchen raffiniert.

DIM SUM ZU HAUSE

Statt die äußerst aufwendige Herstellung von Dim sum in der eigenen Küche auszuprobieren, empfiehlt sich die Verwendung der tiefgekühlten Standardvarianten, wie sie asiatische Großmärkte anbieten. Nun fehlen nur noch Dampfkörbchen aus Bambus, Salatblätter, mit denen die Körbchenböden ausgelegt werden, damit sie den Geruch der Speisen nicht annehmen, und eine Saucenauswahl zum Dippen: Hoisin-Sauce, Chilisauce, Sojasauce und andere dazu passende Würzmittel sind heutzutage in den Großmärkten ebenfalls erhältlich.

CHINATOWN – EIN KULTU- RELLER SCHMELZTIEGEL

Nahezu jeder vierte Mensch auf diesem Planeten ist Chinese. Da kommen einem 55 chinesische Restaurants, die der Chinatown Guide für seine neun Straßen führt, plötzlich gar nicht mehr so viel vor. Bei sommerlichen Temperaturen kann man sich in Chinatown auf wackeligen Holzstühlen unter freiem Himmel massieren lassen oder in vollgestopften kleinen Läden nach dem tollsten Blechspielzeug jenseits von Oskar Matzeraths Blechtrommel fahnden. Aber das ist Beiwerk. Jeder kommt nur aus einem Grund wirklich nach Chinatown und zwar, um authentisch chinesisch zu essen. Wie authentisch – das bleibt dem Wagemut des Einzelnen überlassen.

Exotisch geht es zu in Chinatown und das auch sprachlich. Die Straßen- und Preisschilder sind ins Chinesische übersetzt, und auch die Amtssprache in den Küchen ist beileibe nicht Englisch.

Der oft gehörte Tipp, sich auf die Gerichte zu konzentrieren, die auf den seitenlangen Speisekarten nicht ins Englische übersetzt werden, kann sich entweder als Offenbarung oder als Herausforderung erweisen. Und auch in Chinatown wird Schweinefleisch süßsauer angeboten, mit Monosodiumglutamat gekocht und mit Lebensmittelfarben verschönert.

Doch das Flair dieser wenigen engen Straßen, das sich von seiner schönsten Seite über die Verlängerung der Wardour Street und ein chinesisches Prunktor durchquerend erschließt, ist unvergleichlich. Auch wenn die Kellnerschaft sich hier rüde benimmt. Das muss so sein. Mit schnippenden Fingern an den Esstisch geleitet zu werden, ist genauso üblich wie prustendes Gelächter zu ernten, wenn man die Speisekarte falsch interpretiert und offensichtlich unsinnige Kombinationen von Gerichten bestellen möchte. Aber das macht nichts. Denn gleichzeitig verspürt auch der weniger Experimentierfreudige in Chinatown ein ganz und gar herrliches Gefühl – sich endlich einmal an einem Ort zu befinden, der ihm bisher unbekannt war. Und jetzt hilft nur noch der Mut zum Risiko. Und die Entscheidung, auf den Nachtisch zu verzichten. Den der findet sich in ganz Chinatown auf keiner wirklich authentischen Speisekarte.

CHINESISCHE EINWANDERER IN LONDON

Die ersten chinesischen Einwanderer, Angestellte der Handelsbastion East India Company, hatten bereits vor zwei Jahrhunderten an den Themsedocks von Limehouse Läden und Cafés für ihre Landsleute gegründet. Eine Integration fand, ähnlich wie heute, jedoch nicht statt. Nach dem Zweiten Weltkrieg sah die Situation für die Auslandschinesen düster aus: Limehouse hatte der Blitzkrieg in Schutt und Asche gelegt, die Wäschereiindustrie – ein anderer klassischer Erwerbszweig – den Kampf gegen die Waschmaschinen verloren und die von den englischen Gewerkschaften erwirkten Vorschriften die Beschäftigung von Ausländern in englischen Häfen fast unmöglich gemacht. Aber: einige chinesische Restaurants hatten sich ins West End verirrt und wurden dort von heimkehrenden Soldaten entdeckt, die in Fernost auf den Geschmack gekommen waren. In den 50er-Jahren war die Gegend rund um den Leicester Square noch heruntergekommen und entsprechend preiswert. Allmählich kamen immer mehr chinesische Einwanderer, die Restaurant- und Cateringbranche begann

TOFU

Der geschmacksneutrale, aber cholesterinfreie und ernährungswissenschaftlich äußerst wertvolle Tofu enthält Calcium, Protein und Eisen und besteht aus pürierten und aufgekochten Sojabohnen. Durch Beigabe eines Gerinnungsmittels flockt die „Milch" aus und lässt sich zu Blöcken formen. Tofu wird im ganzen asiatischen Raum verwendet. Er ist besonders vielseitig, eignet sich zum Braten, Frittieren, Dünsten, passt zur Wok-Küche und wird nicht selten sogar geräuchert angeboten.

SCHARFER TOFU AUS DEM WOK

3 EL Hoisin-Sauce
1–2 EL dunkle Sojasauce
3 EL Pflanzenöl
3 Knoblauchzehen, fein gehackt
6–12 rote Chilischoten am Stück und ohne Stängel, nach Geschmack
500 g Tofu, trocken getupft und daumendick gewürfelt
50 ml Gemüse- oder Asiafond aus dem Glas
1 Bund Frühlingszwiebeln, in feine Röllchen geschnitten

Hoisin- und Sojasauce verschlagen, gegebenenfalls das Mischverhältnis korrigieren. Wok erhitzen, Pflanzenöl zufügen und ebenfalls erhitzen. Knoblauch darin dünsten, bis er Farbe annimmt. Chilischoten kurz dünsten. Tofuwürfel eine Minute unterrühren, bis die Würfel trocken sind. Sauce unterrühren. Fond zugießen und bei starker Hitze reduzieren lassen. Gewürzten Tofu auf den Frühlingszwiebelröllchen verteilen und servieren.

Ein nächtlicher Streifzug durch Chinatown ist selten gefährlich, doch immer atmosphärisch. Viele Läden sind bis spät offen; einige Restaurants haben sogar bis morgens um drei Uhr geöffnet.

zu boomen, der Takeaway wurde immer populärer, Chinatown wurde Touristenzentrum. Doch erst 1985 erhielt diese Stadt in der Stadt, die in Gehweite der Premierenkinos rund um den Leicester Square liegt und zu Teilen Fußgängerzone ist, auch offiziell den Namen Chinatown.

MENÜ-WEGWEISER

Bean curd: Tofu

Black bean sauce: Sauce aus schwarzen Bohnen, gewürzt mit Knoblauch und Chilies

Char siu: mariniertes Schweinefleisch

Crispy aromatic duck: Pekingente

Dumplings: Klößchen, die entweder gedämpft oder gekocht werden

Hoisin sauce: pikant-süß schmeckende Sauce aus Sojabohnen

Mapo doufu: klassisches Tofugericht

Seaweed: Seetang (oft frittiert serviert)

Shark's fin soup: Haifischflossensuppe (für Tierschützer nicht zu empfehlen, da die Haie oft ohne ihre Flossen zurück ins Meer geworfen werden und durch ihre völlige Bewegungslosigkeit qualvoll verhungern müssen)

Bitter melon: Bittergurke

Bird's nest: Vogelnester

Zwischen Samstagnacht und Sonntagmorgen mutet das nur wenige Quadratkilometer große Chinatown fast unwirklich an. Einige Restaurants haben – wie jeden Tag – bis nachts um drei Uhr geöffnet, während vor anderen schon schwarze Plastikbeutel mit Küchenabfällen liegen, daneben manchmal auch Besucher, die es nicht weiter geschafft haben. Um diese Uhrzeit, unter zweisprachigen Straßenschildern und vor traurig aus Restaurantfenstern nickenden Pekingenten, ist es in Chinatown ruhig und aufregend zugleich.

LONDON FOOD
FÜR FÜNFZIG
BIS HUNDERT PFUND

Als sie in den 60er-Jahren nach London kam, erinnert sich die Kochbuchautorin Claudia Roden, war Essen ein Tabuthema über das genauso wenig geredet wurde wie über Sex oder Geld. Inzwischen sind die Londoner stolz auf ihre kulinarische Landschaft und ihrer kundig. Wer bei der jährlichen Vergabe des „Guide Michelin" mit einem Stern bedacht wurde, darüber diskutieren auch Menschen, die es sich nie leisten könnten, für einen Abend in einem solchen Restaurant die nötigen 60 oder 80 Pfund auszugeben. Die bedeutenden und richtungsweisenden Stellvertreter dieser international anerkannten Restaurantküchen sind öffentliche Persönlichkeiten geworden.

Welche alten Weine die Auktionshäuser Sotheby's und Christie's mehrmals im Jahr bei ihren Auktionen unter den Hammer bringen, ist Thema der Tageszeitungen. Da im Lot versteigert wird, erwerben Freunde häufig günstiger gemeinschaftlich eine mehrere 100 Pfund teure Kiste.

Denn: London ist nicht nur *swinging*. London ist einer der bedeutendsten Finanzplätze der Welt und seine Börse präsentiert sich gerne als die internationalste. Die Klientel, die sich Luxus gönnen kann, ist groß und wird auf allen Ebenen hervorragend bedient.

Das Hotelrestaurant des Ritz verkörpert die traditionelle Variante dieses weltgewandten Luxus – Krawattenzwang und *morning coat* eingeschlossen. Für die moderne Variante des Luxus stehen Restaurants wie das River Café. Hier lässt der Premierminister kochen, hier treffen sich die jungen Reichen. Die Bedienung kann einen Nelson Mandela als Patenonkel vorweisen oder geht nach der Arbeit vielleicht auf einen Kneipenrundgang durch das szenige und teure Notting Hill oder macht einen kulinarischen Erkundungsgang durch verschiedene Conran-Restaurants.

Wohin man sich auch begibt, eines wird häufig augenfällig: Die Londoner pflegen eine ganz und gar nicht protzige Art des Geldausgebens – Luxus als Understatement.

Hauchdünnes Porzellan, feines Silber, ein liebevoll gedeckter Tisch, auf dem die Antiquitäten gut zur Geltung kommen – das ist die Londoner Variante der traditionellen japanischen Teezeremonie.

IMMER ERSTE LIGA
VOM SPORTPROFI ZUR KÜCHENKORYPHÄE

Der Plongeur hat den grünen Spargel geputzt, nun wartet er auf seine Zubereitung. In einer Dreisterneküche wie der des Spitzenrestaurants Gordon Ramsay wird diese aufwendig sein.

Was ist ein Koch? Nun, das ist jemand, der in der Spülküche schlafen muss. Zumindest prägte diese Einschätzung in England lange die öffentliche Meinung. Köche genossen kein großes Ansehen. Erst in den vergangenen Jahren sind sie als *chefs* zu Renommée, nationaler Bekanntheit und einem gewissen Wohlstand gelangt. Gordon Ramsay und Mark Edwards, der Chefkoch des Nobu, gehören zu den ehemals jungen Wilden, die der Weltmetropole London mit herausragender und hochpreisiger Küche kulinarische Attraktivität und Individualität verliehen haben. Ihr persönlicher Werdegang ist genauso interessant wie ihre Küche: Gordon Ramsay war Profikicker, Mark Edwards Rugbyspieler. Doch bei den kulinarischen Vorlieben hören die Gemeinsamkeiten auf. Das Nobu im Besitz des japanischen Starkochs Nobuyuki Matsuhisa ist berühmt für seine japanische Küche mit südamerikanischem Einschlag, das Gordon Ramsay für seine raffiniert ausgeklügelte und aufregend gewürzte Version klassischer französischer Küche.

Julia Roberts und Hugh Grant speisten im Nobu; Das war zwar im Film „Notting Hill", hätte aber auch im wahren Leben passieren können. Die Liste prominenter Nobu-Fans ist außergewöhnlich lang. Bereits seit Ende der 90er-Jahre ist das Nobu trendprägend, eine Zeitspanne, die in London einer Ewigkeit gleichkommt. Gordon Ramsay sorgt in der hohen Preisklasse mit wechselnden Restaurants sogar schon länger für Aufmerksamkeit. Das feine Restaurant im Londoner Stadtteil Chelsea, das seinen Namen trägt, ist im Gegensatz zum Nobu pures Understatement. Auch bei Gordon Ramsay geht die Prominenz ein und aus. Manchmal geht sie auch schneller wieder, als ihr lieb ist, denn wer sich in diesem Restaurant nicht benehmen kann, riskiert einen Rauswurf wie einst ein berühmter Restaurantkritiker der Stadt, der sich in Begleitung der Aktrice Joan Collins befand und das Restaurant nach 20 Minuten wieder verlassen musste. Grund: Er hatte den Oberkellner, als ihm dieser sein Jackett abnehmen wollte, flapsig gefragt, ob der sich denn kein eigenes leisten könne …

EIN KICKER IN DER KÜCHE
GORDON RAMSAY

„Sie wissen schon, dass Gordon Ramsay das zweite Jahr in Folge zum besten Koch der Stadt gewählt wurde?" fragt der Taxifahrer, während er versucht, den Staus in der höllischen Rushhour Londons auf kaum minder verstopften Schleichwegen auszuweichen. Als Gordon Ramsay das später hört, blitzt auf seinem Gesicht kurz ein strahlendes Lächeln auf. Er freut sich über die Anerkennung ganz normaler Londoner, die es sich nie leisten könnten, bei ihm essen zu gehen.

Aber: „Für mich ist letztendlich nur eins wichtig: was wir hier auf den Teller bringen. Jeder macht Fehler. Wir auch. Aber unsere bleiben in der Küche. Küchen sind keine Friseursalons. Sie sind Schlachtfelder." Das klingt nach einer Kampfansage. Oder nach einem außergewöhnlich starken Charakter. Stimmt das? Kürzlich fragte ihn jemand, ob er je Drogen genommen hätte, was Ramsay verneinte. Der Kommentar: „Verständlich. Bei Ihnen würden Drogen auch nicht wirken."

Eine britische Tageszeitung verglich den blonden, extrem alerten 34-jährigen Schotten einmal mit einem Charakter aus einem Shakespeare-Stück, der die menschlichen Höhen und Tiefen zwischen Verzweiflung, Anspannung, Wut und Glück in seiner Küche auslebt.

Woher kommt solche Manie? Ursprünglich wollte Gordon Ramsay Fußballer werden, doch mit 18 war seine Karriere bei den Glasgow Rangers zu Ende. Wer als Teenager für einen so renommierten Club kickt, will den großen Erfolg und im Wembley Stadium einlaufen. „Als Fußballer kann ich mir diesen ehrgeizigen Wunsch nicht mehr erfüllen", kommentiert er. Als Ausgleich engagiert sich das Powerbündel Gordon Ramsay für wohltätige Zwecke. In Südafrika hat er gerade an einem Marathonlauf teilgenommen, um einem jungen Mann zu helfen, der sein Bein durch Krebs verloren hatte. „Einige meiner Gäste haben mich gesponsort. So etwas zu tun, ist wichtig, damit man mit den Füßen auf dem Boden bleibt. Jetzt wird dem Jungen in New York ein neues Bein angepasst."

Seine Zeit? 60 Meilen in 10 Stunden 29 Minuten. Sein Ernährungstipp dazu: „Bananen".

Seinen beruflichen Ehrgeiz konzentriert er heute darauf, drei Michelin-Sterne zu haben. Zwei hatte er schon, im Januar 2001 ist der dritte dazu gekommen, nachdem die reine Spekulation hierüber den Londoner Zeitungen

EIN TAG IM LEBEN EINES STARKOCHS
GORDON RAMSAY IN SEINEM RESTAURANT

6.00 Uhr: Aufstehen.

6.50 Uhr: „Ich kann zu Fuß in mein Restaurant in Chelsea gehen. Als erstes schaue ich mir Rechnungen an."

7.30 Uhr: Erste Vorbereitungen in der Küche.

9.00 Uhr: Gordon Ramsay bespricht das Mittagsmenü und das À-la-carte-Menü mit dem Chefkoch.

11.30 Uhr: Raviolizeit. „Zweimal am Tag machen wir Pasta. Eine Stunde 20 Minuten reine Therapie. Pure Konzentration. In dieser Zeit nehme ich keine Telefonate an. Pro Stück kosten unsere Ravioli allein in der Herstellung drei, vier Pfund. Wir machen nur 14 oder 15 Stück. Was reißt, wandert sofort in den Müll. Was perfekt ist, aber nicht am gleichen Tag verkauft wird, bekommt am nächsten Tag meine Brigade."

12.00 Uhr: Der Lunchservice beginnt.

15–15.30 Uhr: Ende des Lunch. „Jetzt gehe ich ins Büro, danach spiele ich Squash, gehe joggen, ein bis zwei Mal in der Woche gehe ich ins Fitnesscenter."

17.30 Uhr: Raviolizeit.

18.00 Uhr: Die Brigade setzt sich zum Abendessen zusammen. „Ich selbst esse nicht mit, denn ich muss den ganzen Abend noch hellwach sein und habe tagsüber schon herumprobiert."

18.45 Uhr: Der Dinnerservice beginnt. „Showtime! Pro Stunde 15 Gerichte. Das ist Luxus und trotzdem viel Arbeit, denn das *tasting menu* durchläuft alle Stationen der Küche."

24.00 Uhr: Nachdem das letzte Gericht serviert ist, geht Gordon nach Hause. „Meine Familie sehe ich selten, aber meine Frau Tana weiß, wie wichtig mir der Job ist und steht hinter mir." Am Wochenende geht er mit Tana gerne zur Konkurrenz: „Ich liebe das Ivy."

Gordon Ramsay hat sich im Jahr 2001 den ersehnten dritten Michelin-Stern erkocht. Lange Jahre harter Arbeit und kaum Privatleben liegen hinter ihm. Heute ist er Londons gefeierter Großmeister am Herd.

keinen. Zwei Drittel seiner Küchenbrigade arbeitet seit 1993 für ihn. Vielleicht, weil Gordon Ramsay unumstritten zu den besten Köchen des Landes gehört, jeden Tag selbst am Herd steht und ein außergewöhnliches Restaurant führt. Nur 42 Plätze hat es und genauso viele Angestellte. Mittags und abends ist es ausgebucht und an Wochenenden und Feiertagen geschlossen. „Als ich dies meiner Bank während der anfänglichen Planungsphase mitteilte, meinte sie, ich hätte den Verstand verloren." An den Wochenenden wird Umsatz gemacht. Aber er möchte Zeit für Ehefrau Tana und die drei gemeinsamen Kinder haben. Und seine Brigade verdient auch ein freies Wochenende.

Gordon Ramsay weiß, was er will. „Ich möchte zu den Besten der Welt gehören und in einem Atemzug mit Joël Robuchon, mit dem El Bulli, mit dem kalifornischen Restaurant The French Laundry genannt werden". Und noch einen guten Grund hat er für seinen Ehrgeiz: „Wer gibt mir denn schon einen Job?"

WIE WIRD MAN GORDON RAMSAY?

Zehn, elf Jahre harter Arbeit liegen hinter ihm. „Ich habe einfach jede Arbeit verrichtet." Ohne Bezahlung verdingte er sich bei dem französischen Meister-

Feines Understatement prägt das Restaurant Gordon Ramsay. Die 1,3 Millionen Pfund Vorkosten sieht man diesem Gourmettempel nicht an. Er befindet sich in Chelsea – gleich neben dem Chelsea Physic Garden.

jahrelang Stoff für Leitartikel und Kommentare geboten hatte.

Nicht zuletzt, weil Gordon Ramsay selbst nicht unumstritten ist. Seine soziale Kompetenz lässt in der Küche zu wünschen übrig, zumindest, wenn man die über ihn gedrehte BBC-Dokumentation „Boiling Point" (Siedepunkt) als realistische Vorlage akzeptiert. Die Dokumentation hat ihn landesweit berühmt und berüchtigt gemacht. „Ich bin nicht leicht zufrieden zu stellen", erklärt er. Seine Männer – Frauen gibt es in seiner Küche nicht – wissen, dass er das Beste erwartet. Dennoch schreckt das

koch Alain Ducasse, war Berater, eröffnete Brasserien. Nach seinem ersten Restaurant Aubergine – benannt nach einem seiner Lieblingsrestaurants in München – hatte er die Möglichkeit, Pierre Koffmanns Restaurant zu erwerben, der sein La Tante Claire von Chelsea in die Innenstadt verlegte.

Die Kosten waren selbst für Londoner Verhältnisse astronomisch. Eine halbe Millionen hatte er allein für die Pacht bezahlt, eine weitere halbe Millionen für den Umbau des Restaurants. 100 000 Pfund kostete der Weinkeller, zwei bis drei Wochen vor der Eröffnung mussten Küchenpersonal und Kellner angeheuert und bezahlt werden und im Jahr 2000 hat er weitere 100 000 Pfund in einen Anbau für die Küche investiert: „1,3 Millionen Pfund Vorkosten für ein Restaurant mit 42 Sitzplätzen – da ist Versagen einfach nicht drin."

SIZE DOES MATTER

Auch Gordon Ramsay kommt es auf die Größe an. Dennoch lautet seine Maxime: je kleiner, desto besser. „Die Zeit der Riesenrestaurants ist passé. In kleinem Rahmen kann viel bessere Qualität serviert werden". Bei 150 oder 200 Gedecken pro Nacht tauchen riesige Probleme bei der Kommunikation und Logistik auf. Wir hingegen können kreativ arbeiten, ein Gericht entwickeln, es als Versuchsballon auf die Mittagskarte setzen, verbessern und später à la carte anbieten". Vor kurzem hat er beispielsweise mit Bauchfleisch experimentiert. „In Sojasauce, Gewürzen und Rotwein eineinhalb Stunden dünsten, dann über Nacht in der Fleischpresse auf die Größe eines Speckanschnitts zusammendrücken, am nächsten Morgen den Fleischsaft abtropfen lassen. Hauchdünn aufschneiden, sautieren und mit frischen Erbsen, Fava-Bohnen und gegrillten Langustinenschwänzen servieren". So wird ein einfacher Fleischanschnitt zu einem Gourmetmahl.

Selbst bei der punktgenauen Garnierung versteht Gordon Ramsay keinen Spaß. Das mag dem ein oder anderen als übertrieben erscheinen – den Testern von „Guide Michelin" jedenfalls gefällt es offensichtlich.

NOBU·CHEF
MARK EDWARDS

Als Teenager hat er Rugby gespielt. Daher stammen wohl die Schaufelhände und die modische Radikalrasur. Einschüchternd, wie es sich für einen Rugbyspieler gehört, wirkt Mark Edwards nicht. Dazu lacht er zu viel. Beispielsweise über den Bären, den ihm die Brigade ein knappes Jahr nach der Eröffnung seines Restaurants 1997 aufbinden wollte: „Ich hätte einen Michelin-Stern gewonnen. Sehr komisch!" Es dauerte noch einige Stunden, bis er es selbst glaubte.

Mark Edwards Werdegang ist eine klassische englische Erfolgsgeschichte der 90er-Jahre. Mit 13 Jahren Tellerwäscher, mit 17 Jahren Koch im Café Royal auf der Regent Street und mit Anfang 20 bereits im Rainbow Room in New York. „Damals war die Küche in London langweilig, New York hingegen ein Schmelztiegel, auch was das Kochen anbelangt. Dort lernte ich Zutaten kennen, von denen ich vorher noch nie gehört hatte." Nach fünf Jahren New York wagte Mark Edwards einen zweiten Versuch. Aber London war immer noch langweilig. Nun entdeckte er Asien. Zwei Jahre blieb Mark Edwards im Mandarin in Singapur, ein Jahr kochte er im Peninsula in Hongkong, schaute sich danach in Thailand um und versuchte sein Glück ein weiteres Mal in London, wo er ein malaysisches Restaurant eröffnete, dem kein langer Erfolg beschieden war. London war – es lässt sich erahnen – noch immer langweilig. Erst als das französisch-thailändische Vong ihn zum Chefkoch benannte, konnte Mark Edwards seine Vision einer grenzenlosen Küche auf heimatlichem Boden realisieren. Der nächste Schritt führte ihn ins Nobu. Heute ist London nicht mehr langweilig. Das Nobu hat dazu nicht unerheblich beigetragen.

Ex-Rugbyspieler mit Asien-Faible: Das ist Mark Edwards, der Chefkoch des Trendrestaurants Nobu. Seine japanisch-südamerikanische Küche ist ebenso legendär wie die Warteliste.

DAS NOBU IM
METROPOLITAN

Vielleicht macht es seine entspannte, ausgelassene Atmosphäre, der Blick auf den Hyde Park, das coole Metropolitan-

Hotel, in dessen erstem Stock sich das Restaurant befindet, die Designermode der Bedienung. Oder die Meinung des Inhabers Nobuyuki Matsuhisa (kurz: Nobu), in seinem Restaurant seien nicht die Gäste das Wichtigste, sondern die Mitarbeiter. Sind die glücklich, wird es die Kundschaft auch sein. Ob aber die bunt gemusterten weiten Hosen, die zu tragen Pflicht ist, von seinen Mitarbeitern als „Glücksbringer" empfunden werden? „In der ersten Woche weigert sich jeder, die Hosen zu tragen", grinst der Boss. „Aber nach der zweiten Woche suchen sie sich immer verrücktere Muster aus." Mark Edwards beispielsweise trug zum Interview Hosen mit riesigen Chilis.

Wirklich ungewöhnlich ist die Kombination aus klassischer japanischer Küche und südamerikanischen Einflüssen, eine Neuinterpretation, die im Nobu ganz besonders gepflegt wird. Es gibt Sushi, es gibt Tempura, es wird mit Miso und anderen Klassikern gearbeitet, aber es gibt auch Gerichte, die die vielen japanischen Besucher verwundert von der Speisekarte aufblicken lassen, beispielsweise Foie gras mit Aal oder peruanisches Ribeye-Steak. Wer ein repräsentatives Geschmackserlebnis haben will, sollte den Küchenboss fragen und *omakase* bestellen – das ist seine Empfehlung.

Durchschnittlich 3500 Reservierungsanfragen bearbeitet das Restaurant täglich. Reservierungen werden nur einen Monat im Voraus angenommen. Wer einen Tisch bekommen hat, muss ihn nach zwei Stunden wieder räumen. 400 Gäste pro Abend ordern mehr als das Zehnfache an kleinen und großen

So reduziert wie das Ambiente kommen die Speisen nicht daher. Mehr noch: Hier darf man laut sein.

Gerichten. Diese werden von einer 37-köpfigen Brigade zubereitet und kommen frisch auf den Tisch; die übliche Reihenfolge von Vorspeise, Hauptgericht, Dessert wird bewusst unterlaufen. Wie es dem Restaurant gelingt, bei diesem Andrang keine Massenabfertigung zu betreiben und immer Qualität zu liefern, ist sein Geheimnis und eines, das andere bedeutende Köche der Stadt zu gerne lüften würden.

DIE JAPANISCHE KÜCHE – EIN HINDERNISLAUF

Interessiert hat sich Mark Edwards für die japanische Küche schon immer. Er reist mehrmals im Jahr nach Tokio. Das hat sein Interesse an der dortigen Küche noch lange nicht gestillt? Warum? Er hält sie für eine der intelligentesten. Damit meint er ihr Bestreben, Aromen und Zutaten nach einem vorgegebenen Duktus zu kombinieren, eine Abfolge bei den Gerichten einzuhalten und dafür zu sorgen, dass Geschmacksrichtungen nicht aufeinanderprallen, sondern sich ergänzen. „Das bedeutet in der Küche auch weniger Abfall und Verschwendung", sagt Edwards – verständliches Interesse eines Küchenchefs. Das klassische japanische Menü mit seinen unterschiedlichen Geschmacksrichtungen, Temperaturen und (ähnlich wie in der chinesischen Küche) Texturen beschreibt der einstige Rugbyspieler gekonnt als „Hindernislauf", allerdings

NOBUYUKI MATSUHISA – EIN STARKOCH UND SEINE STARS

Gemeinsam mit Geschäftspartnern wie Robert De Niro gehören dem zum *itamae* (Sushi-Koch) ausgebildeten Nobuyuki Matsuhisa Restaurants auf beiden Seiten der Datumsgrenze: Los Angeles, Aspen, New York, Las Vegas, London, Mailand, Tokio. „Es scheint, als reisten mir meine Gäste hinterher", erklärt der sonst bescheidene Kosmopolit, wenn er nach illustren Gästen wie Tom Cruise, Nicole Kidman oder Madonna gefragt wird. Sein Erfolg kam jedoch nicht über Nacht. Eine mehrjährige Zwischenstation legte er in Peru ein und ließ dortige kulinarische Gewohnheiten in seine Kochkunst einfließen. Eine weitere längere Zwischenstation sollte Anchorage werden, doch sein dort eröffnetes und auf Grund der hohen Kosten nicht versichertes Restaurant brannte an seinem ersten freien Tag bis auf die Grundmauern nieder. Matsuhisa stand vor dem Nichts, schickte die Familie zurück nach Japan und atmete erst mal durch. Robert De Niro war Stammgast in seinem ersten amerikanischen Restaurant Nobu, das er 1987 in Los Angeles eröffnet hatte. Er überredete ihn zu einer Filiale in New York und brachte ihm neben der nötigen Finanzierung die internationale Klientel. Japanisch ist nicht nur die Küche. Jeder Mitarbeiter des Nobu muss auch einen Grundkurs in der japanischen Sprache absolvieren.

YUZU

Letzte botanische Forschungsergebnisse platzieren die japanische Zitrusfrucht *yuzu* als Hybrid aus *Citrus ichangensis* und *Citrus reticulata*. Sie ist einer der kälteresistentesten aller Zitrusfrüchte und wächst in Tibet und im Landesinneren von China wild. In Japan hingegen findet sie als kultivierte Frucht in der Küche weite Verbreitung. Der Duft erinnert an den einer Limette, geschmacklich ist die *yuzu* jedoch wesentlich herber und für den normalen Verzehr nicht geeignet. Die Rinde findet in kleiner Dosierung (auch als Zest) als Geschmacksverstärker Verwendung, wenn sie kurz vor dem Servieren Suppen beigegeben wird. Auch der Saft kommt in kleinen Dosen an Gerichte, wird jedoch nicht als Getränk verwendet. Schwer zu beschreiben – so meinen zumindest Japaner, sei der Geschmack für westliche Gaumen. Kein Wunder: Der natürliche Geschmacksverstärker ist außerhalb Japans kaum erhältlich.

SALAT AUS BABYSPINAT MIT ROHEM WOLFSBARSCH

Einfachste Zutaten, das richtige Mischverhältnis des Dressings und die Erfahrung des *itamae*, der binnen weniger Sekunden ohne eine einzige Korrektur ein rohes Fischfilet zu einer Champagnerrose formt: Perfektionierte Einfachheit ist die Essenz der Küche des Nobu. Für eine Person.

20–25 gleich große rohe Blätter Babyblattspinat, nach dem Waschen gut abgetrocknet

6 hauchdünne Scheiben vom Filet eines rohen Wolfsbarsches

Saft von 1/2 Yuzu

1 TL Olivenöl

Salz und schwarzer Pfeffer aus der Mühle

1 EL Bonito-Flocken

Spinatblätter auf einem großen Teller wie ein Blütenblatt auslegen. In der Mitte die Filetscheiben als Rose zusammenstecken. Yuzu-Saft mit Olivenöl zu einem Dressing verschlagen. Mit Salz und Pfeffer abschmecken. Über die Blätter träufeln, darüber die Bonito-Flocken streuen und gleich servieren.

nicht über das Feld, sondern „durch die Vielfalt der Aromen". Deshalb liebt er diese Küche. „Die Vorbereitungszeiten sind kürzer als in der klassischen europäischen Küche, was ich sehr schätze, denn mit Qualität muss man schließlich nicht herumspielen."

ADRESSEN

Gordon Ramsay, 69–69 Royal Hospital Road, London SW3, Telefon: 020/73524441, U-Bahn: Sloane Square
Nobu at the Metropolitan Hotel, 19 Old Park Lane, London W1, Telefon: 020/74474747, U-Bahn: Hyde Park Corner

SUSHI

Sushi sind das bekannteste kulinarische Exportgut Japans. Ihre weltweiter Erfolg stellte sich aufsehenerregend schnell ein. Innerhalb von nur zwei Jahrzehnten haben sich die Fischhäppchen im Westen durchgesetzt – überraschenderweise. Denn die Kombination aus rohem Fisch und gesäuertem Reis war westlichen Gaumen vorher unbekannt. In Japan ist sie nur logisch. Das dicht bevölkerte Land ist von Bergen durchzogen, die eine herkömmliche Landwirtschaft fast unmöglich machen. Einzig Reis wird in großem Stil angebaut. Ein Großteil der Nahrung kommt aus dem Meer. Ursprünglich diente die Kombination von Fisch und Reis allerdings der Konservierung von Frischfisch: Auf gekochten, mit Essig gesäuerten Reis gelegt und mit Steinen beschwert wurde er über längere Zeit haltbar gemacht. Im 18. Jahrhundert war es ein Koch namens Yohei, der daraus die Vorläufer der heutigen Sushi entwickelte.

Über Kalifornien und New York kamen Sushi-Bars auch bald nach London; sie gehören mittlerweile zum Stadtbild und in den kulinarischen Alltag vieler Londoner. Wie in anderen Städten auch werden Sushi zu sehr unterschiedlichen Preisen angeboten, denn an diesem scheinbar so einfachen Gericht offenbart sich, wenn es perfekt gemacht ist, die Kunst eines *itamae*, eines Sushi-Kochs und die Qualität der Zutaten, die ihren Preis haben.

Zu unterscheiden sind drei Sushi-Arten: Nigiri-Sushi (Reisbällchen mit einem Hauch Wasabi-Meerrettich mit rohem Fisch oder Omelette belegt) sowie Maki-Sushi (gefüllte Reisrollen im Algenmantel) und drittens Temaki-Sushi (handgerollte einzelne Sushi). Zu den Standardfüllungen und -belägen gehören Lachs, Thunfisch – auch der so genannte *fatty tuna* aus der Seite – und Salatgurke. Der westliche Geschmack hat in den vergangenen Jahren auch Avocado oder Mayonnaise für die Sushi-Füllung entdeckt – diese geschmacklichen Abwandlungen müssen auf Japaner so exotisch wirken wie Sushi auf die ersten neugierigen Westler.

Die Sushi des Nobu werden von vielen Kenner für die besten der Stadt gehalten. Mark Edwards beschäftigt allein sieben erfahrene Sushi-Köche, die eine mehrjährige Ausbildung zum *itamae* durchlaufen haben.

Die Londoner Dépendance in Nobu Matsuhisas kulinarischem Netzwerk hat vorzügliche Sushi – für viele Leute die besten der Stadt. Die kreative japanische Küche beeindruckt mit modischen Latino-Zitaten.

Bei dieser Art des Schälens bleibt die Salatgurke knackig. Mit einem scharfen Messer arbeiten.

Der gekochte und abgekühlte Sushi-Reis wird auf das halbierte Blatt Nori gelegt und festgedrückt.

Der schwierigste Teil: Beherzt in der Mitte zugreifen und eine dicke Rolle formen.

Für die Optik wichtig: Etwas Soft Shell Crab sollte noch zu sehen sein.

SUSHI VON DER SOFT SHELL CRAB

Auch bei diesem Rezept können japanische Sushi-Köche ihr durch langjährige Übung erworbenes Können unter Beweis stellen. Wer die Salatgurke nicht so hauchdünn aufschneiden kann wie der *itamae*, versucht es mit dem leichter zu schneidenden Daikon-Rettich. Unabdingbar sind ein scharfes Messer mit langer Klinge und etwas Mut. Für eine Person.

1/2 Salatgurke oder Daikon-Rettich, geschält	2 EL Masago
	2 Frühlingszwiebeln, fein gehackt
1 großes Blatt Nori	1 Soft Shell Crab
4 EL Sushi-Reis	1–2 EL Stärkemehl
1/2 TL Reisweinessig	Pflanzenöl zum Frittieren
1 Prise Zucker	2 EL japanische Shoyu-Sojasauce
1 Prise Salz	1/2 TL Wasabi nach Bedarf
1/2 TL Wasabi	
3 Scheiben von einer reifen Hass-Avocado	

Mit Reis belegtes Algenblatt auf die Gurkenschale schieben. Reis mit Avocadoscheiben belegen.

Die in der Schale frittierte und fein geschnittene Soft Shell Crab wird mittig angeordnet.

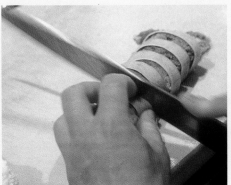

Mit einem scharfen Messer wird die Rolle in fingerdicke Stücke getrennt.

So perfekt kann es wirklich nur ein *itamae* – die fertige Sushirolle.

Soft Shell Crab (in der Schale) vollständig in Stärkemehl wälzen. In heißem Öl knusprig frittieren, abtropfen lassen. Unterdessen Sushi-Reis nach Packungsanleitung garen, mit Essig, Salz und Zucker abschmecken. Etwas abkühlen lassen. Einen hauchdünnen Mantel längsseits von der Salatgurke oder dem Daikon-Rettich abschneiden. Darauf ein Blatt Nori legen. Das Blatt auf der zur Arbeitsperson gewandten Hälfte mit Reis belegen und hauchdünn mit Wasabi bestreichen. Das Fleisch der Soft Shell Crab in feine Streifen schneiden und darüber schichten. Mit Masago bestreuen, mit Avocadoscheiben und Frühlingszwiebeln bedecken. Zusammenrollen und mit einem scharfen Messer in sechs Teile schneiden. Noch warm servieren. Dazu Shoyu-Sojasauce reichen – nach Wunsch aromatisiert mit Wasabi für zusätzliche Schärfe.

SOTHEBY'S UND CHRISTIE'S
DAS SCHWIERIGE GESCHÄFT
MIT ALTEN WEINEN

Wein ist in London traditionell hoch angesehen. Das Englische kennt den schönen Spruch, der besagt, dass einst nur drei „Lieferanten" den Vordereingang eines Hauses betreten durften: der Arzt, der Anwalt und der Weinhändler. London ist ein Hauptumschlagplatz für Weine: Ein Großteil der hier verkauften Weine wandert wieder in den Export.

Weine sind Sammlerobjekte, die vergleichbar mit Münzen und Briefmarken eine Leidenschaft auslösen können. Doch sorgfältige Lagerung allein reicht nicht aus, um ihren Wert zu steigern, denn die wenigsten eignen sich für eine lange Lagerung. Die natürlichen Konservierungsmittel wie Tannin, Säuren, Zucker und Alkohol sorgen für Lagerfähigkeit: Je mehr ein Wein von diesen Stoffen aufweisen kann, desto konzentrierter und damit lagerfähiger ist er. Denn auch wenn Wein das einzige Genussmittel ist, das über 100 Jahre reifen kann und noch genussfähig bleibt, so ist dennoch die weit verbreitete Meinung falsch, dass jeder Wein mit längerer Lagerung automatisch besser wird. Selbst relativ teure Weine sollten, um nicht als so genannte Kellerleichen zu enden, im Allgemeinen nicht länger als zehn bis 20 Jahre reifen.

MICHAEL BROADBENT –
WEISER MANN ALTER WEINE

Mit dem Fahrrad kommt er zum Interviewtermin in das Vinopolis, ein Museum mit leichtem Disneytouch, das sich im Süden Londons ganz dem Wein verschrieben hat. Sein Alter sieht man dem eleganten und äußerst charmanten Herrn nicht an. Jahrgang 1927 – wesentlich jünger als viele der Weine, die der Auktionator und Weinautor kennt. Michael Broadbent gilt als Architekt des Marktes für große, wertvolle und alte Weine. Und tatsächlich war er einst Architekt, beschloss allerdings im Jahr 1952, seine Liebe zu feinen Weinen zum Beruf zu machen. Nach vielen erfolgreichen Jahren im britischen Weinhandel gelang ihm 1966 ein wirklicher Coup: Er überzeugte das Auktionshaus Christie's, sein Weingeschäft wieder zu beleben und wurde Direktor des neu gegründeten Wein-Departments.

Fast 50 Jahre war Michael Broadbent im Weingeschäft und ist der beste Beweis dafür, dass der Genuss von gutem Wein in Maßen (zum kleinen Lunch trinkt er zwei wohlgefüllte Gläser) jung und fit hält. Früher hatte er Auktionen vorzubereiten, zusammenzustellen und zu katalogisieren. War dieser Teil erledigt, kam die Showtime! Mr. Broadbent gab da auch schon mal den Typ „britischer als die Briten" und trug Cutaway mit Nelke im Knopfloch, weil das in den USA immer so gut ankommt. Die Stimmung, so erinnert er sich, sei *electric* gewesen und die erzielten Preise entsprechend hoch: Ein 1787er Lafite aus dem Bestand des damaligen Präsidenten Thomas Jefferson kam für umgerechnet 105 000 Pfund unter den Hammer.

Doch die Nelke im Cutaway macht noch lange keinen Broadbent. Worauf er sich verlassen kann, sind seine über Jahrzehnte geführten, präzisen Notizen, die es auch in Buchform gibt. Zum 1865er Château Lafite steht beispielsweise zu lesen: „Bei sechs Gelegenheiten

Michael Broadbent, der weise Mann der alten Weine, hat sein Wissen in einer 50 Jahre umspannenden Wein-Karriere gesammelt und in vielen international veröffentlichten Büchern umgesetzt.

verkostet. Die ersten vier von Sir George Meyrick waren hervorragend erhalten. Die fünfte, 1987 im Château neu verkorkte Flasche, hatte zwar eine komplette tiefe, aber sehr ausgereifte Farbe; zurückhaltendes, dabei sehr gutes Bukett, „süß", fruchtig und gehaltvoll. Im September 1987 kraftvoll und hervorragend im Geschmack, Länge und Säure, mit festem Tannin. Die jüngst probierte Flasche ist 1974 durch Whitwham's neu verkorkt worden: blasses, rötliches Zentrum, bernsteinfarbener Rand; hoch getönt, etwas firnisartig; relativ „süß", eher leicht, wohlschmeckend, aber mit einer Spur spitzer Säure." Der Stoff, aus dem Legenden sind.

FACHMÄNNISCHE BEURTEILUNG ALTER WEINE

Um Echtheit und Zustand der zum Angebot kommenden Flaschen korrekt einzuschätzen, muss der Keller, aus dem Weine für eine Auktion stammen, genauestens inspiziert werden. Kühle und feuchte Lagerung sind Voraussetzung für ein langsames Reifen des Weines, aber auch ein gut geführtes Kellerbuch ist eine Informationsquelle, da es den Zeitpunkt des Einkaufs und den Lieferanten ausweist. Jedoch geht das nicht immer. Alternativ werden das Flaschenglas, eine Gravur und – falls möglich – der Korken auf Echtheit überprüft.

Das Dekantieren einer großen Flasche wie der Jeroboam beobachtete Michael Broadbent 1967 in San Francisco. „Eine intelligente Lösung", befand er. Und einfach. Ein Plastikschlauch wird in die stehende Flasche bis kurz über dem Depot (Ablagerung, die bei alten Weinen auftritt) eingeführt und die Dekantierkaraffe niedriger gehalten. Ansaugen und den Wein in die Karaffe rinnen lassen.

SERENA SUTCLIFFE SUCHT FÜR SOTHEBY'S

Im Lot werden sie versteigert, die großen Weine der Welt. Einzelflaschen kommen nur in Ausnahmefällen zur Versteigerung – dann muss es sich um eine außergewöhnliche Qualität handeln. In Pfund, Dollar, Schweizer Franken, Yen, Hongkong-Dollar und Euro lässt sich auf einer Tafel der momentane Stand der Versteigerung ablesen. Es ist spannend, hier zu sein, in unmittelbarer Nachbarschaft von Tiffany und Gucci im Luxusviertel der New Bond Street, nachdem man sich vorher hat registrieren lassen und eine Nummer zum Mitsteigern erhalten hat. In den 90er-Jahren hat Sotheby's seinen Rivalen Christie's überrundet und sich zum weltweit größten Auktionshaus für edle Weine entwickelt. 1999 beispielsweise setzte man 33 Millionen Pfund um.

ALTE WEINE UNTER DEM HAMMER

Christie's ist das älteste existierende Auktionshaus für Wein. Unter Gründer James Christie fand 1766 die erste Weinauktion statt. Drei Jahre später kamen feine Weine aus dem Besitz von Captain Fletcher unter den Hammer. Vorrangig Madeiras waren es, die der Kapitän nach Indien und wieder zurück transportierte und die dadurch an Geschmack und Wert gewannen. Zu den meistversteigerten Weinen der vergangenen Jahrhunderte gehörten rote und edelsüße Bordeaux, rote und weiße Burgunder, Champagner, Portweine und Sherrys sowie alte Rieslingweine, die von 1766 bis 1967 stets die höchsten Preise erzielten, heute aber weniger angeboten werden. Immer wurden die Weine jedoch zusammen mit anderen Waren versteigert. Michael Broadbent organisierte am 10. Oktober 1966 die erste reine Weinauktion. Katalysator für den Markt feiner, alter Weine war am 31. Mai 1967 die Versteigerung der Lagerbestände aus Lord Rothburys Keller. Sie war sehr erfolgreich; es wurden hohe Preise für alte Raritäten wie den 1865er Lafite-Rothschild in der so genannten Jeroboam Flasche zu 4,51 Liter gezahlt. Der Wert solcher Kleinode wurde erkannt und stieg gleichzeitig. Es entstand ein neuer Markt. Mit wiederentdeckten Raritäten (etwa im Weinkeller der Eltern oder Großeltern) kam das Auktionsgeschäft richtig in Schwung. Auf Clamis Castle fand Michael Broadbent 1970 beispielsweise unter anderem 42 Magnum Flaschen 1870er Château Lafite-Rothschild.

Wer sich für solche Weine interessiert und sie kaufen möchte, sollte sich die Grundkenntnisse des Bietens aneignen und vorher den Katalog studiert haben. Und gute Freunde haben, mit denen man sich ein Lot teilt. Die Kistenpreise liegen für zwölf Flaschen mindestens zwischen 100 und 400 Pfund. Zusätzlich gibt natürlich die Weinabteilung Auskünfte über die Qualität und die Herkunft der Weine. Zwischen vier bis 15 Prozent Kommission auf den erfolgreichen Verkauf erhebt das Auktionshaus neben den Kosten für den Transport der Weine nach London.

Wer seine Weine hier, im Wine Department des Auktionshauses Christie's, zur Auktion bringen will, sollte eine detaillierte Liste mit Namen, Anzahl, Lagerkonditionen und Erwerbsgeschichte dazu liefern können.

Das ist vor allem das Verdienst von Serena Sutcliffe, einer aparten und charmanten Lady, die die Abteilung seit 1991 leitet. Neben sechs (männlichen) Weinexperten steht sie den Kunden mit Rat und Tat zur Seite, darunter von Thurn und Taxis oder Andrew Lloyd Webber. Zum Kundenservice des Auktionshauses gehört auch, Weinfreunden feine Weine noch näher zu bringen. Serena Sutcliffe bietet regelmäßig spezielle Seminare und Weinverkostungen an, und die bewegen sich auf einer recht gehobenen Ebene. So kamen beispielsweise viele der großen Bordeaux-Weine des berühmten 1989er Jahrgangs zur

Woran hat Serena Sutcliffe besonders viel Freude? Wenn sie einige Jahre nach einer Versteigerung von einem Kunden zur Verkostung eingeladen wird und alle bei Sotheby's ersteigerten Weine wunderbar schmecken.

Verkostung: alle erstklassifizierten Châteaux des Médoc sowie Cheval blanc, Petrus und Yquem.

WAS IST EIN GUTER WEIN?

Serena Sutcliffe selbst verkostet pro Woche mindestens einen außergewöhnlich großen Wein. Persönlicher Favorit sind die Bordeaux des Jahres 1921. Vielleicht kein Zufall, dass ihr Mann David Peppercorn Bordeaux-Spezialist ist. Aber auch einige Burgunder aus den 1990er-Jahren sind „einfach erstaunlich gut". Die Frage, ob die Weine aus den 90er-Jahren generell besser sind, verneint sie hingegen: „Sie sind anders: technisch sauberer, weniger flüchtige Säure, makellos wie ein Supermodel. Alte Weine zeigen meist mehr Charakter, haben aber häufig auch mehr Fehler." Und welchen Wein sollte man mögen? Reine Geschmackssache, sagt Serena Sutcliffe. Bei der Entwicklung ihres eigenen Geschmacks hat vielleicht auch die Tatsache, dass sie Zuhause auf einen noch von den Vorfahren des Mannes angelegten Weinkeller zurückgreifen kann, stilbildend geholfen. Dennoch: Sie selbst trinkt Wein nur zum Genuss und kauft ihn nicht als Investition oder Spekulationsobjekt. Die besten Flaschen offeriert sie ihren Freunden bei Dinnerpartys in kleinem Kreise mit sechs bis acht Gästen.

Keine „Keller-leiche", obwohl über 100 Jahre alt. Wein ist das einzige Genuss-mittel, dass über einen so langen Zeit-raum lagerfähig und genießbar ist. Die Preise können aller-dings leicht as-tronomisch hoch werden.

Stephen Browett, Miteigentümer des weltweit größten Weinhandelshauses, vor dem Firmengebäude von Farr Vintners. Bis zu 80 Prozent der hier gehandelten Weine gehen wieder in den Export.

trunken haben, nähern sich den Weinen der Welt unbefangen und objektiv. Im Gegensatz zu Frankreich beispielsweise, wo der Lokalpatriotismus regiert, und ein Bordelaiser wohl nur in Ausnahmefällen einen Burgunder dem heimischen Bordeaux vorziehen würde und es aus diesem Grund in Paris auch keinen einzigen international arbeitenden und großen Weinhändler gibt.

Begonnen haben die Gründer von Farr Vintners im Jahr 1978 allerdings nicht mit Franzosen, sondern auf Grund des schwachen Dollars als Importeure kalifornischer Weine. Als der Dollar in den 80er-Jahren erstarkte, wechselten sie erst ins Burgund, dann nach Bordeaux. Heute machen hochwertige BordeauxWeine etwa 70 Prozent des Sortiments aus und Flaschen werden meist zu einem Subskriptionspreis von über 15 Euro gehandelt. Der Kauf findet im Frühjahr nach der Lese statt, wenn die Weine noch im Fass reifen. Erst im Jahr darauf werden sie in Flaschen abgefüllt und üblicherweise im Herbst ausgeliefert. In letzter Zeit wer-

DER WELTGRÖSSTE HÄNDLER FÜR EDLE WEINE

Im malerischen Stadtteil Pimlico liegt das bescheidene Firmengebäude des Weinhandelshauses von Farr Vintners. Dass hier jährlich Weine im Wert um die 40 Millionen Pfund verkauft werden (mehr als der Umsatz von Sotheby's und Christie's in London), ahnt der Laie nicht.

Wieso gerade hier, inmitten eines Landes, das gar nicht als Weinbauland gilt? Stephen Browett, Geschäftspartner und Miteigentümer des Unternehmens meint, das genau sei der Grund. Denn die Briten, die schon immer Wein ge-

den immer mehr Weine aus Italien, Spanien, Kalifornien, Australien, Neuseeland und Chile international als Spitzenweine anerkannt und kratzen wenigstens ein bisschen an der klassischen Vormachtstellung Frankreichs. Nur deutscher Wein ist nicht dabei, was Stephen Browett persönlich sehr bedauert. Vielleicht liegt es am Etikett, das kompliziert ist oder der Tatsache, dass Riesling keine Moderebsorte ist.

Was sich in den vergangenen Jahren neben der Ankunft der Neue-Welt-Weine auch verändert hat, ist der Weinhandel als solcher. Dank modernster Kommunikationstechnologie kann Farr Vintners seine Kunden in aller Welt über das aktuelle Weinangebot auf der Website informieren, die alle zwei Stunden auf den neusten Stand gebracht wird, alle zwei Monate einen neuen Katalog versenden und die meisten Geschäfte per Telefon tätigen. Bis zu 80 Prozent der Weine gehen – teilweise über andere britische Großhändler – wieder in den Export. Daher werden die Weine in Zollspeichern gelagert und so britische Steuern gespart.

Und ihr Erfolgsrezept? Stephen Browett, leger gekleidet und dynamisch auftretend, sagt mit gesunder Selbsteinschätzung: „Wir sind wahrscheinlich die einzigen Weinhändler die wirklich viel Weinverständnis haben. Es gibt viele

Experten und viele seriöse Händler. Aber die meisten Leute, die mit Weinen handeln, haben kein fundiertes Wissen und die meisten Weinexperten kennen sich im Handel nicht aus."

Neben dem finanziellen Erfolg des nach außen sehr lässig geführten Unternehmens ist Stephen Browett noch um etwas anderes zu beneiden: Er hat sehr häufig die Gelegenheit, die großen Weine der Welt zu verkosten.

Das größte Trinkerlebnis waren bisher eine 1947er Magnum Flasche Château Lafleur Petrus, gefolgt von einem 1947er Château Cheval blanc und einem 1959er Château Petrus. Und welche hat ihm am besten geschmeckt? Eine von denen, die er zusammen mit seiner Frau auf der Hochzeitsreise getrunken hat. Stephen Browett ist wirklich zu beneiden.

ADRESSEN

Christie's, 8 King Street, London SW1, Telefon: 020/78 39 00 60, U-Bahn: Green Park
Farr Vintners Ltd, 19 Sussex Street, London SW1, Telefon: 020/78 21 20 00, U-Bahn: Victoria
Sotheby's, 34–35 New Bond Street, London W1, Telefon: 020/72 93 51 41, U-Bahn: Bond Street
Vinopolis, 1 Bank End, London SE1, Telefon: 08 70/4 44 47 77, U-Bahn: London Bridge

Die Ausrichtung auf Edles ist im Kaspia unverkennbar. Hier – in einer kleinen Gasse im luxusgeprägten Stadtteil Mayfair – darf man es wohl wagen, mit dem Essen (genauer: den Kaviardosen) zu spielen.

Sitzt man mit Freunden oder Gästen, die den eigenen Enthusiasmus für rohe Fischeier nicht teilen, dann kann das Traditionshaus auch mit anderen Delikatessen aufwarten, wie hier mit einer gebratenen Foie gras.

KAVIAR UND KASPIA
LUXUS IN MAYFAIR

Das Pariser Traditionshaus Caviar Kaspia eröffnete im Jahr 1927 unweit der Opéra Garnier. Zu den damaligen Teilhabern zählte auch der aus Armenien stammende Erdölmagnat und Milliardär Gulbenkian. Ein naheliegender Gedanke, denn das Edelkaufhaus konzentrierte sich auf die kostbaren Kaviarsorten aus Russland und dem Iran.

60 Jahre später kam Kaspia nach London. In Mayfair, einem der teuersten Stadtteile der Welt, lassen sich nun die drei Sorten Kaviar – Beluga, Osietra und Sevruga – in Mengen zwischen 30 und 125 Gramm verkosten. London ist die Stadt des unauffälligen Luxus. Zu viel Geld kann man in Mayfair nicht haben. Deshalb wird auf der Speisekarte des Kaspia auch Ian Fleming, der Erfinder der legendären Figur James Bond zitiert. „Ach, zu viel Kaviar", so heißt es in seinem Erstlingswerk, „Casino Royale", „ist nie das Problem. Nur der Toast wird immer knapp!" Im Kaspia serviert man den Kaviar ausschließlich mit Toast, Blinis oder Ofenkartoffeln. Sonst übliches Beiwerk wie gehackte

Eier, Zwiebeln oder Zitrone wird bewusst nicht verwendet: Dem Kaspia gelten sie als zu geschmacksintensiv, die nur dazu dienen, das Aroma von minderwertigem Kaviar zu übertünchen.

KAVIAR

Grundsätzlich wird zwischen drei Sorten Kaviar unterschieden, die von drei Mitgliedern der Störfamilie stammen. Der Beluga vom gleichnamigen Stör ist der teuerste unter ihnen. Der Osietra

Die Abfüllung wird direkt im Hause vorgenommen. Alle drei Kaviarsorten, Beluga, Osietra und Sevruga, sind im Angebot.

Ebenso exquisit wie das Restaurant nahe der Bond Street: die reich verzierten Dosen für die hauseigene Kaviarabfüllung

(auch Ossietra oder russisch *ossiotr*) gilt unter Kaviarkennern als der beste. Der Sevruga-Kaviar kommt vom kleinsten Mitglied der Störfamilie. Doch selbst der Sevruga (auch Sternhausen oder Sterg) bringt beim Fang noch stattliche 25 Kilogramm auf die Waage. Die Umweltverschmutzung der traditionellen Laichgewässer im Kaspischen und Schwarzen Meer, im Baikalsee und im Asowschen Meer könnte bei klassi-

schen Fangmethoden – der weibliche Stör wird zur Eientnahme betäubt und danach getötet – allerdings für nachhaltige Engpässe sorgen; neue Zuchtmethoden werden entwickelt.

Zur Konservierung werden Borax und Salz verwendet – letzteres dient mit der Bezeichnung *malossol* auch als Indiz für Qualität. Dank des hohen Eiweiß- und Fettgehalts muss dem Produkt eine gewisse Menge Salz zur Konservierung

RUSSISCHE BLINIS

Aus Russland stammen diese kleinen Pfannkuchen aus Buchweizenmehl, die sowohl zu Räucherlachs als auch zu allen Kaviarsorten sehr gut passen. Ergibt 30 Blinis.

| I Päckchen Trockenhefe |
| 150 ml lauwarmes Wasser |
| I EL Zucker |
| 300 g Buchweizenmehl |
| 150 g Mehl |
| I Prise Salz |
| 3 Eier, getrennt |
| 300 ml Milch, aufgekocht und abgekühlt |
| 4 EL Butter, zerlassen und etwas abgekühlt |
| Pflanzenöl zum Frittieren |

In einer Schüssel Hefe, Wasser und Zucker zehn Minuten gären lassen. In einer zweiten Schüssel beide Mehlsorten mit Salz vermengen, dann unter die Hefe rühren. Eigelbe, Milch und Butter beigegeben werden. einrühren und alles mit dem Mixer zu einem glatten Teig verarbeiten. Eiweiße steif schlagen und unterziehen. Den Teig 30 Minuten ruhen lassen. Öl in einer beschichteten Pfanne erhitzen und aus je drei Esslöffel Teig Pfannkuchen formen und von beiden Seiten zwei bis drei Minuten backen, bis die Oberfläche trocken ist. Die fertigen Blinis aufeinander schichten und dann im Ofen warm halten.

„Wenig gesalzen", so die Übersetzung des Qualitätsmerkmals, ist gleichbedeutend mit einer Salzung von weniger als 2,8 Prozent.

Der Presskaviar (*pressed caviar*) ist im Heimatland des Kaviar sehr beliebt. Der weiche Rogen verschiedener Störarten wird durch Leinentücher gepresst und ist stark gesalzen. Auch diese Kaviarvariante hat das Kaspia im Angebot – sogar mit dem Hinweis, dass es sich dabei um den preisgünstigsten des Hauses handle.

Blau, gelb oder rot – die Deckelfarbe gibt eindeutige Auskunft über den Inhalt. Blau steht für Beluga, gelb für Osietra, rot für Sevruga. Aber auch die Körner sehen unterschiedlich aus. Der Beluga ist hell- bis dunkelgrau, der Sevruga mittel- bis stahlgrau, der Osietra bräunlich. Keta-Kaviar ist der leuchtend rote Rogen vom gleichnamigen Lachs, Forellen-Kaviar (oft eingefärbt) ist hellrot. Letztere Sorten werden immer beliebter, doch nur der echte Lachskaviar ist auch im Caviar Kaspia zu bekommen.

ADRESSE

Caviar Kaspia, 18 Bruton Place, London W1, Telefon: 020/74 93 08 79, U-Bahn: Bond Street

313

LUXURIÖSE NOSTALGIE – DAS RITZ

In Londons Innenstadt stehen einige der teuersten und berühmtesten Hotels der Welt. Hier hat man sich auch in der Küche dem Luxus vergangener Tage verschrieben und gleichzeitig die traditionsreiche, französische Sterneküche behutsam modernisiert. Restaurants wie Stefano Cavallini im Hotel Halkin, das Connaught und das Ritz symbolisieren diesen neuen Trend. Das Connaught wurde einst als Refugium für den Landadel gebaut. Für den verarmten allerdings. Denn wer Geld hatte, baute sich gleich ein ganzes Stadthaus. Heute erreichen die Dinnerpreise in dieser Kategorie schnell 60, oft 100 Pfund.

César Ritz war der berühmteste Hotelier der Welt. In Paris, London, Madrid, Rom, Budapest, Boston, Montreal und New York errichte er wahre Hotelpaläste, von denen sich Luxushotels in Baden-Baden, Cannes, Monte Carlo, Luzern und Salsomaggiore inspirieren ließen. Dem gebürtigen Schweizer César Ritz war ein Aufstieg aus einfachen Verhältnissen in höchste Kreise beschieden. „César Ritz", so sagte es King Edward VII., „ist der Hotelier der Könige und der König unter den Hoteliers". Als 15-Jähriger erlernte der aus einem Dorf im Rhône-Tal stammende César Ritz das Hotelhandwerk als Weindiener im Hôtel des Trois Couronnes et Poste in Brig. Am Ende seines ersten Lehrjahrs war der Hotelinhaber von seinen Fähigkeiten wenig beeindruckt und erklärte, César würde es im Hotelgewerbe nie zu etwas bringen. Zehn Jahre später war César Ritz *Maître d'hôtel* im Hôtel de Nice in San Remo. Dort gelang es ihm, die Ein-

nahmen des Hotels in nur einer Saison zu verdoppeln. Ein kometenhafter Aufstieg begann, den er wohl auch der engen Zusammenarbeit mit Auguste Escoffier, dem berühmten französischen Koch, zu verdanken hatte. Bis heute legt das Ritz großen Wert auf seine Küche. In London kocht Giles Thompson in einem Restaurant, das sicherlich zu den prachtvollsten in ganz Europa gehört. „Gut, dass das Hotel ein Stahlkorsett besitzt", soll César Ritz bei der Eröffnung im Jahr 1906 zu seiner Frau Marie-Antoinette gesagt haben, als er sah, wie viel Bronze bei der Inneneinrichtung verwendet wurde. „Sonst würden die Wände unter der Bronzelast zusammenbrechen."

Fast zusammengebrochen war das Hotel erst 90 Jahre später. Der Name bestand zwar noch, doch das Ritz hatte bessere Tage gesehen. Für 75 Millionen Pfund erwarb das medienscheue Brüderpaar David und Frederick Barclay – unter anderem Verleger des „Scotsman" – im Oktober 1995 das Hotel. Weitere 35 Millionen Pfund wurden in die Rundumrenovierung investiert, alte Vorlagen für Teppichware, Vorhänge und Geschirr neu aufgelegt. Das Porzellan des englischen Lieferanten Royal Doulton wirkt heute wieder modern.

DIE RICHTIGE KLEIDUNG

Wie es sich für das Ritz gehört, legt es nicht nur seinen Gästen eine Kleiderordnung vor, sondern beginnt beim Personal. Der *maître d'hôtel* trägt zum Lunch den *morning coat* und beim Dinner das *dinner jacket*, die Bedienung einen Frack, der *chef de rang* dazu eine blü-

César Ritz träumte vom idealen Hotel. Dafür wurde das Inventar inklusive der Tischdekoration eigens geschaffen. Hier ein eingedeckter Tisch aus dem Jahr 1906. Das Geschirr des englischen Lieferanten Royal Doulton überraschend modern.

À LA FRANÇAISE, À LA RUSSE, SUR PLAT

Die große Zeit der Grand Hotels waren das 19. und frühe 20. Jahrhundert. Zu Zeiten des großen französischen Kochs Auguste Escoffier wurde der von seinem nicht minder berühmten Vorgänger Antonin Carême institutionalisierte *service à la française* durch den *service à la russe* ersetzt. Die französische Variante konzentrierte sich auf einen kulinarischen Musterteller, beladen mit Wild, Geflügel, Krustentieren und anderen Kostbarkeiten, die die Fähigkeit des Kochs demonstrierten, während die Gäste sich etwas hilflos fragten, wie sie auf die andere Seite des Tisches kommen sollten, wo das angerichtet war, was sie eigentlich haben wollten. Der russische Service kommt bis heute bei feinen, gesetzten Essen zur Anwendung: Kellner reichen Gästen nacheinander Speisen zur Wahl. Aber selbst in Luxushotels wie dem Ritz ist man mittlerweile dazu übergegangen, bereits in der Küche das Gericht auf einem Einzelteller, *sur plat*, zu arrangieren und dem Gast zu servieren.

Die Küchenbrigade des Ritz zählt 40 Mitarbeiter. Im Restaurant sorgen der Manager, sein Stellvertreter, zwei Assistenten, eine Reservierungsdame, ein *carver*, der Terrinen und Braten aufschneidet, mindestens drei Sommeliers und acht bis zehn Kellner, die sich ausschließlich um das Essen kümmern, für das leibliche Wohl der Gäste. Die Speisen kommen aus dem Bauch des Ritz, nämlich aus Küche und Lager im Untergeschoss.

tenweiße Weste. Jeans und Turnschuhe sind hier (und beim Publikum) nicht vorgesehen, Krawatte und Jackett jedoch Vorschrift.

DIE KÜCHE DES RITZ

Nicht nur die Kleidervorschriften könnten dem Wort *ritzy* neben seiner Bedeutung von „nobel" auch das abwertende „angeberisch" verleihen. „Ritzy" sei eben auch die Speisekarte, lächelt Chefkoch Giles Thompson, aber er meint das natürlich nicht negativ. Als typisches Gericht empfiehlt er Jakobsmuscheln mit sautierter Foie gras und Trüffelmedaillons.

Im gleichen Atemzug berichtet er von einem Stammgast, der – mittlerweile schon in den Neunzigern – in dem prachtvollen Restaurant, dessen Einrichtung von den Ballsälen des 18. Jahrhunderts inspiriert wurde, nur ein einziges Gericht zu sich nehmen mag, das ihm natürlich auch zubereitet wird: Brathähnchen. Im Gegensatz zum Châteaubriand vom Aberdeener Angus-Rind, flambiertem Wolfsbarsch, glasierten Austern und einem rein vegetarischen *clafoutis* aus Kirschtomaten mit Raukepesto steht dieses jedoch nicht auf der Speisekarte.

Besonders die Klassiker der Speisekarte wie Jakobsmuschel mit sautierter Fois gras und Trüffelmedaillons (oben) und die getürmte Dessertkreation (rechts) stellen das Können der Ritz Hotelküche unter Beweis.

ADRESSE

Ritz, 150 Piccadilly, London W1V, Telefon: 020/74 93 81 81, U-Bahn: Green Park

KOCHSCHULEN
FÜR PERFEKTIONISTEN UND PROFIS

Etwa 18 Kochschulen gibt es in London. Einige von ihnen haben noch keine lange Tradition, sondern reagierten auf die neue Leidenschaft der Londoner für das Kochen. So wendet sich die Kochschule Cookie Crumbles (Kekskrümel) an den Nachwuchs. Schon die Kleinsten lernen hier, wie sie den Nachmittagstee selbst gestalten können. Die etwas Älteren bekommen die Grundzüge der Pasta- und Brotherstellung vermittelt. Neben der abendländischen Küche bieten Londons Kochschulen mittlerweile auch

Der gebürtige Schweizer Anton Mosimann hat bereits für Prinz Charles und das Hotel Dorchester gekocht.

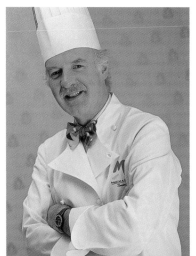

Kurse für indische oder thailändische Küche an. Traditionsreiche Schulen wie Le Cordon Bleu (gegründet im Jahr 1895), Mosimann Academy wie auch die Leith's School of Food & Wine befinden sich am *high end* des Kochschul-Spektrums.

MOSIMANN'S ACADEMY

Der gebürtige Schweizer Anton Mosimann hat eine illustre Karriere als Koch auf drei Erdteilen hinter sich: Asien, Kanada, Europa. Mit 28 Jahren wurde er Küchenchef der Restaurants im Hotel Dorchester. Zwei Sterne erkochte Mosimann – damals fast unerhört jung – für das Dorchester, eine Auszeichnung, die einem Londoner Hotel vorher noch nie zuteil geworden war. Im Jahr 1985 entdeckte Anton Mosimann eine neue, einfachere Küche für sich. Die *cuisine naturelle* versucht, ohne Fette und Alkohol auszukommen und greift damit den allgemeinen Trend zu gesünderer Ernährung auf. Neben seiner Tätigkeit als Lehrer hat Mosimann neun Kochbücher verfasst, trat als Fernsehkoch auf und beschritt mit seiner Akademie neue

Celia Francis (rechts) bringt ihren Kursteilnehmern den richtigen Umgang mit Hefe bei. Berühmte Kochschulen wie Leith's offerieren ihre Dienste auch Laien, die nur zu Hause glänzen möchten.

Wege. Im Cateringbereich lehrte er ganze Betriebszweige wie British Airways das Kochen oder richtete ein Geburtstagsmenü für 1500 geladene Gäste von Prinz Philip aus.

LEITH'S SCHOOL OF FOOD & WINE

Gleich unterhalb der hektischen Einkaufsstraße High Street Kensington betritt man ein kleines Dorf. Wunderschöne Bauernblumenarrangements schmücken Hauseingänge, hier erinnert eine Plakette an den Wohnort einer Theaterschauspielerin, dort an den von T. S. Eliot, es gibt kleine kuschelige Gässchen… Alles wirkt heil, wie aus einer längst vergangenen Zeit, als die einzige Sorge der Frage gelten durfte, wie Familie und Freunde zum Abendessen verwöhnt werden können.

Hier ist die Leith's School of Food & Wine zu Hause. Schon beim Betreten des mehrstöckigen Schulhauses aus Backstein mit holländisch wirkendem Giebel weht dem Kursteilnehmer kein Geruch von Bohnerwachs entgegen, sondern von feinem Essen. Morgens um neun Uhr sitzen die Lernwilligen auf Barhockern in der Küche, gruppiert um einen großen Holztisch, der gleichzeitig auch Arbeitsplatz ist. Jeder hat sich ein Namensschildchen angeklebt und lauscht mit großen Augen der Dozentin Celia Francis und ihrer Assistentin Chris Bailey.

FOCACCIA MIT KÄSE

300 g backstarkes Mehl

1/2 Würfel Frischhefe

3 EL Olivenöl

2 TL grobes Meersalz und 1 TL zum Bestreuen

200 ml handwarmes Wasser

140 g Mozzarella, in Scheiben geschnitten

140 g Gorgonzola, gebröselt

Salz und Pfeffer aus der Mühle

2 EL frischer Salbei oder Basilikum, fein geschnitten

Mehl in eine Schüssel sieben und mit dem Salz gut vermengen. In der Mitte eine Vertiefung ausheben. Hefe in etwas Wasser auflösen und zusammen mit 200 Milliliter Wasser in die Mulde gießen. Mit einem Holzlöffel langsam in das Mehl einarbeiten, bis der Teig eine sehr weiche Konsistenz hat. Auf einer Arbeitsfläche zehn Minuten kneten, bis der Teig weich, glatt und elastisch ist. Bei Bedarf die Konsistenz mit Wasser oder Mehl korrigieren.

Teig in eine leicht eingeölte Schüssel geben. Mit Küchenfolie abdecken und eine Stunde an einem warmen Ort gehen lassen, bis der Teig sich verdoppelt hat. Den Hefeteig zum Aufgehen nicht in den warmen Ofen stellen – die Küchentemperatur genügt. Bei einer Temperatur von 50 °C wird die Hefe unwirksam. Das hartnäckige Gerücht, dass eine Zugabe von Zucker notwendig ist, stimmt nicht.

Luft abschlagen und noch einige Minuten kneten. Teig halbieren. Teigstücke zu Kreisen von 30 Zentimeter Durchmesser ausrollen; einen Teigkreis auf ein mit Backpapier ausgelegtes Backblech legen. Mit Käse und Kräutern belegen, bei Wunsch vorsichtig salzen und pfeffern. Mit zweitem Teigkreis abdecken und die Ränder sorgfältig zusammendrücken. Jetzt Ofen auf 200 °C vorheizen. Brotteig mit leicht eingeölter Küchenfolie abdecken und an einem warmen Ort noch 20 Minuten gehen lassen. Folie abnehmen, Teigdeckel mit den Fingerspitzen leicht eindrücken, mit Salz und

restlichem Öl beträufeln. Auf oberster Stufe 35 bis 40 Minuten goldbraun backen. Auf einem Teiggitter 30 Minuten auskühlen lassen, bis der Käse fest geworden ist. Das Brot hält sich bis zu 18 Stunden.

STARTHILFE MIT BIGA

Dieses Grundrezept für einen Hefevorteig eignet sich für alle italienischen Brotsorten und sorgt für ein intensives Aroma und eine lockere Konsistenz.

1/2 Würfel Frischhefe

150 ml handwarmes Wasser

125 g backstarkes Mehl

Hefe in eine Schüssel mit dem Wasser bröseln und Mehl einarbeiten. Mit einem feuchten Küchentuch abdecken und bei Zimmertemperatur 24 bis 36 Stunden fermentieren lassen. Küchentuch feucht halten. Dann ist *biga* startklar. 50 Milliliter davon reichen für einen normalen Brotteig aus; sie werden im ersten Schritt angegossen.

Heute geht es um Brot. Nächste Woche vielleicht um Saucen. Natürlich ist die Schule in erster Linie ein Profitrainingslager, jedoch bietet sie auch Laien und Amateuren in mehrstündigen oder mehrtägigen Kursen die Möglichkeit, von den Grundkenntnissen bis zur Raffinesse Küchenerfahrung zu erarbeiten. Deshalb trägt jeder Kursteilnehmer eine riesige Schürze. Celia zudem eine riesige Kochmütze.

Das erste Stückchen Teig wird herumgereicht. Eine italienische Focaccia steht auf dem Lehrplan, und zwar eine herzhafte Variante mit Mozzarella und Gorgonzola. Das Rezept stammt aus der „Leith's Seasonal Bible, einem Kochbuch, das eigens von der Leith's School of Food & Wine" herausgegeben wurde. Der Teig muss ziehfest sein, darf aber nicht zu sehr ziehen, sonst reißt er. Passiert das, etwas Wasser zugeben. Ist er zu klebrig, noch etwas Mehl einarbeiten. „Hefe", sagt Celia gerade, „Hefe vergibt alles". Dann fängt sie an, den Teig mit einem Grad an sanfter Sinnlichkeit zu bearbeiten, dass man wünschen würde, mehr als nur ein männlicher Student hätte den Weg in diesen Kurs gefunden. Mit Fingerspitzen wird gezupft, mit dem Daumen gedrückt, mit dem Handrücke eingeebnet, mit den Handkanten gerundet, mit einer Handinnenseite über die andere gerollt. Solange, bis der männli-

che Student einen Schluck Wasser trinken muss und Celia sagt: „Ich liebe es, mit Teig zu arbeiten". In den nächsten Stunden wird sie diese Begeisterung auf ihre Studenten übertragen und ihnen viel Wissen über das Brotbacken vermitteln. Auf dem Stundenplan stehen neben Focaccia auch Mohnbrot, ein irisches Sodabrot, ein Walnussbrot und Muffins. Doch nun zeigt Celia den Teilnehmern, wie man einen Zopf flechtet.

Chris Bailey zeigt, wie der Brotteig sein muss. Er sollte sich ziehen lassen, darf aber nicht reißen.

Ausgerechnet Australier haben die Londoner Kaffeeszene kräftig aufgemischt. In ihrer Schule Urban Espresso lassen sich Grund- und Profikenntnisse rund um den Kaffee erwerben.

GUTER KAFFEE – EINE KUNST FÜR SICH

Urban Espresso – das klingt wie ein Modelabel und liegt auch voll im Trend. Nur wird hier Kaffeekochkunst gelehrt. Mit einer Ernsthaftigkeit, die an religiösen Eifer erinnert, wird Amateuren und angehenden Profis beigebracht, mit einem Schaber den Milchschaum in vorgewärmte Tassen zu löffeln, auf die Farbe einer echten *crema* zu achten, die haselnussbraun sein muss und niemals abgepackten Kaffee zu verwenden, sondern ausschließlich Kaffeebohnen, die unmittelbar vor der Zubereitung gemahlen werden. Auch ist es hier Pflicht, die Brühzeit von 25 Sekunden weder zu unter- noch zu überschreiten: unter 20 Sekunden wird der Kaffee säuerlich und dünn, während er nach 30 Sekunden verbrannt und bitter schmeckt. Es mag

überraschen, dass die Kaffeeguerillas von Urban Espresso mitnichten aus Italien kommen. Dieses Land gilt ihnen nur als großes Vorbild. Sie stammen aus Australien, aber haben den Nerv Londons getroffen. Im heimischen Sydney war Victoria Reid als Beraterin einer Cafékette tätig. Ihre Kaffeekenntnisse musste sie bei der Ankunft in London vor einigen Jahren notgedrungen expor-

---

DAS GEHEIMNIS EINES GUTEN ESPRESSO

Immer gleichbleibend sind vier Faktoren, die für die Qualität eines Espresso (auch als Grundlage anderer Kaffees) sorgen:

1. die Kaffeemischung und ihr Frischegrad
2. die Mahlstärke und die Aufbrühzeit des Kaffees
3. die Kaffeemaschine
4. derjenige, der den Kaffee zubereitet

Die Definition eines Espresso ist international festgeschrieben:

1. 7 Gramm Espressomehl
2. eine Wassertemperatur von 90 °C
3. ein Druck von 9 Bar
4. eine Aufbrühzeit von 25 Sekunden

tieren, denn sie fand in der ganzen Stadt fast nirgendwo eine wirklich anregende Tasse Kaffee. So ist sie auch nicht ganz unschuldig daran, dass nur wenige Jahre später an vielen Straßenecken, manchmal auch in Buchläden, Einkaufsgalerien oder Bahnhöfen, trendige *coffee bars* eröffneten. Selbst auf Highgate, dem Landsitz von Prinz Williams Vater Charles, hat die Kaffeekultur mittlerweile Einzug gehalten. Der Küchenvorstand absolvierte Victoria Reids dreistündigen Einführungskurs, auch „Fahrschein für die Espressomaschine" genannt. Seither zählen *cappuccino, caffe latte, macchiato* und *ristretto* und Erfindungen wie *americano* oder *flat white* auch zu königlichen Genüssen. Urban Espresso bietet eine Vielzahl von maßgeschneiderten Kaffeekochkursen an. Restaurants lassen hier ihr Profipersonal

Ob Espresso, Americano oder Cappuccino – sie alle werden in einer Wasserdampfdruckmaschine zubereitet. Der Cappuccino verdankt seinen Namen der Farbe von Kutten, die Kapuzinermönche tragen.

ausbilden. Wer sich selbständig machen will, bucht den großen Kaffeekochkurs inklusive betriebswirtschaftlicher Informationen. Begrenzt sich der Ehrgeiz des Kaffee-Enthusiasten auf die eigenen vier Wände, so lässt sich das in einem dreistündigen Grundkurs erlernen.

ADRESSEN

Cookie Crumbles, 10–14 Southville, London SW8, Telefon: 020/76 22 44 48, U-Bahn: Stockwell
Cordon Bleu Culinary Institute, 114 Marylebone Lane, London W1M, Telefon: 020/79 35 35 03, U-Bahn: Baker Street
Leith's School of Food & Wine, 21 St Alban's Grove, London W8, Telefon: 020/72 29 01 77, U-Bahn: High Street Kensington

Mosimann's Academy, 5 William Blake House, The Lanterns, Bridge Lane, London SW11, Telefon: 020/73 26 83 66, British Rail: Clapham Junction
Thalad Thai, 320 Upper Richmond Street, London SW15, Telefon: 020/87 89 80 84, British Rail: Barnes
Urban Espresso Training School, 63–65 Goldney Road, London W9, Telefon: 020/72 86 17 00, U-Bahn: Westbourne Park

Heimweh –
Kulinarisch umgesetzt

An altmodische Kaufmannsläden erinnern Geschäfte wie I. Camisa. Verschiedene Pastasorten, Büffelmozzarella – die Farben und Aromen eines sonnendurchfluteten Landes.

In den 50er-Jahren gelang es einem Spaßvogel im britischen Fernsehen noch, seine Landsleute mit der Nachricht zu foppen, dieses Jahr sei die Spaghetternte in der Toskana verheerend ausgefallen. Schon damals wussten die Engländer jedoch, dass Italiener einfach wissen, wie man isst. Wie genau das zu schmecken hatte und was genau denn italienische Küche sei – nun, darauf kann man sich bis heute nicht wirklich einigen. Und so bietet London die ganze Bandbreite der italienischen Küche an: Pizzen, regionale Spezialitäten, Klassiker, serviert mit überdimensionalen Damastservietten, an wackeligen Resopaltischen oder in *cool Britannia*-Architektur. Ein Abend „beim Italiener" ist auch in London Tradition; allerdings eine kostspieligere als in den Exil-Trattorien anderer Länder. Die Pizzakette Pizza Express expandiert seit den 60er-Jahren. Inzwischen hat sie 79 Filialen, ohne dass das Preisleistungsverhältnis dadurch ins Schwanken zu geraten scheint. Die Speisekarte ist gut, die Weine sind ordentlich, der Service ist freundlich, die Preise sind zivil.

Mit dem Aufstellen von Listen, beispielsweise „den ewigen Top Five meiner unvergesslichsten Trennungen", hat sich der Londoner Nick Hornby, der Autor von „High Fidelity", weltweiten Ruhm erschrieben. Wohl auch, weil das Aufstellen von Listen hier eine Obsession ist. Es gibt Listen über die besten Restaurants für das erste Date oder darüber, wo es sich gut mit Großeltern speisen lässt oder welches das beste italienische Restaurant der Stadt ist. Da zu letzterer Frage mehrere als offiziell deklarierte Listen existieren, steht der Spitzenreiter nicht eindeutig fest, aber Namen wie Zafferano, Assaggi oder Riva besetzen neben dem River Café überall die ersten Plätze. Das Riva, so schwärmt Gastrokritiker Nick Foulkes, sei „nicht nur das beste Restaurant der ganzen Stadt, sondern mache zudem hervorragende Nachspeisen".

Meist wird in den guten italienischen Restaurants der Stadt auf modischen Firlefanz verzichtet. Zu ihrer Popularität gelangten sie nicht zuletzt auch durch ihre frische und ganz ungekünstelte Küche.

Italienische Delikatessgeschäfte haben in London lange Tradition. Bereits 1878 siedelte sich in Clerkenwell mit L. Terroni das erste seiner Art an. Viele sollten folgen. Der sonntagnachmittägliche Einkauf bei L. Terroni gehört nach dem Kirchgang einfach dazu.

FRISCHE PASTA UND ECHTER PARMA

Im Jahr 1878 siedelte sich in Clerkenwell das bis heute betriebene erste italienische *delicatessen* L. Terroni & Sons an. Spezialisiert ist das kleine Geschäft, das selbst am Sonntag geöffnet ist, auf Wein und bedient mit dem Verkauf von Korken und anderem nebenbei die englische Leidenschaft des Weinmachens. Aber auch die unterschiedlichsten Typen Mehl zur traditionellen heimischen Pastaherstellung sind hier erhältlich. Für weniger Fleißige gibt es eine gut sortierte Auswahl an Fertigpasta von kleineren Nudelherstellern.

Mit seinen alten Holzschubladen, seinen von der Decke baumelnden Waren und seiner schmalen Theke erinnert I. Camisa an einen Kinderkaufmannsladen. Zum Wochenende hin wird die Warteschlange vor diesem winzigen Laden immer länger. Das liegt an dem wunderbaren Duft, der aus dem Delikatessgeschäft strömt und an den Inhabern, die sich faszinierend langsam bewegen, jeden alles kosten lassen und in stolperndem Englisch Konversation betreiben. Sonntags, nach dem Hochamt der nebenan liegenden St. Peter's Italian Catholic Church, trifft sich bei Terroni ganz Clerkenwell.

LIEBE IN DEN ZEITEN DES KRIEGES

Oft entdeckten Italiener als Kriegsgefangene während des Zweiten Weltkriegs ihre Liebe zu England, als sich erstmals seit Cäsars Invasion fast 1900 Jahre später Engländer und Italiener feindlich gegenüberstanden. Manchmal verliebten sie sich, manchmal empfanden sie das Land als Ausweg aus dem damaligen Armenhaus Italien. Nach der Autorin Christina Hardyment gingen die lange Tradition des Restaurantgewerbes in Italien und die mit dem Wirtschaftsboom der 50er-Jahre verbundene plötzliche Popularität von Restaurants in London eine glückliche Symbiose ein. Denn bis heute beklagen selbst Starköche, dass sie an Küchenpersonal im eigenen Land selten fündig werden; die meisten Beschäftigten im Restaurantgewerbe kommen aus Australien, Neuseeland und Italien.

Gleich um die Ecke liegt Lina Stores. Das kleine Italo-Imperium konnte für seine selbstgemachte Pasta schon mehrere Preise einheimsen. Es hat täglich außer sonntags bereits um sieben Uhr morgens geöffnet. Saisonal sind selbst solche exotischen Zutaten wie Sepia, die schwarze Tinte von dem gleichnamigen Fisch, vorrätig.

ZABAGLIONE

Da die Eier für die Zabaglione roh verarbeitet werden, ist die Verwendung von frischen Bioeiern zu empfehlen. Die überschüssigen Eiweiße lassen sich gut einfrieren.

12 Eier	
100 g Zucker	
1 Prise Zimt	
400 ml Marsala	
1 kleines Glas Rum	

In einer Kasserolle die Eigelbe und den Zucker so lange mit dem Schneebesen schaumig schlagen, bis die Mischung nahezu weiß wird. Den Zimt im Marsala auflösen und mit dem Rum aromatisieren. Den Marsala unter ständigem Rühren nach und nach in die Creme gießen. Die Kasserolle in ein Wasserbad setzen und die Creme bei niedriger Hitze vorsichtig verquirlen. Ist die Creme geschmeidig und schaumig, vom Herd nehmen und in Dessertschalen gießen.

ITALIENISCHE HAUSMANNSKOST IM MODERNEN RIVER CAFÉ

Als das River Café seinen ersten Michelin-Stern erhielt, war von klassischen italienischen Restaurants Protest zu vernehmen. Wer keine Pizza und keine Bolognese anbiete, könne sein Restaurant kaum als italienisch bezeichnen. Rose Gray und Ruth Rogers, die Chefköchinnen und Inhaberinnen, halten ihr 1987 gegründetes Restaurant hingegen für wesentlich klassischer als viele andere. „In Italien passt man sich sehr dem Geschmack der Touristen an, während uns immer interessiert hat, was der typische Italiener zu Hause isst. Gute Hausmannskost aus ganz Italien – das versuchen wir im River Café anzubieten. Das – mit besten Zutaten – ist der Unterschied zu den anderen."

Vielleicht macht noch etwas das River Café zu etwas Besonderem: „Es ist der Fluss", sagt Rose Gray stolz. „Hier riecht es nicht nach London, hier sieht es nicht aus wie in London, aber wir sind mittendrin." Mittendrin beschreibt nicht nur die geografische Lage des River Cafés. Hier trifft sich, was Rang und Namen hat im neuen, weltoffenen, libe-

Rose Gray (Mitte) packt in ihrem Restaurant selbst mit an. Kulinarische Inspirationen sucht sie sich gemeinsam mit ihrer Freundin und Mitinhaberin in Italien.

ralen London. Nebenan steht das riesige Büro von Richard Rogers, Ehemann von Ruth Rogers und in den Adelsstand gelobter Lieblingsarchitekt von *new labour*. Lloyd's of London, das Büro des Fernsehsenders Channel Four und der Millenium Dome gehören zu seinen neueren Entwürfen. Tony Blair bat Ruth Rogers und Rose Gray zur Amtseinführung sogar um ein Gabelfrühstück. Die seit Jahrzehnten miteinander befreundeten Großmütter lieferten ihm Parmaschinken und frische Feigen.

Das River Café war von Beginn an ein Erfolg. „Weil wir genau wussten, was wir wollten", glaubt Rose Gray. „Wir waren älter und nicht mehr so leicht von unseren Vorstellungen abzubringen." Und dazu gehört Folgendes: Gutes Essen in einem ansprechenden, entspannten Umfeld, guter Service, der über die Beschaffenheit des Essens Aus-

kunft geben kann, im Stil nie übertreiben, aber immer auf alles achten, Nicht zuletzt haben wir immer sehr gute Köche." Manchmal machen die ehemaligen Lehrlinge von Rose Gray und Ruth Rogers die große Karriere, wie etwa Londons neuer Koch, Fernsehstar und Kochbuchautor Jamie Oliver. „Wir sind noch immer eine große Familie, auch wenn wir mittlerweile 75 Mitarbeiter beschäftigen", erklärt Rose Gray. Das spürt, wer zwischen Lunch und Dinner einen Blick durch die komplett verglaste Fensterfront des Restaurants werfen kann. Dann hat die Bedienung die Tische gerade neu eingedeckt und gesellt sich hinter der langen Arbeitstheke zu den Köchen. Nun wird in aller Ruhe gemeinschaftlich Gemüse geputzt, werden Kräuter gehackt und Knoblauch gepellt. Das erleichtert nicht nur den acht Köchen die Arbeit, sondern schafft

Seeteufel mit gegrillter Aubergine und gelber Paprika mit Petersilienmus ist einfach und klar im Geschmack. Das Gericht erfordert nur wenige Zutaten und ist, auch ohne holzbefeuerten Ofen, gut nachzukochen. Das Fischfilet wird in nur wenig Öl, Salz und Zitronensaft in einer Fischpfanne im Ofen angebraten und dann mit Petersilie bestreut. Paprika und Aubergine mit Öl bestreichen und ebenfalls im heißen Ofen garen.

In ihrem zwischen Restaurant und Themseufer angelegten Mustergarten zeigen die Inhaberinnen Rose Gray und Ruth Rogers ihren Lieferanten, wie Gemüse und Kräuter des River Café aussehen sollen.

auch eine heitere, fast ausgelassene Stimmung, die an die Vorbereitungen für ein kleines Sommerfest auf dem Land erinnert.

DER MUSTERGARTEN – GESCHMACKSVORLAGEN FÜR DIE LIEFERANTEN

Ihre Leidenschaft für italienisches Essen geht so weit, dass Rose Gray und Ruth Rogers von ihren häufigen Besuchen in Italiens Küchen und Gärten Samen importieren. Die gedeihen auch im kühlen nordeuropäischen Klima, denn der klassische englische Bauerngarten war früher dem italienischen Nutzgarten recht ähnlich; erst in der Nachkriegszeit ging die Vielfalt zugunsten von Standardprodukten zurück. Wer selten zum Samen sammeln nach Italien kommt, dem hilft der Londoner Importeur Seeds of Italy per telefonischer Bestellung aus dem hauseigenen Katalog weiter.

Zwischen Restaurant und Themseufer liegt der kleine Mustergarten von Rose Gray und Ruth Rogers. Mit den hier selbst gezogenen Gemüsearten und Kräutern vermitteln die beiden ihren Lieferanten, wie ihre Ware aussehen und schmecken soll. Zwischen Calendulablüten, die ausgebacken werden, Fenchel für den Fisch, Brennnesseln für den Salat und Borretsch für die *ribollita* stehen Blumen. Sie locken Insekten an, denn zumindest im Vorzeigegarten wird biologisch-dynamisch angebaut. Beim Ankauf der Produkte gelingt das den engagierten Köchinnen nicht immer, da England den Großteil seiner Bioware bis heute importiert. Die Kräuter für das

River Café stammen von einem 130 Kilometer entfernten Bauernhof, der seine Ware jeden Tag direkt ins Restaurant transportiert. Die Kräuter vom Großmarkt, das findet zumindest Rose Gray, sind im Vergleich dazu nicht mehr so frisch; manchmal verändert sich sogar ihr Geschmack.

POLENTA CON CAVOLO NERO E SALSICCE

In der Toskana wird der *cavolo nero* (*Brassica oleracea*), der enge italienische Verwandte des deutschen Grünkohl, überall angebaut, denn er gehört in die traditionelle *ribollita*, einem toskanischen Eintopfgericht mit Brot, Bohnen und Kohl. Wie der Grünkohl muss auch der *cavolo nero* schon den ersten Frost hinter sich haben, um genießbar zu werden. Im River Café wird der Schwarzkohl bei Lieferengpässen durch Grünkohl ersetzt. Das nachfolgende Rezept ist für sechs Personen und stammt aus dem „River Café Cookbook Green".

FÜR DEN CAVOLO NERO

2 kg frischer *cavolo nero*, ohne Strünke und harte Außenblätter	
12 frische *salsicce*-Würste	
4 Lorbeerblätter	
grobes Meersalz und schwarzer Pfeffer aus der Mühle	
8 Knoblauchzehen	
4 EL Olivenöl *extra vergine*	
1 TL Fenchelsamen, zerstoßen	
120 g frisch geriebener Parmesan	
120 g zerlassene Butter	

FÜR DIE POLENTA

350 g Polentagrieß	
2 l Wasser	
1 EL grobes Meersalz und schwarzer Pfeffer aus der Mühle	

Für die Polenta Wasser in einem Topf mit Stahlboden aufkochen. Salz zugeben. Polentagrieß unter ständigem Rühren langsam einrieseln lassen, bis der Grieß keine Klümpchen mehr aufweist und eine cremige Konsistenz besitzt. Bei Niedrighitze 45 Minuten unter mehrfachem Rühren köcheln lassen. Mit Pfeffer abschmecken.

Würste mit Lorbeer und Wasser in einer großen Bratpfanne abgedeckt aufkochen und 30 Minuten garen lassen, bis das Wasser verdampft ist. Im ausgetretenen Fett anbraten.

Einen großen Topf mit Salzwasser aufsetzen und den *cavolo nero* mit sechs ganzen Knoblauchzehen acht bis zehn Minuten weich garen. Abgießen und abtropfen lassen, dabei drei bis vier Esslöffel Kochwasser und die Knoblauchzehen auffangen. Zwei Drittel des Gemüses mit den Knoblauchzehen sowie dem Kochwasser in einer Küchenmaschine grob pürieren. Mit Salz und Pfeffer abschmecken.

Olivenöl in einer gusseisernen Pfanne erhitzen und zwei Knoblauchzehen in Scheiben sowie Fenchelsamen darin weich dünsten. Den restlichen *cavolo nero* darin anbraten und gut würzen. Warm halten.

Gemüsepüree mit der Polenta vermengen. 60 Gramm Parmesan und die ganze Butter unterziehen, mit Salz und Pfeffer abschmecken. Mit etwas gedünstetem *cavolo nero* und den Würsten servieren, mit dem restlichen Parmesan bestreuen.

DAS CONRAN-IMPERIUM
DER POSITIVE GLOBALISMUS

Im Jahr 1954 eröffnete Terence Conran nach zwei Suppenküchen mit dem Orrery auf der King's Road sein erstes richtiges Restaurant. 1971 kam im neu entdeckten Viertel Covent Garden das Neal Street Restaurant dazu; heute gehört es seinem Schwager, dem Kochbuchautoren Antonio Carluccio. In den dazwischen liegenden Jahrzehnten schuf Terence Conran sein unverwechselbares, international bekanntes Design, wurde ein äußerst erfolgreicher Geschäftsmann und konnte sein Gespür für Trends umsetzen. So gelang es ihm, potente Geldgeber davon überzeugen, in die Kriegsruinen auf der gegenüberliegenden Seite des Tower zu investieren. Der Komplex von Butlers Wharf wurde von den Londonern sofort angenommen. Neben mehreren Conran-Restaurants beherbergt er das Design Museum, ein Studentenwohnheim und andere Wohneinheiten.

Seit den 80er-Jahren konzentriert sich Terence Conran wieder auf Restaurants und fügte seinem Imperium 12 Neueröffnungen zu, alle mit einer sehr unterschiedlichen Klientel. Getreu seinem Motto: „Die Leute wissen erst dann genau, was sie wollen, wenn man es ihnen anbietet", gibt der mittlerweile geadelte Sir Terence den Gästen Nahrung – kulinarisch und optisch.

EINE BILDERBUCHKARRIERE

Terence Conran – das ist eine Erfolgsgeschichte, wie sie jedes Land in jeder Generation nur wenige Male schreibt. Er hat die Ess- und Lebensgewohnheiten seiner Landsleute wesentlich beeinflusst, wurde geadelt und sein Privatvermögen wird auf hundert Millionen Pfund geschätzt.

Er ist nicht nur Designer und Architekt, sondern auch Verleger und Autor, Restaurateur, Koch und Gärtner, Vorstandsvorsitzender und Geschäftsmann. Begonnen hat auch er klein: als Betreiber einer Suppenküche und als Möbelbauer.

Für seine Verdienste inzwischen geadelt wurde Sir Terence Conran, der sein kulinarisches Imperium mit zwei Suppenküchen, Tatendrang und Visionskraft begann.

335

Die Optik der Conran-Restaurants ist Sir Terence bis ins Detail wichtig – wenig überraschend, denn er ist gelernter Designer und betreibt, nach Erfolgen mit der Einrichtungskette Habitat, noch heute sein Architekturbüro Conran Design Partnership.

Bei allem Erfolg hat sich Sir Terence, wie man ihn nicht ansprechen muss, etwas Essentielles bewahrt: Wagemut und Begeisterungsfähigkeit – Eigenschaften, um die ihn jüngere Kollegen beneiden, denn sie halten jung. Seine 70 Jahre sieht man ihm in keiner Weise an. Terence Conran bewegt sich mit Gelassenheit und aus seinen bemerkenswert blauen Augen leuchtet pure Konzentration. Auf die geliebten Zigarren – jedes Conran-Restaurant hat seine eigenen Aschenbecher – verzichtet er selbst am frühen Vormittag nicht. Terence Conran liebt Herausforderungen. Und gutes Essen. Was kann ihn an einem Restaurant noch beeindrucken? Nach längerem Nachdenken kommt die einsilbige und dennoch vielsagende Antwort: „Großzügigkeit". Damit meint er, „Blumen auf dem Tisch. Dass die Portionen richtig bemessen sind, nicht zu klein und nicht zu groß. Ob gute Butter zum

Brot gereicht wird. Auch ein Lächeln der Bedienung kann eine Geste der Großzügigkeit sein."

Klare Gedanken eines klassischen Selfmade-Man, der eher zufällig ins Restaurantgeschäft einstieg. Im England der Nachkriegszeit war es seinen Landsleuten relativ egal, an welchem Tisch sie ihr lebensmittelrationiertes Essen einnahmen, dessen mindere Qualität der englischen Küche noch heute ihren schlechten Ruf beschert. Doch der gelernte Möbeldesigner Terence Conran musste eine junge Familie ernähren. Seine Entwürfe zu Tisch und Bett sollten erst in den Swinging Sixties in den hauseigenen Conran- und Habitat-Läden zum erfolgreichen Markenzeichen werden. Aus Paris, wo er in einer Großküche gearbeitet hatte, importierte Terence Conran 1953 die Idee, einfaches und preiswertes Essen anzubieten und eröffnete unweit von Piccadilly Circus eine Suppenküche. Bis heute schätzt er den direkten Kontakt zum Kunden und kümmert sich um Innen- und Außengestaltung seiner Restaurants.

Er konzentriert sich auf die wesentlichen Dinge des Lebens. Als solche schätzt Conran ein gutes Messer, das einzig wichtige Werkzeug in seiner Küche, und den Appetit auf Essen, „das noch nach der Erde schmeckt, aus der es stammt".

EIN ABENDGANG DURCH CONRAN-RESTAURANTS

Dem Essengehen einen neuen Status verleihen, das ist Terence Conran mit seinen Restaurants, die er mit seinem Architektenbüro CD Partnership zum Teil auch selbst entwarf, gelungen. Beim Rundgang durch einige seiner Restaurants lässt sich London von einer anderen Seite entdecken.

Wenn eine verzinkte Theke einem Restaurant in Sicht- und Hörweite der Regent Street den Namen gibt, ist sie etwas Besonderes: Zwölf Meter lang. Angeblich ist sie die längste Zinkbar Londons, auch wenn ihr Designer sich in Paris inspirieren ließ, wo die Theken der klassischen Cafés nach ihrem wesentlichen Bestandteil getauft wurden – *zinc*. Wenn es Wetter und Jahreszeit zulassen, wird es noch pariserischer: Dann stellen die Mitarbeiter des Restaurants Zinc Bar & Grill in der kleinen Seitenstraße, die in eine Sackgasse mündet, Tische und Stühle vor die Tür. Der Anblick wird David-Bowie-Fans bekannt vorkommen. Hier ließ sich der Sänger für das Cover seines Albums „Ziggy Stardust and the Spiders from Mars" ablichten. Die Küche ist einsehbar und

Nach seinem ersten Restaurant The Orrery benannte Terence Conran eines seiner neueren Lokale. Gutes Essen, stolze Preise.

liefert klassische Bistrogerichte wie Meeresfrüchte, frische Salate und Pommes Frites.

Das Quaglino's im feinen Stadtteil St. James eignet sich für den großen

Auftritt. Die Küche ist relativ einfach. Die Restaurantausstattung nicht. Sämtliches Mobiliar, inklusive der Salz- und Pfefferstreuer, wurde eigens für dieses Restaurant entworfen. Die Lichtsetzung ist raffiniert, die Flächennutzung gekonnt, Glas, Chrom, Bronze, Aluminium, Leder, Holz prägen die Innenausstattung. Der „Altar der Krustentiere", ein Conran-Markenzeichen, darf nicht fehlen. Die Bedienung trägt Designer-Uniformen, die Sohn Jasper, ein Modemacher, entworfen hat.

Optisch und kulinarisch edel ist das Bibendum im Michelin Building. Getreu dem Horaz entlehnten Trinkspruch *nunc est bibendum* radelt der Michelin-Mann in den leuchtend blauen Buntglasfenstern des Restaurants beschwingt vor sich hin. Im Inneren des Restaurants diente seine pneumatische Form als Inspiration für die Wein-Dekanter; entsprechend ausgesucht ist die Weinliste. Die Speisekarte ist vorwiegend französisch. Das Bibendum bietet bis 23.30 Uhr ein kleines Mitternachtsmahl. Zu dieser Zeit gilt nur noch die erste der beiden Bemerkungen des Gastrokritikers Nick Foulkes über das Restaurant: „Hier gehen Gourmets essen, wenn sie viel Ahnung und sehr viel Geld haben".

Klassische englische Küche offeriert das Butlers Wharf Chop House. Hier, im „Haus des Kotelett", ist das Essen eine ernste Angelegenheit, die Portionen sind groß und ihr Geschmack herzhaft. Mittags erinnert das Restaurant an einen gediegenen Pub, in dem man wahlweise drinnen oder draußen sitzen kann. Abends bietet es den glücklichen Gästen mit Fensterplatz einen tollen Blick auf die angestrahlte Tower Bridge.

Nach seinem ersten Restaurant benannte Sir Terence Conran Jahrzehnte später eine Neugründung, die im hochpreisigen Segment seines Restaurantportfolios angesiedelt ist. Wenig überraschend, liegt es doch in unmittelbarer Nähe des feinen Regent's Park. Nicht immer ist die Speisekarte die erste Priorität von Conran-Restaurants – in diesem Falle jedoch schon.

ADRESSEN

Bibendum, Michelin House, 81 Fulham Road, London SW3, Telefon: 020/ 72 25 12 22, U-Bahn: South Kensington
Butlers Wharf Chop House, 36e Shad Thames, London SE1, Telefon: 020/ 74 03 34 03, U-Bahn: Tower Bridge
Orrery, 55 Marylebone High Street, London W1, Telefon: 020/76 16 80 00, U-Bahn: Baker Street
Quaglino's, 16 Bury Street, London SW1, Telefon: 020/79 30 67 67, U-Bahn: Green Park
Zinc Bar & Grill, 21 Heddon Street, London W1, Telefon: 020/72 55 88 99, U-Bahn: Piccadilly Circus

MATTHEW HARRIS BIBENDUM-LAMM

Nach der Kochlegende Simon Hopkinson hat Matthew Harris die Leitung der Küche übernommen. Auch in seiner Küche finden sich die herzhaften, fast ländlich anmutenden Gerichte, die mit wenigen, dafür aber qualitativ hochwertigen Zutaten auskommen. Sein Original verzichtet auf die in Rezeptbüchern typischen genauen Mengenangaben. Hier ist eine Kostprobe aus seinem Wintermenü. Für acht Personen reichen vier Rippenstücke aus.

4 Rippenstücke vom Lamm
500 g Blätterteig
1 Bund Rosmarin
2 kleine Döschen Anchovis
100 g schwarze Oliven, entsteint
1 kg Zwiebeln, in feine Ringe geschnitten
Lammfond
Olivenöl
Salz und schwarzer Pfeffer aus der Mühle

Ofen auf 220 °C vorheizen. Blätterteig drei Millimeter dick ausrollen und Kreise von sieben Zentimeter Durchmesser ausstechen. Die Oberflächen mit einer Gabel einstechen. Zwiebeln in einer großen Pfanne mit dem halben Bund Rosmarin bei Niedrighitze in Öl anschwitzen. Die Zwiebeln müssen weich sein, aber wenig Farbe annehmen. Mit Salz und Pfeffer abschmecken und kühl stellen. Fleisch in einer Pfanne in heißem Öl anbraten, dann 20 bis 25 Minuten im Ofen rosafarben garen. Herd auf 180 °C herunterschalten und die mit Zwiebeln, Anchovis und Oliven belegten *pissaladières* (Blätterteigkreise) 15 bis 20 Minuten backen. Unterdessen aus Lammfond, dem Bratensud und restlichen Rosmarin eine Sauce zubereiten. Warm servieren.

Die ganze Bandbreite von Conran-Restaurants: Das gemütliche Butlers Wharf Chop House in Blickweite des Tower (oben) und das edle Orrery (unten).

Jonathan Attwoods Berufsethos: „Wenn es nicht aussieht, als käme es vom Caterer, dann haben wir Caterer gut gearbeitet." Manchmal stört es den sympathischen jungen Mann, für wesentlich jünger gehalten zu werden.

ICH BIN LONDONER
CATERINGCHEF JONATHAN ATTWOOD

Caterer Jonathan Attwood ist noch unter 30, wurde für seine Verdienste aber bereits mit dem Branchenpreis ausgezeichnet. Auf diese Anerkennung seitens der Kollegen ist Attwood sehr stolz, obwohl ihm öffentliche Anerkennung nicht fremd ist. Im heimischen Wales war er Kinderstar im BBC-Programm. Eigentlich wollte er diese Karriere als Teenager fortsetzen, aber der so selten erfolgreiche Durchbruch zum Erwachsenenstar war auch ihm nicht beschieden. Er entschied sich für das Catering, lernte sein Handwerk von der Pieke auf, und verließ nach dem Collegeabschluss seine Heimat.

Denn Wales ist nicht unbedingt der richtige Ort, um eine Karriere zu beginnen. Besonders dann nicht, wenn diese an der Haustür des Premierministers beginnt. Dorthin hatte es den 21-jährigen Jonathan verschlagen, als er völlig überraschend und ganz kurzfristig eine Vertretung übernehmen musste. Sein Boss bei der PR-Agentur, die 10 Downing Street betreute, hatte sich die Hüfte gebrochen und Jonathan Attwood war der einzige Kollege, der zu dieser Zeit für ihn einspringen konnte. Ein derartig hochrangiges Parkett kannte auch der ehemalige Fernsehprofi nur vom Hörensagen. „An die entsetzten Gesichter erinnere ich mich noch heute", lächelt er vergnügt. „Ich sah aus wie 14 und habe den Assistenten des Premierministers, darunter auch Vertretern des Militärs, bestimmt kein Vertrauen eingeflößt. Aber ich wollte den Job, denn ich wusste, wenn ich mir zutraue, an dieser Haustür zu klingen, würde ich mir alles im Leben zutrauen."

Dieses Erfolgserlebnis hat ihn weit gebracht. Mittlerweile ist er Chef von Bluebird 2 U – dem Cateringservice des Restaurants und edlen Einkaufsparadieses. Er wohnt in Gehweite seines Arbeitsplatzes, allerdings nicht in einer eigenen Wohnung, die in diesem Stadtteil unerschwinglich wäre, sondern – typisch für London – als Untermieter mit eigenen Zimmer und Zugang zu Bad und Küche. Trotzdem genießt er seine neue Heimat. „Jeden Morgen stehe ich auf dem Balkon, blicke auf die Themse, esse mein Frühstücksobst, plane im Kopf den Tag und bin stolz, hier zu sein".

WENIG SCHLAF
UND VIEL ADRENALIN

Selten bekommt der 27-jährige Jonathan Attwood mehr als ein paar Stunden Schlaf pro Nacht. Wenn eine Veranstaltung vorbei ist, ist der Job des Caterers noch lange nicht zu Ende. Nach dem Abbau beim Kunden wandern alle Gerätschaften in der gleichen Nacht zurück ins Bluebird. Bis zwei oder drei Uhr morgens ist Jonathan Attwood dann auf den Beinen. Der Wecker klingelt wieder kurz nach sechs Uhr.

Wie viele Leute, die sich der Gastronomie verschrieben haben, schreckt Attwood der zeitintensive Charakter seines Berufs wenig. Er liebt den Kontakt mit Leuten und geht Aufträge mit kreativer Akribie an. Das Essen ist nur ein Teil eines Auftrags. Das Gesamtkonzept soll einen bestimmten Stil ausdrücken, Musik, Service, Häppchen, Ausstattung – alles muss zusammenpassen.

„Für die Ausstattung frequentiere ich Märkte und Requisitenlager", erklärt Jonathan Attwood. „Dort finde ich Porzellan, das durch Alter und Gebrauch krakeliert ist, wackelige Etageren oder französisches Leinen, wenn ein Kunde beispielsweise zum Cricket-Match einlädt und nach einer elegantaltmodischen Note sucht." Wichtig ist Authentizität; auf Alt gemachtes wirkt schnell geschmacklos. Mit der Suche nach solchen Dingen verbringt er oft viele Stunden, aber er wird meist fündig. „Ob klassisch oder opulent, oder modern und schnittig – der Look ist wichtig, und wir als Caterer müssen die ganze Bandbreite abdecken können."

ORGANISIERTES CHAOS
GEHÖRT DAZU

Ein Sondierungsgespräch vermittelt einen ersten Eindruck von den Wünschen des Kunden. Nun wird ein detaillierter Vorschlag erstellt, der dem Kunden neben den Kosten außerdem ein Bild davon vermitteln soll, wie an dem Tag eine bestimmte Atmosphäre erzeugt werden wird. Ist es ein Abendtermin, zeigt sich am Nachmittag, wie er laufen wird. Denn nun tauchen Probleme auf. „Immer", lächelt Jonathan Attwood. „Die Kanapees sind kleiner geraten als gedacht, die Blumen fangen das Welken an, die Schokoglasur wird nicht fest, irgend etwas ganz Wichtiges trifft nicht ein."

Zwei bis drei Stunden vor der Veranstaltung wird alles verpackt, das Essen so weit wie möglich vorbereitet, im Baukastensystem angeliefert und vor Ort zusammengesetzt. Höchstens anderthalb Stunden bleibt dem Team für den Aufbau. Jonathan Attwood entpuppt sich

TAROWURZEL MIT KNUSPRIGER ENTE IN HOISINSAUCE

„Gemeißelte minimalistische Kanapées", so nannte die „Times" die Häppchen, die Jonathan Attwoods Team zur Eröffnung der Tate Modern für 4000 internationale Gäste bereithielt. Das Bluebird offeriert seine Version der neuen pazifischenn Küche mit mediterranen und asiatischen Einflüssen. Für 20 Stück.

1 Entenbrust, küchenfertig vorbereitet
Chinesisches Fünf-Gewürze-Pulver
1 Tarowurzel
1/4 Salatgurke
1 kleine rote Chili
1 Frühlingszwiebel
Pflanzenöl zum Ausbraten
2 Esslöffel Hoisinsauce

Ofen auf 180 °C vorheizen. Die Entenbrust leicht mit Fünf-Gewürze-Pulver einreiben. Zwischen 20 und 30 Minuten im Ofen backen, bis sie gar ist. Abkühlen lassen. Unterdessen die Tarowurzel putzen und wahlweise in Scheiben oder Vierecke von fünf Zentimeter schneiden. Die Salatgurke und die Chili in

feine Julienne-Streifen schneiden und beiseite stellen. Die Frühlingszwiebel putzen und in diagonale Streifen schneiden. Tarowurzel in heißem Öl goldbraun ausbacken; vorsicht, sie verbrennen leicht. Das Entenfleisch in schmale Stücke schneiden und knusprig frittieren. Abkühlen lassen. Leicht mit Hoisin-

sauce bestreichen. Nun die Gurken-Julienne zu kleinen Päckchen zusammendrehen und die Tarowurzelscheiben damit belegen. Darauf vier bis fünf Stücke Entenbrust legen und diese mit zwei Scheiben Frühlingszwiebel und zwei Julienne-Streifen Chili belegen. Binnen 15 Minuten servieren.

bei solchen Gelegenheiten immer wieder auch als Psychologe. „Den Gastgebern drücke ich einen großen Gin Tonic in die Hand und stecke sie in die Badewanne, damit sie nicht die Nerven verlieren. Es sieht nämlich aus wie ein Chaos, wenn gleichzeitig Lieferanten mit Trockeneis, Häppchen, Musikanlage oder Dekoration ankommen, aber für uns ist es ein organisiertes Chaos." Das Team von Bluebird nimmt nicht nur prestigeträchtige Großaufträge an, son-

dern widmet sich auch kleinen Aufträgen mit Liebe und Sorgfalt. Der kleinste? „Ein Korb mit Aphrodisiaka zum Valentinstag. Alles sollte im Bett verzehrt werden können. Safran, Kaviar, Champagner, Blumen – nur die Kerzen musste der Herr noch selbst anzünden."

ADRESSE
Bluebird und Bluebird 2 U, 350 King's Road, London SW3, Telefon: 020/ 75 59 10 00, U-Bahn: South Kensington

---

NOTTING HILL
SPAZIERGANG DURCH EIN WELTSTÄDTISCHES DORF

Der Anschein, erst der internationale Filmerfolg „Notting Hill" habe das Viertel gleichen Namens über Nacht zum Leben erweckt, trügt. Bereits 1966 drehte Michelangelo Antonioni hier seinen Film „Blow Up!", der das Lebensgefühl einer Generation verkörpert. Der jährliche Karneval und der berühmte Markt der Portobello Road ziehen seit Jahrzehnten die Menschen an. Vor 150 Jahren war Notting Hill eine Pastorale. Seit den 50er-Jahren ist es Dauerwohnort von Künstlern und Autoren.

Ein Streifzug durch die Bars und Pubs von Notting Hill und der benachbarten Ortsteile Holland Park und Westbourne Grove verdeutlicht den Grund dafür. Dieser Stadtteil nordwestlich des Hyde Park gleicht einem Mikrokosmos. Auf wenigen Quadratkilometern stehen baumbestandene Alleen mit prachtvollen Herrenhäusern und sanierungsbedürftige Sozialbauwohnungen, fällt der Blick aus dem blank polierten Range Rover auf weniger betuchte Menschen, die in vernachlässigter Kleidung neben dem Chauffeur

vorbeischlurfen, trifft Rastakultur auf marokkanische Einwanderer. Hier prallen Reichtum und Armut, Geschmack und Trash, Schönheit und harte Drogen aufeinander. Die Trennung verläuft zwischen der Portobello und der All Saints Road, doch solche Grenzen sind nicht nur fließend, sondern verschieben sich. Neueste Entwicklung: Einstiger sozialer Wohnungsbau wurde privatisiert und ist nun begehrtes Wohnobjekt. Das macht Notting Hill lebensechter als Stadtteile wie Chelsea oder South Kensington, jedoch nicht billiger. Das Viertel ist der Jagdgrund von Pop- und Filmstars.

Die Lieblingstränke in Notting Hill ansässiger Medienleute ist das 192 (oben). Bei Krankenhausfans schuf sich Enfant terrible Damien Hirst mit dem Pharmacy (unten) ein bleibendes Image.

STARS IN NOTTING HILL

Die Liste der Prominenten, die einst oder jetzt in Notting Hill ansässig waren oder sind, ist lang. Popikonen wie Robbie Williams und Damon Albarn gehören dazu, Maler wie Lucian Freud und David Hockney. Etablierte Regisseure wie Bernardo Bertolucci und Newcomer wie Guy Ritchie, Schauspieler Joseph Fiennes, Alan Rickman und Persönlichkeiten wie Richard Branson fühlen sich seit den 50er-Jahren in Notting Hill wohl. Vielleicht, weil niemand wirklich von ihnen Notiz nimmt.

Nicht nur Kurzlebiges wird in Notting Hill geboten. Das The Cow serviert den Klassiker Austern mit Guinness (beide Bilder oben), im Liquid Lounge gibt es` frisch gezapfte Bierklassiker wie Stella Artois und Grolsch (beide Bilder unten).

Notting Hill ist – je nach Blickwinkel – hip, geschmackvoll, international oder sehr englisch. Die landesweiten Bekleidungs- und Pubketten konnten die liebenswerten Spezialgeschäfte für Türklinken, Farben, Koch- und Gartenliteratur, Gewürze, Tattoes und spanische Lebensmittel noch nicht verdrängen. Auch der Buchladen, in dem Julia Roberts sich in Hugh Grant verliebt, existiert noch. Im wahren Leben verkauft der Travel Bookshop Reiseliteratur.

DIE PUBS UND BARS VON NOTTING HILL

Für einen klassischen *pub crawl* sind die Pubs und Bars von Notting Hill und unmittelbarer Umgebung viel zu schick und teuer. Früh einläuten lässt sich der Gang dennoch. Bereits um 16.30 Uhr beginnt im 192, einer Art Dependance des Groucho Club, die Happy Hour. Mehr als 80 Weine kann die junge und schicke, oft aus der Medien- und Werbebranche stammende Klientel hier verköstigen. Im gleichnamigen Restau-

---

NOTTING HILL CARNIVAL

Im Jahr 1958 kam es zwischen den schwarzen Einwanderern aus dem Commonwealth und den weißen Teddyboy-Gangs des Viertels noch zu blutigen Auseinandersetzungen, verewigt in Colin MacInnes Roman „Absolute Beginners" Solche Integrationsprobleme gehören größtenteils der Vergangenheit an. Der Notting Hill Carnival, 1964 auf Anregung eines Sozialarbeiters erstmals veranstaltet, um für Integration der karibischen Immigranten zu werben und gleichzeitig deren Stolz auf ihre eigene Kultur zu bestärken, mag dazu beigetragen haben. Durchschnittlich zwei Millionen Besucher zählt der zweitägige Karneval, der jährlich am letzten Augustwochenende (am Sonntag und dem darauf folgenden Montag, der als *bank holiday* ein landesweiter Feiertag ist) stattfindet. Salsa, Soca, Samba und Steel Music liefern den musikalischen, karibische, afrikanische und asiatische Küche den kulinarischen Hintergrund. An diesem Wochenende ist ein Pubbummel nicht zu empfehlen, denn die meisten Pubs schenken vor geschlossenen Türen aus. Der fünf Kilometer lange Zug ist rund um Ladbroke Grove zu sehen. Der Notting Hill Carnival gehört auch zu den größten Musikfestivals der Welt; selbst auf Supermarktparkplätzen spielen Bands auf.

und ordentliche Biere, darunter auch einige *real ales*. Der Ladbroke Arms ist hingegen geräumig – zusätzlich zu zwei Innenetagen besitzt er noch eine der begehrten Terrassen.

ADRESSEN
192, 192 Kensington Park Road, London W11, Telefon: 020/72 29 04 82, U-Bahn: Notting Hill
Ladbroke Arms, 54 Ladbroke Road, London W11, Telefon: 020/77 27 66 48, U-Bahn: Holland Park
Liquid Lounge, 209 Westbourne Park Road, London W11, Telefon: 020/72 43 09 14, U-Bahn: Westbourne Park
Pharmacy, 150 Notting Hill Gate, London W11, Telefon: 020/72 21 24 42, U-Bahn: Notting Hill
Portobello Star, 171 Portobello Road, London W11, Telefon: 020/72 29 80 16, U-Bahn: Notting Hill
Prince Bonaparte, 80 Chepstow Road, London W2, Telefon: 020/73 13 94 91, U-Bahn: Notting Hill
The Cow, 89 Westbourne Park Road, London W2, Telefon: 020/72 21 54 00, U-Bahn: Westbourne Park
The Notting Hill Carnival Limited, 332 Ladbroke Road, London W10, Telefon: 020/89 64 05 44, U-Bahn: Ladbroke Grove
The Travel Bookshop, 13 Blenheim Crescent, London W11, Telefon: 020/72 29 52 60, U-Bahn: Notting Hill
Westbourne, 101 Westbourne Park Villas, London W2, Telefon: 020/72 21 13 32, U-Bahn: Westbourne Park

Die bewusst unterkühlte Atmosphäre des Pharmacy wird durch die äußerst interessante Klientel des Restaurants am Abend belebt.

rant gibt es moderne europäische Küche. Auch die Bar des Pharmacy besitzt ein angeschlossenes Restaurant, beides konzipiert von Damien Hirst. Die Inspiration ist unverkennbar: Optisch hat sich die Bar auf Medikamentenschränke eingestellt. Im The Cow ist der Inhaber Tom Conran, Sohn von Sir Terence Conran, auch selbst zu Gast. Kein Wunder: Das klassische Guinness wird auf Wunsch mit einem halben Dutzend frischer Austern auf gestoßenem Eis serviert. Die Liquid Lounge öffnet bereits zum Frühstück und ist noch spät abends chic. Der Prince Bonaparte hält Gerichte aus der neuen englischen Pubküche bereit, während der Portobello Star ein Pub der klassischen Sorte ist. Das Westbourne gehört zu den Treffpunkten, für die Londoner schon mal quer durch die Stadt reisen: Der sogenannte *destination pub* ist sehr voll, serviert gute Küche

LONDON ON FOOT

SCHLEMMEN UND SHOPPEN IN UPPER STREET ISLINGTON

Knapp zweieinhalb Kilometer lang verläuft die Upper Street im Stadtteil Islington. Von der U-Bahn-Station Angel führt sie fast geradeaus vorbei am modernen Business Design Centre zur Linken, den Antiquitäten der Camden Passage zur Rechten. Viele Geschäfte zum Stöbern zwischen Schmuck und Inneneinrichtung sowie Buchläden säumen sie bis zur Eisenbahnstation Highbury & Islington. Doch ein Spaziergang über die Upper Street lohnt nicht nur wegen der guten Einkaufsmöglichkeiten. Diese Straße lädt zum Bummel durch ein globales Dorf ein, denn rund 30 Restaurants

Reizvoll zu jeder Tages- und Nachtzeit ist die Upper Street, die man zu Fuß erkunden sollte. Der lange Marsch macht Appetit.

APPETITHAPPEN FÜR NEW LABOUR

Die alten Labour-Kämpen haben auch gegessen. Nur war es nicht Teil ihres offiziellen Schlachtplans. New Labour rund um Tony Blair lebte und aß in Islington und demonstrierte Stil, ähnlich der deutschen Toskana-Fraktion vorzugsweise in den mediterranen Restaurants des englischen *Chiantishire*. Inzwischen ist Familie Blair weggezogen und das Granita konnte seinen guten Ruf als Restaurant um die Ecke bewahren, für das man gerne auch mal quer durch die Stadt fährt. Das äußerst sparsam möblierte und sehr trendige Restaurant wirkt von außen erst dann einladend, wenn sich ab ungefähr acht Uhr abends die Gäste einstellen. Das beste Restaurant in Islington.

bieten eine Bandbreite an Länderküchen, die selbst im internationalen London ihresgleichen sucht. Es gilt Koreanisches, Amerikanisches, Europäisches, Türkisches, Vietnamesisches, Afghanisches und Italienisches zu probieren – in der Rôtisserie Aberdeen-Rind, im Pasha *mezze*, im Lola's Zitronenrisotto. Dass Islington mittlerweile

zu den hochpreisigen Stadtteilen gehört, spiegelt sich im Upper Street Fish Shop wieder, dessen Speisekarte neben *chippie*-Klassikern auch Austern und Jakobsmuscheln anbietet. Aber politisch liberal ist Islington trotz der hohen Preise geblieben. Nicht weit entfernt von der Gourmetmeile liegen am Wenlock Basin Hausboote, hier lebte einst auch der Schriftsteller George Orwell und hier stand einer der ersten Punk-Pubs. Mag Punk auch wirken wie von vorgestern: Begründet wurde Islington noch viel früher – von den Angelsachsen. Ländlich blieb es bis zum 19. Jahrhundert, als es als einer der ersten außerhalb des Stadtzentrums gelegenen Teile Londons industrialisiert wurde. Zu Anfang des 20. Jahrhunderts begann Islington zusehends zu verslummen. In den 60er- und 70er-Jahren entdeckte die Alternativkultur den Stadtteil mit seiner interessanten Bausubstanz und den niedrigen Preisen für sich; auch liegt Islington nur wenige U-Bahn-Haltestellen von der City entfernt. Heute ist Islingtons Gesamtauftritt politisch-korrekt und international.

ADRESSEN

Die Upper Street Islington ist nur wenige Minuten von der U-Bahn-Station Angel entfernt.

SIE ERWECKTE MEDITERRANE TRÄUME

Heute ist es eine Selbstverständlichkeit, international zu essen und zu kochen – und das ist zum Teil auch Elizabeth David zu verdanken. Die 1992 verstorbene, anerkannteste englische Kochbuchautorin des 20. Jahrhunderts, lehrte eine ganze englische Nachkriegsgeneration nicht nur das Kochen, sondern auch das Träumen. Ihr erstes Buch „A Book of Mediterranean Food" erschien 1950. Die darin veröffentlichten Geschichten und Rezepte rund um das Mittelmeer strotzten vor Lebensfreude und Einfallsreichtum, sie erzählten von lichtdurchfluteten Küsten, duftenden Zitronenhainen und prallen reifen Tomaten – zu einer Zeit, als in England selbst Grundnahrungsmittel, Tee eingeschlossen, nur auf Bezugsmarken zu bekommen waren. Inmitten von Butter-, Sahne-

Eine faszinierende Frau und inspirierende Kochbuchautorin – die 1992 verstorbene Elizabeth David.

und Eierersatz begannen die Engländer zu träumen – und lernten das Kochen, denn eine ganze Generation hatte während des Krieges, als landesweit Kantinen eingeführt wurden, damit die Frauen in den Fabriken arbeiten konnten, selten eine Küche von innen gesehen.

Auch Elizabeth Davids spätere Bücher über italienische und französische Küche wurden große Erfolge und hielten die Reise- und Kochlust der Engländer wach. Nicht nur die sorgfältig recherchierten Rezepte machten den Charme ihrer Bücher aus, sondern auch die Erfahrungen, die sie aus ihrer eigenen Vita einfließen ließ. Auf einem Boot, das vor Marseille lag, wurde sie vom Krieg überrascht und versuchte, mit ihrem damaligen Lebensgefährten auf einer mutigen Irrfahrt quer durch das Mittelmeer den Wirren des Zweiten Weltkriegs zu entkommen. Später kam sie nach Ägypten, einige Jahre darauf ging sie mit ihrem Ehemann nach Indien. Und überall lernte sie von Köchen, Marktbetreibern und Freunden Rezepte für landestypische Gerichte kennen, die sie authentisch weitergab und nie auf europäische Verhältnisse zuschnitt. Für ihre Verdienste wurde sie 1978 von der Königin mit dem britischen Verdienstorden Order of the British Empire (OBE) ausgezeichnet.

RISOTTO NERO

Für vier bis sechs Personen.

750 g Tintenfische mit Tintenbeutel
2 Knoblauchzehen, fein gehackt
7 EL Olivenöl
Saft von 1 kleinen Zitrone
1 Zwiebel, fein gehackt
250 ml Weißwein, trocken
750 ml Fleischbrühe oder Fischfond
250 g Vialone Reis
Salz
Pfeffer, frisch gemahlen
1 Bund glatte Petersilie, gehackt

Die Tintenfische säubern und die gefüllten Tintenbeutel vorsichtig in eine Schüssel legen. Den Tintenfischkörper und die Fangarme in feine Streifen schneiden. Knoblauch mit 3 Esslöffel Olivenöl und dem Zitronensaft vermischen. Über die Tintenfische gießen und 20 Minuten marinieren.

Die Zwiebel und in einem Topf mit 4 Esslöffel Olivenöl andünsten. Tintenfischstreifen abtropfen lassen, zugeben und unter Rühren anbraten. Die Marinade und den Weißwein angießen. Die Tintenbeutel öffnen und die Tinte mit in den Topf geben. 20 Minuten köcheln lassen, dabei hin und wieder etwas heiße Fischbrühe angießen. Den Reis zugeben nach und nach die restliche Fleischbrühe angießen und den Reis unter ständigem Rühren ausquellen lassen. Mit Salz und Pfeffer abschmecken und mit Petersilie bestreuen.

Oxo Tower

Errichtet wurde das Gebäude ursprünglich als Elektrizitätswerk für das Postamt. In den 20er-Jahren ging es dann in den Besitz der Liebig Extract of Meat Company über, die die englische Variante des deutschen Maggiwürfels, OXO, herstellten. Mit ihrem bekannten Logo wollten sie auch werben, was jedoch untersagt wurde. Architekt Albert Moore kam jedoch auf die findige Idee, aus dem Logo Fenster zu machen. So handelte es sich nicht mehr um Werbung, sondern um Kunst.

Bis Mitte der 70er-Jahre diente das Gebäude als Lagerhalle, denn es lag direkt am Kai. Dann verkam die Anlage und sollte im Zuge einer stadtplanerischen Neugestaltung zwischen dem National Theatre und Blackfriars Bridge ganz verschwinden. Nun regte sich lautstarker Protest und eine Bürgerinitiative zum Schutz des Oxo Tower wurde gegründet. Die Renovierung kostete 20 Millionen Pfund und erfolgte unter Beibehaltung vieler originalgetreuer Merkmale; dafür gab es mehrere Architekturpreise, darunter den des Royal Institute of British Architects (RIBA).

Heute beherbergt der Oxo Tower Wharf neben Sozialbauwohnungen und Designerstudios, deren Produkte sich direkt vor Ort erwerben lassen, auch einen auf moderne Küche ausgerichteten Schnellimbiss, das vom Guide Michelin empfohlene Restaurant Oxo Tower und die neue Brasserie Neat. Vom achten Stock des Gebäudes hat man einen atemberaubenden Blick auf beide Seiten der Themse und direkt auf die St. Paul's Cathedral.

Die unvergleichliche Atmosphäre der Themse bei Nacht. Der Blick fällt vom gegenüberliegenden Ufer auf moderne Bürogebäude. Der Oxo Tower wirkt dazwischen nicht weniger modern.

ADRESSE

Oxo Tower (und Brasserie), Barge House Street, London SE1, Telefon: 020/7803 3888, U-Bahn: Blackfriars

Neat, Second Floor, Oxo Tower Wharf Barge House, Telefon: 020/7928 4433, U-Bahn: Blackfriars

LONDON FOOD
WAS MIT GELD NICHT ZU BEZAHLEN IST

L ondon bietet für jeden Geldbeutel etwas. Und mehr: Erleb-
nisgastronomie im echten Sinne des Wortes – unbezahlbare
Erfahrungen, Erlebnisse und Eindrücke.
Wer zu einer Gartenparty in Buckingham Palace geladen wird, hat sich oft
lange unentgeltlich bei karitativen Organisationen engagiert und kann zusammen mit 8000 anderen Gästen an einem
Sommernachmittag der Königin die
Hand schütteln und sich mit Kuchen,
Sandwiches und Tee stärken.

Beeindruckend ist auch die Küche
einer Feuerwehrstation. Zwischen blank-
gewienertem rostfreiem Edelstahl kochen Feuerwehrleute die Lieblingsge-
richte ihrer Kollegen.

Auch andere Traumberufe kann man
in London verwirklichen. Etwa Restaurantkritiker zu sein oder sich als PR-
Expertin der Eröffnung von Restaurants
und Bars zu widmen. Oder sich als Master of Wine den Lebensunterhalt mit
der Leidenschaft für Wein zu verdienen.

Ebenfalls an eine Berufszugehörig-
keit geknüpft ist das Mittagessen in einem der grünen Taxifahrerhäuschen.
Mit einfacher Hausmannskost und sehr
viel Tee stärken sich dort Londoner *cabbies* – kein Zutritt für Außenstehende.

Am anderen Ende der kulinarischen
Skala liegen die hochrangigen Restaurants. Nach einem Jahr harter Arbeit
wird jedes Jahr gebannt auf die Vergabe
der Michelin-Sterne gewartet: Denn
diese sind nicht käuflich.

In der Küche des Rules werden andere Gelüste wach. Hier hängen Fasane
fachmännisch ab. Eine Etage höher
sitzen die Jäger in klassisch englischem
Ambiente und warten auf die Zubereitung ihrer Trophäe. Dieser exklusive
Genuss setzt neben der Teilnahme an
einer Jagdpartie auf dem hauseigenen
Landgut nicht bezahlbares Jagdglück
voraus. Unbezahlbar ist auch ein Drink
im Privatclub – einer Institution, die
den Wandel der Zeiten überlebt hat und
heute von Rockstars ebenso frequentiert wird wie von Politikern und Wirt-
schaftskapitänen. Hier erlebt man, was
London wirklich im Überfluss besitzt:
faszinierende Menschen.

Ein *tea taster* bei
der Arbeit.
Beim Verkosten
wird das aufge-
brühte Getränk,
infusion, nicht
getrunken, son-
dern in den
Mund gezogen
und nach Farbe,
Stärke, Geruch
und Aroma be-
wertet.

FASAN IM RULES
MIT JAGDGLÜCK IS(S)T
MAN DABEI

eigenen Landgut sein Abendessen selbst zu erlegen. Dafür entrichten Gäste oder andere hochrangige Köche und Restaurantmanager der Stadt eine Gebühr, und dann benötigen sie neben einem Jagdschein nur noch eins: Jagdglück.

Im Jahr 1798 wurde das Rules eröffnet. Das zweihundertjährige Bestehen nahm man zum Anlass für eine glanzvolle Feier. Romanciers wie John le Carré, Evelyn Waugh, Graham Greene oder Penelope Lively haben über das Rules geschrieben, Charles Dickens, W. M. Thackeray, John Galsworthy und H. G. Wells hier gegessen und Schauspieler wie Buster Keaton, Charles Laughton, Clark Gable, Charlie Chaplin und John Barrymore die mit alten Stichen und holzvertäfelten Wänden ausgestatteten Räume als würdigen Rahmen zu schätzen gewusst. Das Rules erinnert an die edle Gemütlichkeit englischer Landsitze, obwohl es mitten im Zentrum von Covent Garden liegt. Im Obergeschoss des weitläufigen Restaurants, das durchgehend von zwölf Uhr mittags bis Mitternacht geöffnet ist und von 30 Köchen bewirtschaftet wird, fin-

Stolz verweist das Rules schon an der Fassade auf seine mehr als 200 Jahre alte Geschichte. Innen (rechts) wirkt es bei aller Pracht und Opulenz allerdings nie überbordend, sondern stilvoll anheimelnd.

Das Rules ist das Restaurant, in das Londoner gerne ihre ausländischen Freunde führen, wenn diese einmal etwas typisch Englisches sehen wollen. Alternativ ärgern sie sich, wenn es ihnen im richtigen Augenblick doch nicht eingefallen ist und die Freunde aus Übersee im Pub an der Ecke landen und eine enttäuschte Miene ziehen. Das Rules ist so englisch, dass man meinen möchte, es sei eine amerikanische Erfindung.

Was das Restaurant jedoch authentisch macht, ist sein ganz und gar unamerikanisches Angebot, auf dem hauseigenen

Auf kleine Details wird auch im ersten Stock des Restaurants, wo sich Gesellschaftsräume befinden, Wert gelegt. An der Wand hängen Könige, Dichter und Showbiz-Größen vergangener Zeit.

den sich ansprechende und gemütliche kleine Gesellschaftsräume, die nach den englischen Legenden Charles Dickens, King Edward VII., Graham Greene und John Betjeman benannt sind und ohne Aufpreis vergeben werden.

Die Speisekarte orientiert sich an der klassischen englischen Küche, was in diesem Fall nicht als Drohung zu verstehen ist. Auf den restauranteigenen Anwesen Lartington High Lake und Lartington High Park werden echter Wildlachs, Wildforelle, Dohlenkrebse (*Austropotamobius pallipses*), Reh, Kaninchen und Hase und natürlich das klassische englische Federwild, für das das Rules international berühmt ist, gefischt und erlegt, um von dort als traditioneller Genuss auf die Speisekarte zu

wandern. Schottisches Moorschneehuhn, Schnepfe, Krickente, Waldschnepfe, Moorhuhn und Fasan werden angeboten. *Game is good for you* – so wirbt das Restaurant um die Vorzüge von Wildfleisch und -geflügel. Der Fett- und Cholesteringehalt, der im Vergleich zu Lamm und Rind mit fünf bis sieben Prozent um ein Beträchtliches niedriger liegt, und die behutsame und artgerechte Verarbeitung sind eindeutige Vorzüge im Vergleich zur Masthaltung von Nutztieren. Kenner schätzen ferner den stark ausgeprägten Eigengeschmack von Feder- und Haarwild.

Das viktorianische Flair des Rules lockt auch Theatergänger. Vor und nach den Vorstellungen kann es hier sehr voll und hektisch werden.

AUF JAGD IN DEN HIGH PENNINES

John Mayhew ist der heutige Inhaber des Rules. Zweimal im Jahr laden er, sein Manager Ricky McMenemy und sein Chefkoch David Chambers andere Köche und Restaurantmanager auf die Jagd in den Norden Englands ein. Im Gebirgszug Pennines, der sich bis an die schottische Grenze erstreckt und als letztes Stück Wildnis Englands gilt, liegt das Anwesen, auf dem nun Beute gemacht wird. Sechs bis acht Mal jährlich finden *commercial shoots* statt, bei denen zahlungskräftige Gäste des Restaurants ihr Jagdglück am Abend bei der Entenjagd und am frühen Morgen des nächsten Tages bei der Fasanenjagd erproben dürfen. Dann wird die Jagdbeute abge-

hangen oder geräuchert, bis sie in den *maturation fridge* des Restaurants in London wandert. Dieser Spezialkühlschrank sorgt für eine gleichmäßige Reifung. Ein bis zwei Wochen später kann der Gast dann „seinen" Fasan im Rules genießen. 30 bis 40 Fasane serviert das Restaurant im Durchschnitt am Tag. Nicht alle davon selbst geschossen, versteht sich. Denn das Rules verfügt auch über eine ganz normale Speisekarte, von der jeder Restaurantbesucher wählen kann. Die Austern sind hier übrigens auch exzellent.

ADRESSE

Rules, 35 Maiden Lane, London WC2, Telefon: 020/78 36 53 14, U-Bahn: Covent Garden

Der Legende zu Folge hatten Jason und seine Agonauten nicht nur das Goldene Vlies im Gepäck, sondern auch den Fasan.

Den gerupften Fasan mit Garn binden und mit Speck umwickeln, damit er nicht austrocknet.

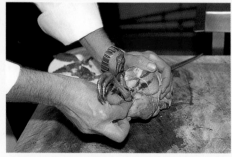

Den Fasan innen mit Butter einreiben und mit frischem Thymian und Lorbeerblatt füllen.

Die feine Beilage aus Waldpilzen, Kräutern, Maronen und Kartoffeln zubereiten.

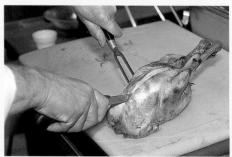

Nach 20 bis 25 Minuten Garzeit ist der Fasan tranchierbereit.

Die Beilage an den Fasan geben. Maronen sind in England eine typische Beilage.

Etwas Bread Sauce rundet den intensiven Wildgeschmack ab.

FASAN MIT BREAD SAUCE

FÜR EINEN FASAN MITTLERER GRÖSSE

2 Zweige frischer Thymian, abgerebelt
Salz und Pfeffer nach Geschmack
1–2 Blätter frischer Lorbeer
6 EL Butter
2 EL Pflanzenöl
1 EL Madeira
1/2 Bund Brunnenkresse, von Stielen befreit

Gerupften Fasan außen und innen mit Salz und Pfeffer einstreichen. Mit frischem Thymian und je einem Lorbeerblatt füllen und innen mit Butter einreiben. In einer gusseisernen Pfanne Butter und Pflanzenöl zu gleichen Teilen erhitzen, bis das Fett schäumt, aber noch keine Farbe angenommen hat. Das Geflügel zehn Minuten auf der einen, zehn Minuten auf der anderen Seite und abschließende zehn Minuten auf dem Rücken anbraten. In einen auf 180 °C vorgeheizten Ofen geben und 20 bis 25 Minuten garen, bis das Fleisch durch ist. Fasan zerlegen, den Bratensaft in der Pfanne mit Madeira ablöschen und mit Brunnenkresse aromatisieren.

Dazu serviert das Rules eine Beilage aus Kartoffeln, Waldpilzen, Kräutern, Rosenkohl oder Maronen und *bread sauce*.

BREAD SAUCE

Die mit frisch geriebenen Semmelbröseln angedickte Sauce wird traditionell zu Truthahnbraten, Brathuhn oder gebratenem Fasan gereicht. Für zwei Personen als Beilage zu einem Fasan.

1 Zwiebel, geschält
2–3 Nelken
1 Lorbeerblatt
250 ml Milch
6 EL frische Semmelbrösel
Salz und schwarzer Pfeffer aus der Mühle
2 EL Butter
1/2 EL Madeira

Zwiebel mit Nelken spicken. Mit dem Lorbeerblatt in der Milch aufkochen, dann einige Minuten köcheln lassen. Zwiebel und Lorbeerblatt entfernen. Mit einem Schneebesen Semmelbrösel in die Milch einrühren. Wenn die Brösel Farbe angenommen haben, mit Salz und Pfeffer abschmecken. Mit Butter montieren und mit Madeira abschmecken.

PRIVATE CLUBS UND BARS
MEMBERS ONLY

Clubland, wie man es sich vorstellt. In gediegenen Lederfauteuils und zurückhaltender Edel-Optik trifft sich hier schon seit Jahrhunderten die britische Elite. Manchmal sitzen politische Gegner zusammen – auch so wird Geschichte geschrieben.

Im 18. Jahrhundert siedelten sich im feinen Londoner Innenstadtviertel rund um die St. James's Street die ersten Clubs der Metropole an. Sie erfüllten mehrere Zwecke. Zum einen boten sie dem Landadel, Schauspielern, Angehörigen der Armee und anderen Reisenden ein standesgemäßes Quartier. Zum anderen konnten Männer hier ohne die Missbilligung der Ehefrau oder den besorgten Blick auf die Uhr Spiel- und Trinkexzessen frönen, denn Frauen war der Zutritt untersagt und eine offizielle Sperrstunde gab es nicht. Auch befanden sich die Clubmitglieder unter Gleichgesinnten, denn jeder Club kultivierte eine bestimmte Klientel. Neue Mitglieder konnten nur von *club members* vorgeschlagen werden; Nichtmitgliedern blieb der Zugang zu den Clubs verwehrt, außer wenn sie von einem Mitglied begleitet wurden. Diese Spielregeln haben sich bis heute nicht wesentlich geändert. Zwar gibt es heute Clubs für Lifestyle-Journalisten oder Rockmusiker und statt des Frauenverbots existiert schon eher eines für Handys. Aber Exklusivität bleibt höchstes Gebot.

Geld allein ist völlig unerheblich, wenn es um die Mitgliedschaft in einem Club geht. Der Beitrag ist, gemessen am Prestige einer Mitgliedschaft, sogar erschwinglich. Aber mit den Mitgliedschaften nimmt es jeder Club sehr genau. Diese werden von Mitgliedern oder einem Aufnahmeausschuss vorgeschlagen. Nicht alle Kriterien bei der Auswahl sind für Außenstehende zugänglich. Die richtige Branchenzugehörigkeit kann jedoch eine Rolle spielen. Begehrenswert ist eine Clubmitgliedschaft heute wie in früheren Zeiten aus mehreren Gründen. Die Clubkontakte lassen sich für privates und berufliches *networking* nutzen. Von einem solchen Netzwerk einmal abgesehen, beantworten Clubs auch die leidige Londoner Frage: Wo gehen wir jetzt noch hin? Ein Theaterbesuch oder ein langer Arbeitstag lassen sich außerhalb der Clubs auf Grund der Sperrstunde nicht mit einem mitternächtlichen Absacker oder gar einem Essen beschließen. Deshalb wird der Küche in den Clubs ein ebenso hoher Stellenwert eingeräumt wie den Öffnungszeiten: Oft sind Clubs bis in den frühen Morgen geöffnet und die Köche kommen aus renommierten Restaurants.

Das *clubland* rund um St. James's schreibt seit Jahrhunderten Geschichte. In dem dienstältesten, 1736 gegründeten Club White's verkehrten bereits Jonathan Swift und Alexander Pope. Im Reform Club ließ Jules Verne seinen Helden Phileas Fogg die berühmte Wette annehmen, in 80 Tagen rund um die Welt zu reisen. Im konservativen Carlton Club wurde 1922 der Sturz des liberalen Premiers Lloyd George eingeleitet. Im RAC trafen sich die Spione Guy Burgess und Donald Maclean zu einem letzten Lunch, bevor sie die Flucht in die Welt hinter den damaligen Eisernen Vorhang antraten. Erst in den 80er-Jahren vollzog sich ein Generationenwechsel. In Soho, Kensington und Covent Garden etablierte sich eine neue Clubgeneration – eingeläutet durch den Groucho Club, dessen Klientel sich aus der Medienwelt rekrutiert. Der Cobden Club hat Kate Moss im Aufnahmeausschuss, und das 1995 gegründete Soho House ist angeblich populär bei Hollywood-Stars wie Nicole Kidman.

Die besten Dining Clubs der Stadt sind Mark's Club, Harry's Bar und das neue, wenige formelle George. Die drei Clubs sind im vornehmen Mayfair situiert und gehören Mark Birley, dem Gründer des berühmten Nachtclubs Annabel.

TREFFPUNKT DER INTERNATIONALEN FILMELITE

Der Schein trügt. Knarzende Holzdielen, knackende Holzscheite im Kamin, ausgesessene gobelinbezogene Fauteuils und blank gewienerte Eichentische, das ist hier nicht über Jahrhunderte vererbte Tradition, sondern der Geschmack der Mutter des Clubinhabers Nick Jones, die den georgianischen Einrichtungsstil von Soho House auf Versteigerungen erwarb. „Teil des Übernahmevertrags", erinnert sich Nick Jones, „war die Instandsetzung und Rückführung des Gebäudes, das wir über unserem Restaurant Café Bohème erwerben konnten. Der Umbau legte dann einen Wohnkomplex mit drei Einzelhäusern aus Georgianischer Zeit frei. Daran haben wir uns bei der Ausstattung konsequent orientiert."

Das neue club-land von London. Die Bar des Soho House gehört seit Jahren zu den zahlreichen In-Treffpunkten der Stadt, allerdings nur für auserwählte Gäste, die hier Mitglied werden durften.

In diesem klassischen Ambiente hat sich einer der begehrtesten Clubs der ganzen Stadt angesiedelt. Bars, ein Restaurant, ein Dachgarten mit Grillplatz, Nischen, in denen sich Vertrauliches besprechen lässt, Veranstaltungsräume für Präsentationen, sogar ein Kino bietet der Club, denn die Mitglieder von Soho House kommen zu zwei Dritteln aus der Filmindustrie. Deshalb wird bei Mitarbeitern auch darauf geachtet, dass sie den Anblick der vielen Stars, die hier ständig ein- und ausgehen, mit einer gewissen Ungerührtheit überstehen. Absolute Diskretion ist Voraussetzung.

KABELJAU MIT SÜSSKARTOFFELN UND ROTER BETE

Im Restaurant wird an den in feinem Weiß gedeckten Tischen zwischen wunderschönen antiken Kerzenleuchtern eine gekonnte Mischung aus neuer britischer Küche mit kontinentalem Einschlag serviert. Dieses Gericht für zwei Personen stammt vom Küchenchef. Der praxisnahe Stil wurde beibehalten.

| 100 g gekochte rote Bete |
| 4 EL Rotweinessig |
| 1/2 Bund Frühlingszwiebeln, gehackt |
| 1/2 l Olivenöl *extra vergine* |
| 4 EL Wasser |
| 100 ml Madeira |
| Salz und Pfeffer |
| 1 Kabeljaufilet, entschuppt (um 300 g) |
| 2 EL Mehl |
| 2 Süßkartoffeln, geschält und in Scheiben von 1/2 cm geschnitten |
| 250 g Butter |
| 4 EL Öl |
| 500 g Spinat |
| 1 Prise Muskatpulver |
| 125 ml Hühnerfond oder Gemüsebrühe |

Ofen auf 200 °C vorheizen. Rote Bete in der Küchenmaschine zu einem groben Püree zerkleinern. In eine Schüssel geben. Mit Essig, Frühlingszwiebeln, Wasser und Madeira vermengen. Olivenöl in einem feinen Strahl mit dem Schneebesen einarbeiten. Mit Salz und Pfeffer abschmecken.

Eine Grillpfanne großzügig mit Butter einstreichen. Darauf die Süßkartoffeln schichten. Kartoffeln backen und wenden, wenn die Butter bräunlich wird. Fond angießen, abschmecken und im Ofen fünf bis zehn Minuten bei Mittelhitze backen. Kartoffeln wenden, nochmals fünf bis zehn Minuten weich garen;

gegebenenfalls weiteren Fond angießen. Den Fisch mit der Hautseite nach unten in Mehl wälzen. Mit zerlassener Butter einstreichen und mit Salz und Pfeffer abschmecken. Ofen auf 230 °C erhitzen. Drei Esslöffel Öl in einer Pfanne bis zum Rauchpunkt erhitzen. Fisch mit der Hautseite nach unten 30 Sekunden anbraten, dann im Ofen zehn Minuten weitergaren. Aus dem Ofen nehmen und warm halten.

Restliche Butter und 1 Esslöffel Öl in einer Pfanne erhitzen. Sobald die Butter Farbe angenommen hat, Spinat mit einer Prise Muskat darin garen. Abschmecken und abtropfen lassen.

Süßkartoffeln auf zwei Teller verteilen. Den Spinat darüber geben. Rote-Bete-Dressing an die Seiten träufeln. Fischfilet halbieren und über den Spinat schichten. Heiß servieren.

Das erfolgreiche Team von United Designers hat auch Trendrestaurants wie das Vong und Teatro gestylt. Hier hat ihre Gestaltung etwas Kühl-verruchtes an sich, wie es sich für eine Bar gehört.

Lee Glen stieß bereits zwei Monate nach Gründung im Jahr 1996 als Chefkoch zu Soho House. Er spricht oft von seinen *members* und macht deutlich, wie wichtig deren Wünsche dem Club sind. Mag sich Soho House gewissen Demokratisierungsbestrebungen geöffnet und Teile des riesigen Komplexes inmitten von Soho Normalsterblichen zugänglich gemacht zu haben: Die Trennung zwischen den Privaträumen der Mitglieder und den öffentlichen Räumen wird penibel eingehalten.

2000 Mitglieder sind es heute, und diese Zahl wäre um ein Beträchtliches höher, würde Soho House seine Warteliste von zwei bis drei Jahren verkürzen und mehr als 20 bis 30 neue Mitglieder pro Vierteljahr aufnehmen. Aber: „Das langsame Wachstum hilft uns, unser Niveau zu halten", erklärt Lee Glen.

PROMI-TREFF – DIE PRIVATE MET BAR

Ob sie die Met Bar mögen oder nicht, darüber sind sich die Londoner nicht einig. Vielen ist sie etwas zu snobistisch: Hier sind die Barkeeper von Giorgio Armani und Donna Karan eingekleidet. Aber für eine gewisse Klientel gehört es – vergleichbar der unfreiwillig auf der Polizeiwache verbrachten Nacht – zum guten Ton, hier wenigstens einmal mit einem Supermodel geflirtet zu haben. Prominenteren Londonern bietet die Met Bar die Möglichkeit, sich unbelästigt unter das Volk zu mischen.

Die Met Bar hat einen gewissen Ruf, und der ist gewollt. Mittlerweile haben auch andere Bars den Trend zum Privaten erkannt, doch der Pionier Met Bar verfügt über einen unschätzbaren Vorteil. Sie ist nicht nur Privat-, sondern

auch Hausbar. Die Bar gehört zum Metropolitan Hotel, das 1997 eigens für die internationale Medien- und Unterhaltungselite konzipiert wurde. Models, Musiker und Schauspieler lieben das kühl und sehr modern eingerichtete Hotel, und die Met Bar profitiert von deren Bekanntheitsgrad. Ob Robbie Williams einfach mal an der Theke einen Saft trinken will, Bruce Willis sich wieder der Musik widmet und Platten auflegt, ob Boygroups ihren verzweifelten Verehrerinnen vor dem Hotel entkommen möchten – in der auf Martini-Cocktails spezialisierten Bar gelingt es ihnen. Fans müssen draußen bleiben. Jedenfalls ab 18 Uhr.

Vorher hat die Met Bar ihren Straßeneingang geöffnet und ist auch für Nichtmitglieder zugänglich. Die Cocktails sind bereits ab 10 Uhr morgens herausragend, die rechte Stimmung stellt sich jedoch erst am späteren Abend ein. „Sexy, geheimnisvoll und gleichzeitig intim", so beschreibt sie Barmanagerin Claire Cessford. Im Gegensatz zum kühlen Interieur des Hotels schimmern dann verruchte Gelkerzen, wirkt die vom Team United Designers entworfene rot-dunkelbraune Farbpalette ebenso stimulierend wie die ledergepolsterten Möbel. Täglich außer sonntags legt ein Discjockey bis nachts um drei Uhr auf.

WODKA-COCKTAIL MIT WALDBEEREN

Zu den beliebtesten Cocktails der Met Bar gehört dieses Rezept mit Waldbeeren.
Mit 27 verschiedenen Wodka-Sorten ist die Auswahl an Wodka der Bar beeindruckend. Der für dieses Rezept dort verwendete Wodka stammt aus Polen.

50 ml Soplica	
250 ml gemischte Waldbeeren (Erdbeeren, Blaubeeren, Himbeeren, Brombeeren)	
1 Schuss Crème de Cassis	
1 Schuss Fraise de Bois	
1 Schuss Framboise	
1 tiefgefrorenes Cocktailglas	
Eiswürfel	

ADRESSEN

George, 80–81 Mount Street, London W1, Telefon: 020/76 29 10 96, U-Bahn: Green Park
Soho House, 40 Greek Street, London W1, Telefon: 020/77 34 51 88, U-Bahn: Leicester Square
The Cobden Club, 170 Kensal Road, London W10, Telefon: 020/89 60 42 22, U-Bahn: Kensington High Street
The Groucho Club, 44 Dean Street, London W1, Telefon: 020/74 39 46 85, U-Bahn: Tottenham Court Road
The Met Bar at the Metropolitan Hotel, 19, Old Park Lane, London W1, Telefon: 020/74 47 10 00, U-Bahn: Hyde Park Corner

DANNY FIRESTONES
STRAWBERRY MURE

50 ml Wodka

6 frische Erdbeeren

1 dicke Scheibe frische Ingwerwurzel

einige Spritzer Limettensaft

1 Barlöffel Zucker

1 Schuss Fraise de Bois

150 ml Ingwerbier

1 Highball-Glas

Eiswürfel

DIE FRANZÖSISCHE KÜCHE IN LONDON

Foie gras, feine Saucen, edel gedeckte Tische, ein großes Weinkontor und mittendrin ein Rugbyball – die französische Küche in London scheut sich nicht davor, unkonventionelle Wege zu gehen.

Die Auswahl an Restaurants ist in London ebenso groß wie in New York oder Paris. Das war aber nicht immer so. Londons Entwicklung zu einer kulinarischen Metropole begann erst vor einem Jahrhundert. Damals waren viele der Restaurants französisch, denn daher stammten auch die ersten großen Köche Carême und Auguste Escoffier. Wer sich einen Wochenendtrip nach Paris nicht leisten konnte, musste in London auf französisches Essen und ein bisschen Atmosphäre nicht verzichten. Die Ursprünge der französischen Küche in London lassen sich allerdings bis zum 17. Jahrhundert zurückverfolgen: Klassiker waren damals wie heute Ragout, Morcheln, Schnecken, Froschschenkel. Noch heute ist die Vergabe der Michelin-Sterne fest in französischer Hand: Zum Unmut von Restaurantkritikern und -betreibern, die berechtigterweise meinen, die Tage der klassischen französischen Küche seien gezählt. Im Jahr 2001 wurden erstmals verstärkt asiatische Restaurants mit Auszeichnungen bedacht; ein Novum, denn der große Teil der mit einem, zwei oder drei Sternen oder einem *bib gourmand* für gute Küche zu reellen Preisen ausgezeichneten Restaurants hat sich noch dem französischen Vorbild verschrieben. Allerdings mit einer Bandbreite, die die klassischen Grenzen zwischen Carême und Ducasse mit viel Erfolg zu durchbrechen versucht.

BOULESTIN – DER ERSTE STARKOCH LONDONS

Marcel Boulestin, der 1925 sein Restaurant Français am Leicester Square eröffnete, mag den Starköchen von heute Inspiration gewesen sein. Er war nicht nur Koch, sondern der erste Autor, dem in der englischen Ausgabe der Zeitschrift „Vogue" regelmäßig eine Kolumne über das Kochen reserviert wurde.

Er gab außerdem Kochkurse bei Fortnum & Mason und debütierte als Koch im britischen Fernsehen. Seine zeittypischen Rezepte klingen für den heutigen Leser nostalgisch, sind aber dennoch leicht nachzukochen. Boulestin ebnete anderen französischen Köchen wie Pierre Koffmann den Weg.

wuchs als großes Vorbild. Die eigene Küchenbrigade nennt ihn schlicht „chef"; anderen Michelinstern-Trägern kommt sein Name nur mit Respekt von den Lippen. Er ist der Boss, und er weiß es.

Sein Restaurant La Tante Claire ist auch nach dem Umzug ins edle Berkeley Hotel Institution geblieben. Die auf Französisch geschriebene, kleine und erlesene, dafür überdimensional große Speisekarte offeriert den maximal 45 Gästen Klassiker aus der französischen Küche; es gibt „Lapereau à l'unisson", „Magret de canard", „Côte de veau", „Sous la mère" und natürlich das Gericht, mit dem er sich zur Restauranteröffnung vor über 20 Jahren endgültig einen Namen erkochte, „Pied de cochon". Koffmann machte diesen heimischen Bistroklassiker in London berühmt und sich selbst mit dazu, denn damals boten hochpreisige Restaurants kein Schweinefleisch auf der Karte an. Die Kritiker wussten, worüber sie schreiben und die anderen Köche – so zumindest lautet Koffmanns Interpretation –, was sie kopieren konnten. Denn Koffmann hält bis heute London nicht für die Welthauptstadt der guten Küche: „Die Welthauptstadt der unterschiedlichsten Länderküchen, das vielleicht. Aber noch heute ist Paris das kreative Zentrum. Hier in London hat doch kaum ein Koch wirklich eigene Rezepte;

„Nach der Schule bewarb ich mich in einer Kochschule – in der Annahme, ich müsste noch nicht richtig arbeiten, sondern könnte weiter die Schulbank drücken."

GAR NICHT TANTIG – LA TANTE CLAIRE

Pierre Koffmann ist die graue Eminenz unter Londons französischen Köchen. 1971 siedelte der gebürtige Gascogner mit dem berüchtigten Stolz seiner Musketiervorfahren nach England über. Im Alter von 29 Jahren hatte er bereits sein eigenes Restaurant. Noch heute gilt der mittlerweile 50-Jährige dem Nach-

jeder schmuggelt sie von französischen und spanischen Restaurants einfach auf die eigene Speisekarte. Wenn sie mich schon kopieren, dann hätten sie doch Schweineohren statt meiner Schweinsfüße nehmen können, aber das ist niemandem eingefallen." Der Grundstein zu kulinarischer Kreativität, glaubt Monsieur Koffmann, jeder Zoll ein stolzer Gascogner, wird viel früher gelegt. In Frankreich wird das Kochen in der Familie weiter gegeben, von der Großmutter oder Mutter an die Kinder. Und da in englischen Haushalten noch viel weniger gekocht wird, existiert diese Tradition seiner Meinung nach auch nicht.

Neben den Gerichten legt Pierre Koffmann auch großen Wert auf seine Auswahl an Weinen, die sämtlich aus Frankreich kommen. Hinter Glas auf edlem Holz nimmt ein feines Weinkontor eine ganze Breitseite des in einer modernen Art-Déco-Interpretation gehaltenen Restaurants ein. Über 500 Flaschen lagern hier. Denn die Gäste, das weiß Koffmann, kommen nicht nur wegen des Essens, „auch wenn wir Köche uns das gerne einreden." Wein ist ein wichtiger Bestandteils eines Essens und schafft eine entspannte, heitere Stimmung, die die Menschen ihr Essen genießen lässt.

Er selbst genießt es, jeden Tag noch selbst in der Küche zu stehen. Für ihn

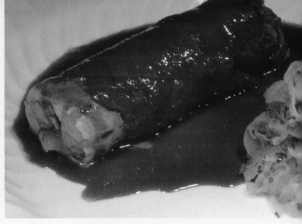

PIED DE COCHON
MIT MORCHELSAUCE

4 Schweinsfüße, entbeint
100 g Möhren, gewürfelt
100 g Zwiebeln, gewürfelt
150 ml trockener Weißwein
1 EL Portwein
150 ml Kalbsfond
250 g Kalbsbries, blanchiert und gehackt
80 g Butter und 1 EL kalte Butter für die Sauce
20 getrocknete Morcheln, eingeweicht
1 kleine Zwiebel, fein gehackt
1 Hühnerbrust ohne Haut, gewürfelt
1 Eiweiß
200 ml Crème double
Salz und Pfeffer aus der Mühle

Ofen auf 160 °C vorheizen. Schweinsfüße in einer Kasserolle mit Möhren und Zwiebeln in dem mit Wein und Portwein aromatisierten Kalbsfond drei Stunden abgedeckt garen. Unterdessen Kalbsbries fünf Minuten in 80 Gramm Butter anbraten, abgetropfte Morcheln und gehackte Zwiebel zugeben und weitere fünf Minuten garen. In der Sauce abkühlen lassen. Hühnerbrust mit Eiweiß und Crème double in der Küchenmaschine pürieren und mit Salz und Pfeffer abschmecken. Mit dem Kalbsbries vermengen. Schweinsfüße aus dem Sud heben; Kochsud aufbewahren, Gemüse entfernen. Schweinsfüße aufschneiden, flach drücken und auf Alufolie legen. Abkühlen lassen. Die ausgekühlten Schweinsfüße mit der Huhn-Bries-Masse füllen und in der Alufolie zu einer festen Rolle drehen. Mindestens zwei Stunden im Kühlschrank ruhen lassen. Ofen auf 220 °C vorheizen. Schweinsfüße in der Folie in einer Kasserolle 15 Minuten im Ofen aufwärmen. Auf vier Teller geben, Folie entfernen. Kochsud in der Kasserolle auf die Hälfte reduzieren. Sauce mit der Butter montieren und noch heiß über die Schweinsfüße geben. Gleich servieren.

Auf feine Optik legt Pierre Koffmann in seinem Restaurant La Tante Claire Wert. Erst vor wenigen Jahren fand der Umzug aus Chelsea in das elegante Berkeley Hotel unweit des Hyde Park statt.

gleichbedeutend mit purem Adrenalin, die Möglichkeit, immer etwas Neues auszuprobieren und in Kontakt mit jungen Leuten zu bleiben.

Inzwischen ist Pierre Koffmann die graue Eminenz unter Londons Starköchen. Es gibt Kritiker, die seine Küche für passé halten und neue französische Stars wie Pascal Aussignac bevorzugen. Pierre Koffmann ist eben so klassisch wie der Salon des Berkeley Hotel. Und die Tante? „Tante Claire hieß die Tante des ersten Chefkochs, für den ich gearbeitet habe."

DIE MICHELINSTERNE – KULINARISCHE KRIMIS

Als Gordon Ramsay im Jahr 2001 der dritte Stern verliehen wurde, kaufte er sich einen Sportwagen. Jeder Koch träumt davon, mindestens einen zu besitzen. Ungehalten reagierte Pierre Koffmann, als er von seinen drei Sternen einen abgeben musste. Pascal Aussignac vom Restaurant Club Gascon ist konsterniert, weil seine Küche im Tapas-Format bisher ignoriert wurde. Ein Michelinstern bedeutet eben Prestige – auch unter Kollegen.

TAPAS AUS DER GASCOGNE

Mit Pascal Aussignacs Club Gascon ist die Londoner Gastronomie-Szene um ein echt französisches Restaurant bereichert worden. Seine Popularität ist zweifellos verdient. Sie bringt intensive Arbeit mit sich. Es ist fünf vor zwölf. Wörtlich und im übertragenen Sinne. Um Punkt zwölf haben die ersten Gäste ihren Mittagstisch gebucht. Fünf Minuten vorher wird die kleine Messingplatte an der Eingangstür poliert, knotet sich der *sous-chef* die Haare mit einem Band fest zusammen, fegt der Jüngste der siebenköpfigen Küchenbrigade die Treppe und widmet sich dann dem Messinggeländer. Jeder ist seit kurz vor acht Uhr morgens hier. Die Bedienung wechselt in bequeme Schuhe. Der Chefkoch rückt im winzigen Empfangsbereich die zwei tiefen Lederfauteuils zurecht. Alle Mitarbeiter sind Franzo-

sen; gekocht wird ausschließlich nach den Rezepten aus Südwestfrankreich, selbst die Weine stammen daher. Dennoch spricht der wie Koffmann aus der Gascogne stammende Chefkoch und Mitinhaber Paul Aussignac von *tapas*, wenn er seine Kochphilosophie beschreibt. Die Portionen sind kleiner (und preiswerter) als gewohnt, damit sich der Gast von der Dreifaltigkeit aus Vorspeise, Hauptgericht und Nachspeise lösen kann. Aussignac empfiehlt vier bis fünf Gerichte, die kommen dann auf poetischen Spuren daher: „Von der Salzstraße", „Von den Weiden", „Aus dem Ozean"…

Der erste Eindruck täuscht nicht: Die Ausstattung im Cellar Gascon ist eindeutig vom Volkssport Nummer eins in Aussignacs Heimat inspiriert: Rugby. Verschiedene Käse- und Schinkensorten, Salami, Oliven (oben) – das sind im Cellar Gascon die klassischen *tapas*.

Pro Gast zwei Scheiben rohe Gänseleber, die auf einer Küchenmaschine in Scheiben von einem halben Zentimeter geschnitten wird. Mit einem Hauch Chiliessig beträufeln und zu einer Rose zusammen stecken. Mit schwarzem Pfeffer aus der Mühle und Meersalz bestreuen. Dazu hauchdünn aufgeschnittenes, getoastetes französisches Landbrot servieren.

Spezialisiert hat sich Club Gascon auf Stopfleber und war deshalb besonders stolz, dass die brancheninterne Bibel für das Restaurantgewerbe, „Caterer", zum ersten Mal seit ihrem Bestehen eine Titelgeschichte der Stopfleber widmete – mit Aussignacs Gericht „Carpaccio foie gras" als Titelbild. Die zögerliche, oft ablehnende Haltung vieler Deutscher gegenüber Stopfleber teilt Pascal Aussignac, wie die meisten seiner Landsleute, nicht. Und wie sie ist er der Meinung, dass die Tiere bei richtiger Haltung die täglich mit einem Trichter durch den Schlund verabreichte Über-dosis Mais sogar mögen. Für ihn besteht ein wesentlicher Unterschied zwischen der industriellen Schnellstopfung in zwölf Tagen und der langsamen Stopfung, die sich über 21 Tage hinzieht, wie sie die sieben zur Comité Renaissance zusammengeschlossenen Hersteller aus der Gascogne praktizieren. Ihr Federvieh hat freien Ausgang, wird nicht mit Genmais gefüttert und bringt daher andere Qualität. Der Unterschied zur industriell hergestellten Leber, die nur wenige Tage hält und deren Beschaffenheit und Geschmack oft minderwertig sind, ist offensichtlich.

PIPÉRADE

Eine einfache Gemüsesuppe aus der Gascogne schmeckt nur vor Ort – oder im Club Gascon.

1 Zwiebel, fein gehackt
4 Paprikaschoten, fein gehackt
4 Tomaten, fein gehackt
schwarzer Pfeffer aus dem Dorf Espelette
Fleur de sel
1 Prise Zucker
3 EL Olivenöl
4 rohe Wachteleier
4 Scheiben Bayonne-Schinken
4 Zweige Kerbel, gerebelt

Öl in einer Pfanne erhitzen und Zwiebel darin bei Niedrighitze goldgelb dünsten. Paprika und Tomaten zugeben. Mit Pfeffer, Salz und Zucker abschmecken und bei Niedrighitze zwei Stunden unter mehrfachem Rühren garen. Bei Bedarf Flüssigkeit zugeben. Schinken leicht in der Pfanne anbraten, Eier aufschlagen und braten. Anschließend die Suppe auf vier Teller verteilen und mit Schinken, Ei und Kerbel garnieren.

FLEUR DE SEL

Salz ist nicht gleich Salz. Für die ländlich-feine pipérade muss es das Beste sein – die Salzblume, gewonnen durch Sonneneinstrahlung. Die Bretagne, die Normandie und die Provence sind Hauptlieferanten dieses auch aus Kostengründen eher als Abschmeckung eingesetzten Salzes, das während der Sommermonate von der Kruste von ozeanischen Salzablagerungen abgekratzt wird und nicht nur nach Salz schmeckt, sondern auch einen feinen Blütenduft trägt.

HARTER START

In den 90er-Jahren explodierte die Restaurantszene in London förmlich. Damit erschloss sich, so meinten einige, eine neue und mühelose Einnahmequelle. Der harte Restaurantalltag sieht jedoch anders aus. Pascal Aussignac und sein Partner suchten über ein Jahr, bis sie in einem früheren Lyon's Corner House, das unter Denkmalschutz stand und baulich nicht verändert werden durfte, ansprechende und zudem erschwingliche Räumlichkeiten fanden. Ein weiteres Jahr dauerte der Umbau. In den ersten Monaten nach Geschäftseröffnung schlug Pascal Aussignac zwischen den Restauranttischen sein Feldbett auf, damit er noch in der Nacht wieder auf den Großmärkten der Stadt einkaufen konnte. Er wäre viel zu erschöpft gewesen, um noch nach Hause zu fahren und mehr als zwei Stunden Zeit zum Schlafen hatte er ohnhin nicht. „Niemand wollte uns beliefern. Ich nahm zehn Kilo ab. Der Kredit war ausgelaufen. Und plötzlich kam *die* Restaurantkritik." Sie stammte von Fay Maschler, der Kritikerpäpstin des Evening Standard. Kurz danach machte der sonst so gefürchtete AA Gill von der Sunday Times dem Club Gascon eine Liebeserklärung, und der Durchbruch war geschafft. „Wir hat-

„Meine Köche dürfen nicht dick sein", lacht Pacal Aussignac. „Dafür ist die Küche einfach zu klein."

ten an einem Tag 600 Vorbestellungen. Das hat uns sehr gefreut, aber auch verwundert. Denn wir sind nicht das beste Restaurant der Welt. Wir sind einfach nur ein Restaurant, das alles gut machen möchte."

Auch zwei Jahre nach der Eröffnung war Club Gascon bis zu acht Wochen im Voraus ausgebucht. Direkt nebenan wurde Cellar Gascon eröffnet, eine klassische französische Weinbar. Der erste Eindruck trügt nicht – man sitzt tatsächlich in Sesseln, die Rugbybällen nachempfunden sind. „Ich komme aus der Gascogne. Rugby ist unser Leben", sagt Pascal Aussignac.

Nun ist in Gehweite auch ein Delikatessgeschäft mit heimischen Erzeugnissen eröffnet. Die Müller, die ihm die Grundlage für das typische Bauernbrot der Region liefern, hat Paul Aussignac gefunden – natürlich in der Gascogne. Nur das Fleisch bezieht er von einem schottischen Erzeuger auf dem nahe gelegenen Großmarkt Smithfield. Aus gutem Grund: „Beim letzten Streit um BSE hat uns hier niemand die Fenster eingeschlagen. Hätte passieren können." Denn der Wirtschaftskrieg um Rindfleischex- und -importe wurde und wird durchaus auch handfest geführt. „Außerdem liebe ich London. Was wir hier erreicht haben, wäre in Frankreich unmöglich."

Mit dem Cellar Gaston hat Paul Aussignac direkt neben seinem Pub Gaston eine klassisch französische Weinbar eröffnet.

DER MASTER OF WINE
KORKENZIEHER BEI DER ARBEIT

Sie gilt als eine der schwersten Prüfungen der Welt – unter Fachleuten. Laien stellen sich die Prüfung zum Master of Wine eher als gut gelauntes Schnupper- und Schlürfvergnügen vor. 1953 fand die erste Prüfung statt: Von den 21 angetretenen Kandidaten erfüllten gerade sechs die hohen Anforderungen. Sie wurden die ersten Masters of Wine, auch MW genannt (in Anlehnung an die Abschlussgrade englischer Hochschulen wie MA oder MBA, die zwischen dem deutschen Doktortitel und Magistergrad angesiedelt sind). Noch heute gilt der MW als höchste Auszeichnung, die sich außerhalb der tatsächlichen Weinproduktion erwerben lässt. Nur rund 1900 Personen haben sich seit 1953 überhaupt an dieses Examen gewagt, davon waren bis 1999 nur 255 erfolgreich und der Großteil von ihnen erst nach mehrmaligen Versuchen.

In der Nähe der Southwark Bridge in Südlondon steht das Innungshaus, die Vintners Company, dessen Ursprünge bis ins Mittelalter reichen. Die Vereinigung übernahm religiöse und karitative Pflichten, kontrollierte bis ins 16. Jahrhundert den Weinhandel in London und dominierte ihn im restlichen Land. Als Zunft überwachte sie außerdem die Ausbildung von zukünftigen Weinhändlern: Es war üblich, dass die Schüler bei einem *master* in die Lehre gingen.

Anfang der 50er-Jahre wurde das Institute of Masters of Wine in Zusammenarbeit mit der im gleichen Haus ansässigen Wine & Spirit Association gegründet. Bis heute obliegen diesen Interessenverbänden die Aus- und Weiterbildung.

Über 10 000 Interessierte nehmen jährlich an den Examina des Wine & Spirit Education Trust (WSET) teil. Die Kurse dazu werden inzwischen auch in Deutschland angeboten.

Bei der Degustation sind unsere Sinnesorgane die Werkzeuge: Seh-, Riech- und Geschmackssinn. Die Farbe gibt Anhaltspunkte zur Rebsorte, Konzentration und zum Alter des Weins. Die Aromen in der Nase und der Nachgeschmack werden analysiert.

WIE WIRD MAN MASTER OF WINE?

Voraussetzung für eine Anmeldung zur Prüfung sind ein Minimum von fünf Jahren Berufserfahrung (im Weinhandel, der Produktion, der Gastronomie oder als Journalist) sowie eine Empfehlung einer Persönlichkeit aus der Weinindustrie. Der Kandidat muss außerdem Essays zu vorgeschriebenen Themen und Probenotizen vorlegen – auf Englisch. Im ersten und zweiten Jahr gibt es jeweils fünftägige Kurse als Prüfungsvorbereitung. Diese sind als Anleitung zum Selbstlernen zu sehen, nicht als Wissensvermittlung für die Prüfung. Der Student ist weitgehend auf sich selbst gestellt; allerdings wird ihm ein MW als Tutor zugeteilt, mit dem er sich regelmäßig besprechen kann. Das Examen ist in einen praktischen und einen theoretischen Teil untergliedert. Im praktischen Teil werden drei Tage

lang jeweils zwölf Weine blind degustiert. Im theoretischen Teil werden unter anderem Fragen zum Weinbau, zur Weinbereitung und zum Marketing gestellt.

Vorstufe zum Master of Wine ist das Diploma, das nach zweijährigem Studium erworben werden kann. Für die Organisation und Durchführung ist der Wine & Spirit Education Trust (WSET) zuständig, der ein exemplarisches Wachstum vorweisen kann. 1969 nahmen zwei Mann und ein Telefon in einem Büroraum die Arbeit auf und organisierten Weinkurse für den Weinhandel und die Gastronomie. Heute ist er auf zwei Etagen gewachsen und arbeitet mit 500 registrierten Zentren in 18 Ländern zusammen. Seit 1992 bietet er Profi- und Amateurkurse für den interessierten Weinliebhaber an.

MW – TRINKEN IST EINE ERNSTE ANGELEGENHEIT

Jeder Master of Wine (MW) muss nach erfolgreich bestandener Prüfung einen sogenannten Code of Conduct unterschreiben, der ihn verpflichtet, nach bestem Wissen und Gewissen und ausschließlich höchstem ethischen Standard zu handeln und sich seiner Auszeichnung damit würdig zu erweisen. Was klingt wie der Zulassungseid eines Privatcollege, ist mindestens genauso ernst gemeint. Empfehlungen und Beurteilungen eines Master of Wine, ob er nun als Autor (wie beispielsweise Jancis Robinson) oder Verkoster, als Verkäufer oder Schätzer tätig ist, sind ein international anerkanntes Gütesiegel. Und das ist nötig. Seitdem hochklassige Weine zu Spekulationsobjekten geworden sind und sich anschicken, proportional so unerschwinglich zu werden wie die Ge-

mäldeklassiker zu Zeiten des Kunstauktionsbooms der 80er-Jahre, ist der Bedarf an professionellen Weinkennern stetig gewachsen.

Seit 1987 stehen Aus- und Weiterbildung auch Studenten außerhalb des Königsreichs offen: Kurse und Examina werden jährlich neben London zusätzlich in Sydney und San Francisco – in den einflussreichsten Weinbauländern der Neuen Welt – veranstaltet.

Doch London importiert Weine aus aller Herren Länder, und genießt deshalb auf der ganzen Welt eine eindeutige und unangefochtene Vormachtstellung auf dem Gebiet der internationalen Weinkunde.

Im Mund schmecken wir vor allem Zucker, Säure, Tannine und Alkohol. Kombiniert man alle Eindrücke, lassen sich Rückschlüsse auf Qualität, Alter und Herkunft des Weines ziehen.

ADRESSE

WSET, Five Kings House, 1 Queen Street Place, London EC4, Telefon: 020/ 72 36 35 51, U-Bahn: Cannon Street

ICH BIN LONDONERIN

JANCIS ROBINSON, DIE WAHRE WEINKÖNIGIN

Margaret Mondavi, Mitglied der erfolgreichen kalifornischen Winzerdynastie: „Jancis Robinson besitzt yin und yang, das Gleichgewicht der Lebensenergien. Ihr ist es wirklich gelungen, Familie und Beruf in Einklang zu bringen."

Eine ruhige Seitenstraße, atmosphärische Großbürgerhäuser, gepflegte Vorgärten mit Rosen und altmodischen Stauden. Beim Erklimmen der Stufen zur Eingangstür fällt der Blick in eine große, gut ausgestattete Küche. Hier bereitet Nick Lander, im Hauptberuf Food-Kritiker der „Financial Times", gerade das Abendessen vor. Seine Frau Jancis Robinson empfängt zwischen Antiquitäten am Kamin. Dass sie die unangefochtene Nachfolge von Hugh Johnson als erfolgreichste Weinbuchautorin angetreten hat, mag man kaum vermuten, so unprätentiös und selbst für englische Verhältnisse außergewöhnlich freundlich ist sie. Vielleicht erdet sie auch die Tatsache, dass sie Mutter von drei Kindern ist. Wie sie das mit ihrem Terminkalender vereinbart, der sie durch die ganze Welt führt? „Mein Mann ist ein Heiliger".

Am 1. Dezember 1975 wurde sie Weinjournalistin. Damals waren Frauen in diesem Bereich selten. Der Weinhandel wurde, so ist es ihr Eindruck, von „snobistischen Herren der Upper Class"

dominiert. Die Auseinandersetzungen, die Jancis Robinson mit diesen Herren in der Folgezeit führte, hatten allerdings nichts mit der Emanzipation der Frau zu tun, sondern mit der des Weins. Seit einem Vierteljahrhundert setzt sich Jancis Robinson für die Demokratisierung des Weingenusses ein. 1983 wurde sie auch aus diesem Grund als Präsentatorin der BBC-Serie „The Wine Programme" ausgewählt. Der Serienproduzent suchte nach einer Frau, da er glaubte, Männer würden sich von anderen Männern nicht über Wein belehren lassen. Jancis Robinson schließt sich dieser Meinung an: „Frauen sind weniger dogmatisch, wenn sie über Wein sprechen. Sie müssen nicht immer Recht haben. Männer sehen die Wahl eines Weins als Ausdruck ihrer Persönlichkeit und ihres Status, vergleichbar der Wahl ihres Autos. Deshalb versuchen sie Fehler zu vermeiden, denn das würde ihrem Image schaden." Ein Richtig oder Falsch gibt es nicht, sagt sie kategorisch. Jeder Weintrinker hat seinen eigenen Geschmack, und: Geschmack kann sich ändern.

Château d'Yquem ist das bekannteste Weingut für edelsüße Spezialitäten im Weinbaugebiet Bordeaux. Vor allem der hohe Restzuckergehalt, aber auch Alkohol und Säure verleihen diesem Wein enormes Reifepotenzial.

Ein Jahr später erwartete Jancis Robinson ihr zweites Kind und bereitete sich gleichzeitig auf das Examen zum Master of Wine vor. Die Vorbereitungen wurden von der BBC als Dokumentation aufbereitet. „Als hätte ich den Mount Everest bestiegen", sagte sie später über ihre erfolgreich bestandene Prüfung. „Die Vorbereitungen waren extrem hart. Aber ähnlich wie starke körperliche Anstrengung kann auch extreme geistige Anstrengung ein rauschhaftes Wohlgefühl bescheren und das wiederum bringt Spaß."

16 Bücher hat Jancis Robinson, die weiterhin auch Fernsehsendungen über Wein moderiert und als freie Autorin bei Tageszeitungen und Fachmagazinen tätig ist, mittlerweile geschrieben. Der internationale Durchbruch kam mit dem Oxford-Wein-Lexikon. Die englische Erstauflage lag bei 150 000 Stück und avancierte zum Bestseller des wissenschaftlichen Verlags Oxford University Press; nur Sprachlexika verkaufen sich besser. Das Erfolgsgeheimnis: Nicht nur Weinfachleute, sondern auch Weinliebhaber leisten sich dieses renommierte Werk, an dem neben Jancis Robinson noch Fachleute wie Michael Broadbent und Hugh Johnson mitarbeiteten. Die zweite Auflage erschien nach

Als einer der zwei höchst klassifizierten Weingüter des Anbaugebiets Saint-Emilion werden selbst junge Jahrgänge des Château Cheval-Blanc zu sehr hohen Preisen gehandelt. Die Nachfrage ist so groß, dass die Flaschen zugeteilt werden.

fünfjähriger Überarbeitung im Jahr 1999, sogar auf Japanisch und in den zwei chinesischen Hauptsprachen.

Mit ihrer Fähigkeit, normalen Menschen komplexe Themen und Fachbegriffe auf zugängliche Weise zu vermitteln, hat sie ihr Ziel erreicht, den Weingenuss zu demokratisieren und war nicht unerheblich am heimischen Weinboom beteiligt.

Außerdem hat sie noch einen kleinen Nebenjob. Dank ihrer ungewöhnlichen Stimme bucht sie die BBC als Sprecherin für Dokumentationen. Eine außergewöhnliche Karriere – selbst ohne drei Kinder.

JANCIS ROBINSON UND IHRE LIEBLINGSTROPFEN

Natürlich hat eine Jancis Robinson ihre Vorlieben. Einen 1811er Château Yquem beispielsweise oder einen 1947er Château Cheval-Blanc in der Magnum Flasche – Raritäten, von denen es wohl weltweit heute nur noch wenige Flaschen zum Verkosten gibt. Und die heutige Auswahl? Nun, gerade hat sie für die Leser der „Financial Times" bulgarische Weine getestet und ihnen den Premium Cuvée Merlot 1999 vom Shumen Weingut empfohlen. Preis: unter fünf Pfund.

DIE TAXI SHELTERS
LONDONER TAXLER-TREFFEN

Das berühmte *black cab* wird heute nicht mehr gebaut. Neue Taxen sind jedoch ebenfalls geräumig mit Platz für bis zu sechs Personen. Doch man merkt ihnen an, dass sie im Windkanal entworfen wurden.

Die Londoner Taxen gehören ins Straßenbild wie die Busse und die Bobbies. Ihre Fahrer, die *cabbies*, bilden eine eingeschworene Gemeinde. Die Lizenz zum Fahren gibt es nur für eine ausgewählte Klientel, die sich vorher den Londoner Stadtplan einprägen muss. Eine harte Arbeit. Das Tagewerk eines Taxifahrers in der chronisch verstopften Metropole ist nicht minder anstrengend. Verschnaufpausen lassen sich im West End und anderen zentral gelegenen Stadtteilen in einem der elf noch betriebenen Taxiimbisse einlegen, die es zwischen Notting Hill Gate, Pont Street, Grosvenor Gardens oder Russell Square noch gibt. Über 60 dieser schmucken kleinen Holzhäuschen existierten einst. Heute werden die *taxi shelters* durch eine gemeinnützige Stiftung betrieben und stehen unter Denkmalschutz.

Ein Erkennungszeichen für Nicht-Taxifahrer ist die Farbe dieser Häuschen: Signalgrün. Doch essen dürfen hier ausschließlich Taxifahrer. Die *taxi shelters* gehen auf eine Initiative von Captain G.C. Armstrong zurück, dem es vor mehr als 100 Jahren negativ auffiel, dass sich Taxifahrer die Zeit auf den nächsten Fahrgast mit einem Besuch im Pub verkürzten. Nicht Trunksucht sei der Grund dafür, wurde er belehrt, sondern die Tatsache, dass die Kutschen vor Pubs parken konnten, ihre Fahrer etwas Warmes zu essen bekamen und in dem typischen Londoner Wetter keine Lungenentzündung riskierten. Da dem Captain die Nähe zum Alkohol dennoch bedenklich erschien, regte er die Einführung von *cabmen's shelters* an, vor denen Taxen mit definitiv nüchternen Taxifahrern stehen sollten.

Am 6. Februar 1875 wurde in der Acacia Road in St. John's Wood das erste Schutzhäuschen eingeweiht. 13 wei-

und der Maler John Singer Sargent von diesem Ambiente angezogen. Shackleton aß gerne mit den *cabbies* von Hyde Park Corner, Sargent bevorzugte den feinen Stand in der Nähe des Hotel Ritz auf Piccadilly. Doch nur wenige Auserwählte kamen außerhalb der Taxifahrerzunft in den Genuss eines Aufenthalts im *taxi shelter*, die sich früher zudem durch einen Obulus der Taxifahrer finanzierten, der später zugunsten einer geringfügigen Erhöhung der Preise von Speisen und Getränken ausgesetzt wurde. Wer heute ein *taxi shelter* (allerdings nur von außen) anschauen will, lässt sich am besten von einem der Londoner *cabbies* dorthin bringen.

In den hochpreisigen Innenstadtvierteln, wo sich selbst Betuchte nur winzige Wohnungen leisten können, stehen wie hier am Grosvenor Court noch die perfekt instand gehaltenen *taxi shelters*.

tere waren es bis Ende des Jahres. Das Projekt erfreute sich lange Zeit großer Popularität bei der Bevölkerung und genoss auch von königlicher Seite Protektion und finanzielle Unterstützung. Und auch wenn die Küche nur wärmen und sättigen sollte – mehr wäre auf dem beengten Raum gar nicht möglich gewesen – so fühlten sich berühmte Londoner wie der Polarforscher Shackleton

HISTORISCHE HAUSORDNUNG DER TAXI SHELTERS

1. Ein Besuch der Taxenhäuschen ist ausschließlich Taxifahrern vorbehalten.
2. Die zwei ersten Fahrer des Standplatzes müssen in ihren Fahrzeugen bleiben.
3. Das Fluchen ist untersagt.
4. Die Betreiber der Taxenhäuschen sind ausschließlich zum Verkauf von Tee, Kaffee, Brot und Butter an Taxifahrer ermächtigt. Die Preise sind festgelegt.
5. Die Betreiber der Taxenhäuschen sind angewiesen, auf die Einhaltung der Hausordnung zu achten.

DIE FEUERWEHR IN CHELSEA
ESSEN BEI DEN
KÖNIGEN DER KING'S ROAD

Mitten auf der King's Road steht die Feuerwache von Chelsea, stets zum Einsatz bereit. Neben ihrer Küche gilt der ganze Stolz der Männer ihren Feuerwehrautos, die immer auf Hochglanz poliert sind.

Es ist nachts um drei, irgendwann Ende Februar. In einem traurigen Tanz wirbelt der eisige Wind achtlos weggeworfene Zeitungen und ein paar letzte Schneeflocken durch die Luft. Fahlgelbes Licht scheint auf die spiegelglatten Straßen. Irgendwo bellt ein Hund. Plötzlich geht eine Sirene los, und gleich danach erleuchtet gleißendes Licht den Schlafraum der Chelsea Fire Station. 15 Feuerwehrmänner fahren senkrecht aus ihren Betten. Wenige Sekunden später sind sie, klassisch wie im Film, die Metallstäbe nach unten gerutscht, springen in ihre sorgfältig ausgerichteten Uniformen und erklimmen die Feuerwehrautos. *Station officer* Steve Roach verteilt den Einsatzbefehl an seine drei Fahrer, vor den Toren geht eine Warnblinkanlage an, die mehrere Meter hohen Türen öffnen sich, und die drei Feuerwehrautos der Station donnern nach draußen. Worum es sich bei dem Einsatz handelt, werden sie wahrscheinlich erst am Ort des Geschehens erfahren, es sei denn, sie erhalten unterwegs per Funk schon die Meldung *multiple calls*, dann ist bereits von einigen oder vielen Anwohnern Feuer gemeldet worden und sie wissen, dass sie sich auf einen gefährlichen Einsatz einzustellen haben. „In diesem Moment", sagt Steve Roach stolz, „drehen meine Männer auf – they go into overdrive". Und diesen Moment, so unwahrscheinlich das klingen mag, den lieben sie.

„Um Feuerwehrmann zu werden, braucht man eine gehörige Portion Verrücktheit", erklärt Steve Roach, der täuschend normal wirkende, durchtrainierte Großvater mit dem ansteckenden Kichern. Ob es sich um das Klischee der Katze auf dem Baum handelt, einen

392

Feuerwehrmann Alan Miles war früher Koch in einem französischen Hotel. Davon profitiert heute seine Brigade. Sein Credo: Gerichte können einfach und dennoch gut sein.

Verkehrsunfall, den Zimmerbrand eines Liebeskranken, der sich mit Rotwein und schummerigem Kerzenlicht in eine Katerstimmung versetzt hat, beim Aufstehen stolpert und wankend alle Kerzen in den Samt des Fenstervorhangs reißt oder um einen Etagenbrand, bei dem Menschen zu Tode kommen – die Feuerwehrmänner gehen jede Situation mit einem Höchstmaß an Umsicht und Mut an. „Mut muss ein Feuerwehrmann haben. In unserem Job sind wir echten Gefahren ausgesetzt. Das zu leugnen, wäre Unsinn", sagt Steve Roach, der von seinen Männern respektvoll *the guv'nor* genannt wird.

Es muss das Adrenalin sein, das in der Luft knistert und gleichzeitig ein außergewöhnliches Gefühl des Geschütztseins, das diesen Job bis heute für kleine und große Jungs erstrebenswert macht. Auch kleine und große Mädchen (seit 1982 gibt es Feuerwehrfrauen) fühlen sich bei der Feuerwehr wohl. „Wir sind hier, um Leben zu retten", erklärt Feuerwehrmann John Barvis und lächelt dazu etwas verlegen. Verlegenheit ist sicher nicht die hervorstechendste Charaktereigenschaft in der restlichen Truppe; laute männliche Großtuerei aber ebenso wenig. Gefragt sind Einsatz, Ehrlichkeit, die Fähigkeit, sich in ein Team einzufügen und Vertrauen entwickeln zu können. „Manchmal", das weiß Steve Roach, „muss ich meine Männer in schwierige Situationen führen. Dann müssen sie mir und einander vertrauen können." Steve Roach ist einer von vier Stationsvorstehern, der für eine der vier Wachen (sie sind farblich rot, grün, weiß und blau gekennzeichnet) den Kopf hinhält. Alan Miles steht am Herd, denn er ist nicht nur Feuerwehrmann, sondern auch *mess manager*. Essen spielt auf den Feuerwehrstationen eine große Rolle, das hat er oft genug erfahren: „Zusammen essen schweißt uns zusammen. Wir sprechen Einsätze durch, diskutieren Probleme, die aufgetreten sind, oder trösten uns. Denn immer wieder gibt es schwierige Einsätze mit brenzligen Situationen, leider auch mit Todesfällen. Wenn das passiert, wird die ganze Brigade hinterher sehr still. Dann brauchen wir ein Ventil. Und das ist unser Essraum."

EIN HOFBÄCKER ENTFACHTE DAS GROSSE FEUER DES JAHRES 1666

Fast jedem Koch ist es schon einmal passiert, aber selten hatte ein nicht ausgeschalteter Herd so verheerende Folgen wie am 2. September 1666. Das Große Feuer von London wurde durch den Hofbäcker Thomas Farrinor in der Pudding Lane ausgelöst, der fälschlicherweise geglaubt hatte, das Feuer in seinem Backofen sei niedergebrannt. Die Flammen breiteten sich im Haus aus und griffen schnell auf die gegenüberliegende Straßenseite über. Die schmalen Gassen der Londoner City, die überhängenden Stockwerke der Fachwerkhäuser, oft strohgedeckt, boten den Flammen gute Nahrung. Während der Bürgermeister noch zögerte, die in diesen Fällen üblichen Brandschneisen zu schlagen, die dem Feuer durch das Abreißen von Häusern die Nahrung nehmen würden, weil er die Kosten des Wiederaufbaus fürchtete, geriet das Feuer schnell völlig außer Kontrolle.

Samuel Pepys erinnert sich in seinem Tagebuch daran, von seiner Frau auf den Brand aufmerksam gemacht worden zu sein, ihn anfangs aus Mangel an Erfahrung unterschätzt zu haben, aber „dann wurde die Feuersbrunst so allübergreifend und die Leute waren so überrascht, dass sie von Anfang an, ob nun aus Verzweiflung oder Schicksalsergebenheit, wie aufgescheuchte Kreaturen hin und her rannten, ohne den geringsten Versuch zu unternehmen, ihr Hab und Gut zu retten. So befremdlich war ihre Konsternierung; während das Feuer längs und breit alles nieder brannte, Kirchen, öffentliche Gebäude, die Börse, Krankenhäuser, Denkmäler und andere schmückende Bauwerke, in ungeheuerlicher Weise von Haus zu Haus und Straße zu Straße sogar große Entfernungen überspringend. London brannte fünf Tage lang." Der berühmte Architekt Sir Christopher Wren wurde mit dem Wiederaufbau beauftragt. Er entwarf und überwachte den Bau von 49 Kirchen und der Kathedrale von St. Paul.

Ein Barbecue (rechts) auf einer Feuerwehrstation hat schon etwas Dadaistisches an sich. Zu besonderen Gelegenheiten wird bei der Chelsea Fire Station unter freiem Himmel gekocht. Doch auch dann sind die Einsatzwagen nur wenige Minuten entfernt.

REAL MEN
DON'T EAT QUICHE

Dass echte Männer keine Quiche essen, wusste schon Norman Mailer. So auch hier: „Meine Männer mögen richtig viel Fleisch mit Beilage", sagt Alan Miles mit Bedauern in der Stimme und Stolz im Gesicht. „Ich persönlich mag ja gerne Fisch oder Leber. Aber zu viele Abenteuer kann ich hier nicht wagen. Sonst landet das Essen nicht im Magen, sondern auf meinem Gesicht." Wie vermeidet er diese unfreiwillige Gesichtspackung? „Nun, vor meiner Laufbahn als Feuerwehrmann war ich Koch in einem Hotel in den französischen Alpen,

DER COCKNEY RHYMING SLANG

Angeblich hat der nur in London zu findende Sprachschatz des East End seine Wurzeln im Illegalen. Um Polizisten und Spitzeln ein Schnippchen zu schlagen, entwickelte sich in der latent obrigkeitsfeindlichen Gesellschaft des East End eine bis heute aktive eigene Sprache, die mittels beschreibender oder assoziativer Reime funktioniert.

Wer sich mal umsehen will, sagt nicht: *I am going to take a look*, sondern *I am going to take a butcher's hook*, denn der Fleischerhaken *butcher's hook* reimt sich auf *look* oder verkürzt gleich auf das Ortsfremden nun völlig unverständliche *I am going to take a butcher's*. Politisch brisanter reimt sich *trouble and strife* auf *wife* und beschreibt angeblich den Charakter einer typischen Ehefrau – sie, *the wife*, bringt nur Sorgen und Ärger. Auch die Suche nach Tantchen Ella ist kein Indiz für enge Familienbande, sondern für die Tatsache, dass selbst die regengeplagten Londoner ihre Regenschirme gerne irgendwo stehen lassen: *Where's me auntie Ella?* ist die verzweifelte Frage nach dem *umbrella*. Dass der *Cockney rhyming slang* auch im neuen Jahrtausend noch gesprochen wird, zeigt das Bild für ein *curry*, das sich reimt auf *Ruby Murray*. Köche machen sich nicht die Mühe, den ganzen Reim auszusprechen. Geplagt von der weltweiten Lieblingsfrage: „Was gibt es zum Essen?" antwortet ein des *Cockney rhyming slang* mächtiger Koch nur: *some good ruby* – ein richtig leckeres Curry. Zum Curry gibt es natürlich kein Brot, keinen *loaf of bread*. Denn mit *use yer loaf* ruft der East Ender nachdrücklich dazu auf, nicht nur den Kopf (*head*), sondern immer auch den Verstand zu gebrauchen.

ALAN MILES
RUBY MIT HUHN

Ruby ist im Cockney-Slang das Wort für „Curry". Für 15 Personen.

60 Hühnerflügel
500 g Sahnejoghurt oder griechischer Joghurt
200 g frischer Ingwer, in dünne Scheiben geschnitten und fein gehackt
10 scharfe grüne Chilischoten, fein gehackt
Salz
4 rote Zwiebeln
6 Knoblauchzehen
3 Bund frischer Koriander, grob gehackt
10 EL Pflanzenöl
750 g gemahlene Mandeln
450 g Kokoscreme
Saft von 3 Zitronen

Ingwer, Chilies und Salz mit Joghurt vermengen, die Hühnerflügel mit dieser Marinade bestreichen. Gut abgedeckt über Nacht oder 24 Stunden im Kühlschrank marinieren lassen. Ofen auf Mittelhitze vorheizen.
Zwiebeln, Knoblauch, Koriander und Öl in der Küchenmaschine zu einer Paste verarbeiten. Fleisch aus der Marinade heben und unter Rühren anbraten, bis sich die Poren geschlossen haben. Bei Bedarf etwas Wasser angießen. Paste und Fleisch in einer ofenfesten Form drei Stunden garen. 20 Minuten, bevor das Fleisch gar ist, die Sauce ohne Fleisch auf dem Herd auf zwei Drittel reduzieren. Mandeln, Kokoscreme und Zitronensaft einrühren. Hühnerflügel wieder in den Topf geben und weitere 20 Minuten garen lassen. Heiß servieren. Dazu passt Reis.
Zu ganz besonderen Anlässen gibt es ein Barbecue. Alan Miles empfiehlt allerdings: „Das Fleisch am besten vorher im Ofen garen, sonst verbrennt es zu leicht auf dem Grill." Sein Tipp: Hühnerschenkel mit Hoisin-Sauce und Sojasauce marinieren.

LAMMSPIESSCHEN

Für 30 Spießchen.

500 g Lammfleisch
500 g Rinderhack
150 g *stuffing*
Salz und Pfeffer aus der Mühle
30 Holzspießchen

FÜR DAS STUFFING

150 g frische Semmelbrösel
5 EL frische Minze, fein gehackt
2 EL getrockneter Rosmarin
Zest von 1 ungespritzten Zitrone

Lammfleisch vom Metzger durch den Wolf drehen lassen. Mit den restlichen Zutaten mengen und mit Salz und Pfeffer pikant abschmecken. Mit Klarsichtfolie um die einzelnen Spießchen rollen und einige Zeit im Kühlschrank ruhen lassen. Folie entfernen, auf dem Grill knusprig durchgaren.

Der Traum jeder Hausfrau: die riesige Edelstahl-Küche mit Blick auf den schönen Stadtteil Chelsea.

einer Landverschickung für englische Kinder. Und Kinder, das kann ich wirklich behaupten, unterscheiden sich nicht von Feuerwehrmännern." Dann schickt er ein großes, vergebendes und verstehendes Grinsen nach. Schaut man Alan Miles bei der Arbeit zu, gewinnt man den Eindruck, dass es ihn geradewegs stören würde, würde er für sei-

ne Hausmannskost gelobt. „Jeden Tag regt sich die ganze Brigade über mein Essen auf. Furchtbar sei es, kaum essbar. Symptome von Lebensmittelvergiftung in spätestens drei Stunden spürbar. Schon wieder Huhn! Und diese Marinade! Dann gucke ich mir meine Töpfe an und ihre Teller. Beide sind leer. Mit meinem selbst gebackenen Brot haben

sie den letzten Rest Sauce aufgetunkt. Meinem Job wird überhaupt kein Respekt entgegen gebracht. Oft frage ich mich, warum ich ihn überhaupt mache!"

Natürlich weiß Alan, warum. Denn der Mangel an Respekt, der seinem Essen gezollt wird, ist der größte Respekt, der einem Koch unter richtigen Männern widerfahren kann. Die loben Essen nur aus strategischen Gründen. Man kann damit eine schöne Frau verführen oder beim ersten Auswärtsspiel bei den Schwiegereltern punkten. In Alans Küche kommt es auf etwas anderes an: „Meine Leute brauchen was Substanzielles. Vielleicht können wir heute nacht durchschlafen, vielleicht haben wir bis morgen früh sechs Einsätze hintereinander. Sie wollen *energy food* und zwar reichlich. Denn wir arbeiten alle hart."

LIKE SEX ON A PLATE – CURRIES

Dass die englische Liebe zum scharfen Curry, die die Feuerwehrmänner der Chelsea Fire Station teilen, mehr sein könnte als eine bloße Geschmacksfrage, bewiesen unlängst Professor Stephen Gray und sein Forschungsteam an der Nottingham Trent University. Curries, so fand das Team heraus, können genauso süchtig machen wie Sex. Und nicht nur das: Der ehrwürdige Professor geht einen Schritt weiter und behauptet, ein Curry zu essen sei *like sex on a plate*. Denn „Blutdruck und Herzschlag steigen wie im Zustand sexueller Erregung!" Tatsache ist: Vergleichbar den Geheimrezepten für Grillfleischsauce oder „Chili con carne" hat der wahre englische Mann mindestens ein Geheimrezept für Curry auf Lager, und geheime Rezepte für Curries werden normalerweise nur vom Vater auf den Sohn vererbt und unter Freunden ausgetauscht.

Neben solchen Freuden hat Alan Miles in seiner Küche weitere wichtige Faktoren zu beachten. Mit einem Jahresbudget von 5000 Pfund für die Verpflegung von 15 Feuerwehrmännern muss er auf den Geldbeutel achten. Auch will er den religiösen oder regionalen Geschmack seiner Kollegen berücksichtigen. Ob sie schwarz sind, dem Islam angehören, aus Nordengland kommen oder aus Südlondon – Curry essen seine Kumpels alle gerne. Ein weiterer Vorteil ist, dass Curry nicht *au point* serviert werden muss. Ob die Zutaten über Nacht oder 24 Stunden marinieren oder bei Niedrighitze drei oder vier Stunden im Ofen garen, ist relativ unerheblich, und das ist praktisch, wenn kurz vor dem Servieren der nächste Marschbefehl eintrifft. Wenn alles nichts hilft, wandert das Essen nach der Rückkehr auf der Feuerwehrstation in die Mikrowelle, während die Feuerwehrmänner ihre Gerätschaften reinigen und für einen nächsten Einsatz vorbereiten, der unter Umständen auch wenige Minuten nach dem Eintreffen erfolgen kann. Und wenn Letzteres der Fall sein sollte, greift ihnen die Stadt finanziell unter die Arme – mit einer Entschädigung für Essen, das durch lange Einsätze ungenießbar wurde. Mehr als 60 Pence (knapp 1 Euro) gibt es bei der *spoilt food allowance* allerdings nicht.

Noch heute im Gebrauch sind die Metallstäbe, mit denen man sich mehrere Stockwerke tief rutschen lässt, vorausgesetzt, man traut sich. Doch wer die Wendeltreppe nimmt, verpasst sicherlich den Einsatz.

ADRESSE
The London Fire Brigade Museum, Winchester House, 94a Southwark Bridge Road, London SE1, Telefon: 020/ 7587 2894, U-Bahn: Borough (Führungen telefonisch beantragen)

ROYAL GARDEN PARTY
TEE BEI DER BERÜHMTESTEN FAMILIE DER WELT

Seit den 60er-Jahren des 19. Jahrhunderts finden auf dem königlichen Rasen von Buckingham Palace und in Holyroodhouse im schottischen Edinburgh *royal garden parties* statt. Mehr als 30 000 Untertanen ihrer Majestät werden jährlich zu den vier im Sommer veranstalteten *royal garden parties* der königlichen Familie eingeladen. Die Einladung gilt als große Ehre, denn sie ist eine Anerkennung der Verdienste, die der Einzelne in seiner Gemeinde, in einer sozialen Institution oder im Dienste des Landes geleistet hat.

„The Lord Chamberlain is commanded by Her Majesty to invite…" so lauten die Eingangssätze, mit denen der Hofmarschall im Namen der Königin einen repräsentativen Querschnitt aus dem nationalen Leben einlädt. Dabei kann es sich um Angehörige der Streitkräfte handeln, um Vertreter von Interessenverbänden wie beispielsweise der Vereinigung der Taubstummen, um Sozialarbeiter, Lehrer, in- und ausländische Regierungsvertreter und Diplomaten. Auch den vielen im Königreich auf freiwilliger Basis operierenden Stiftungen wird auf diese Weise eine Anerkennung ihres Engagements zuteil. Bei Jubiläen oder speziellen Gedenkjahren werden ebenfalls Empfänge veranstaltet.

Im Buckingham Palace und im Holyroodhouse in Edinburgh finden die jährlichen Gartenpartys des englischen Königshauses statt. Die Einladungen sind hochbegehrt und nicht übertragbar.

DER KLASSISCHE ENGLISCHE KUCHEN

Pound cake wird er genannt, der dem deutschen Sandkuchen vergleichbare klassische englische Kuchen, weil er nach dem 1-2-3-4-Prinzip ursprünglich gleiche Mengen an Butter, Mehl, Zucker und Eiern benötigte und ohne Treibmittel auskam. Heute wird der ursprünglich einfache, aber köstliche Kuchen auch mit Kokosraspeln, Nüssen oder Rosinen veredelt.

150 g weiche Butter, in Stücken
150 g Zucker
1/2 TL Zitronenzest
1 TL Zitronensaft
4 Eier
1/2 TL Backpulver
1 Prise Salz
300 g Mehl

Ofen auf 160 °C vorheizen. In einer Schüssel Butter mit Zucker schaumig rühren. Zest und Zitronensaft unterziehen. Eier nacheinander mit dem Mixer einarbeiten. Backpulver und Salz im Mehl vermengen. Mehl erst mit dem Löffel sorgfältig unter die Butter-Zucker-Ei-Masse ziehen, dann mit dem Rührgerät vollständig einrühren. Eine Sandkuchenform einfetten und mit Backpapier auslegen. Teig einfüllen und Teigreste vom Backpapier entfernen. Eine Stunde backen, die Zahnstocherprobe muss von Rückständen frei sein.

Manchmal genießt sie doch das Bad in der Menge, die sonst eher als spröde geltende Königin Elizabeth II. Sie regiert das Land seit 1952.

tet. So feierten im Juli 1997 die Queen und ihr Mann, der Duke of Edinburgh, beispielsweise zusammen mit 8000 Gästen Goldene Hochzeit – ihre eigene und die der geladenen Ehepaare. Da sich mehr Gäste in das Hofzeremoniell nicht integrieren lassen, entschied aufgrund der hohen Nachfrage das Los über die

Anwesenheit. Untermalt werden die Gartenpartys, die zwischen 16 und 18 Uhr stattfinden, von den Klängen eines Militärorchesters. Ihren Abschluss finden die stilvollen Empfänge so, wie es wohl jeder erwartet: mit dem Singen der immer wieder ergreifenden Hymne „God Save the Queen".

Bereits im Dezember ergeht über den State Invitations Assistant der Druckauftrag für die Einladungen im darauf folgenden Sommer. Durchschnittlich 10000 Einladungen werden für jede Gartenparty verschickt, durchschnittlich 8000 Gäste folgen dieser Einladung; 400 Bedienstete stehen für die Gästebewirtung zur Verfügung und sie haben zwei Stunden lang sehr viel zu tun, um die Gäste zufrieden zu stellen.

Und das wird benötigt:
Getränke: 27000 Tassen Tee einer speziell für Buckingham Palace zusammengestellten Mischung aus Darjeeling und Assam, 10000 Eiskaffees, 20000 Gläser Fruchtsaft.
Herzhaftes: 5000 belegte Brötchen.
Gebäck: 9000 Scones, 9000 Obsttörtchen, 8000 Stück Schokoladen-/Zitronenkuchen, 4500 Stück Dundee Cake (schottische Spezialität mit eingelegten Zitrusfrüchten), 4500 Stück Majorca Cake (eine Art Pound Cake), 3500 Sahne- oder Marmeladenröllchen, 3500 Portionen Eis (Erdbeer, Vanille).
Geschirr: 12000 Teetassen und Untertassen, 10000 Teelöffel, 10000 Kuchenteller, 6000 Gläser.

Gut behütet zu sein, war in den 30er-Jahren bei offiziellen Veranstaltungen während des Tages eine Selbstverständlichkeit. Heute sehen weibliche Gäste die Gartenparty der Queen als willkommene Gelegenheit, wieder mal einen schicken Hut zu tragen.

Matthew Norman ist sowohl Restaurantkritiker als auch Bühnenautor und Kommentator politischer und sportlicher Ereignisse. Er gehört zu den bekanntesten Zeitungsautoren der Stadt.

RESTAURANTKRITIKER
FEINE GAUMEN
ÜBEN HARTE KRITIK

Nach 24 langen Jahren als Restaurantkritikerin, klagte die gefürchtete Fay Maschler in der Tageszeitung „Evening Standard" ihren Lesern ein Leid, das sie anrührend menschlich machte: Sie hätte mittlerweile Schwierigkeiten, ihre Figur zu halten, und sich einem Abnehmkurs überantwortet. Wem es Beruf und Berufung ist, mehrmals in der Woche in den besten, schönsten und interessantesten Restaurants der Stadt zu speisen, der muss ein paar Pfunde Übergewicht wohl als Berufsrisiko einkalkulieren. Doch der Lohn dafür ist Macht. Es gibt nur wenige Städte auf der Welt, wo Gastrokolumnen mit solcher Aufmerksamkeit gelesen werden und ein Restaurantverriss für die Betroffenen so nachhaltige Folgen haben kann wie in London.

Restaurantkritiker zu sein, galt lange nicht als professionelle Beschäftigung. Doch in den vergangenen Jahren hat sich diese zu einem ernsthaften Zweig im Journalismus entwickelt. Hungrig durchstreifen heute Fay Maschler, AA Gill, Matthew Norman, Nick Foulkes, Jonathan Meade, Matthew Fort, Charles Campion, um nur einige Gastrosterne zu nennen, wie hartgesottene Reporter des *film noir* die Stadt. Sie suchen nach Schnittflächen für ihre kulinarisch präzisionsgeschärften Klingen, seltener nach kulinarischen Höhepunkten. Einem Meister seines Fachs wie AA Gill gelingt es, in zehn von 140 Zeilen einen Eindruck über das Essen in einem bestimmten Restaurant zu vermitteln und sich mit dem Rest in den Journalistenhimmel zu texten. „Pestbeule aus Metall" veranschaulicht die Höllenqualen, die er angesichts eines Rolls Royce empfindet, der vor der Tür geparkt ist und ihn zu einem Restaurantbesuch abholen soll. Die Beschreibung des Gesichtsausdrucks seiner blitzgescheiten ständigen Begleiterin, *the blonde*, ob der „völlig unangebrachten Schönheit der Kellner im Restaurant" gleichen einem Gaumenkitzler und die strategische Vernichtung von Restaurantpersonal, das keine Professionalität zeigt, treffen ins Mark: „Die Chefin war betrunken. Und wenn man trinkt, wird man im Laufe des Abends nie nüchterner. Die Grenzlinie zwischen stockbetrunken und nüchtern be-

Nur wenige Quereinsteiger wie der frühere Filmregisseur Michael Winner und bis vor zwei Jahren der jetzige Bürgermeister der Stadt, Ken Livingstone, schaffen es, solchen perfekt tournierten Dichtern Paroli zu bieten. Doch wer oben angekommen ist, betrachtet seinen Job mit Bescheidenheit. AA Gill, der für die „Sunday Times" schreibt: „Um Restaurantkritiker zu werden, braucht man nur ein gutes Verdauungssystem." Die PR-Größe Elizabeth Crompton-Batt drückt es realistischer aus: „Restaurantkritiker gehören zu den höchstbezahlten und hervorragendsten Autoren des Landes.

MICHELIN-STERNE MADE IN ENGLAND

„Wieso sollten uns ausgerechnet die Franzosen vorgeben dürfen, was gute Küche ist? Wir sollten englische Michelin-Sterne erfinden und damit nach Frankreich gehen. Das gäbe einen Aufstand!" Matthew Norman strahlt bei dem Gedanken wie ein sanfter kleiner Teufel. Getrübt wird seine Stimmung nur dadurch, dass er das Restaurant Patio, das er sich für dieses Treffen ausgesucht hat, nicht selbst gefunden hat. „Das war meine Kollegin Fay Maschler. Hier sieht es aus wie im Wohnzimmer von irgend jemandem aus der Bildungsbürgerschicht, anno 1938. Eine Mi-

trägt exakt 1,27 Zentimeter. Diese Größe habe ich in jahrelangen Versuchen verlässlich ermitteln können." Ihm dicht auf den Fersen ist Matthew Norman, der seine spitze Feder jahrelang beim Verfassen von Politsatiren schärfte und neuerdings auch ein Theaterstück verfasst hat.

schung aus bizarr und bezaubernd. Einfach klasse." Hier kocht die Chefin. Sie kommt nicht aus Italien, sondern aus Polen und einen Patio hat das geräumige Restaurant auch nicht. Dafür hält es seinen Kunden inmitten des drogenverseuchten Shepherd's Bush im Londoner Westen Herz und Seele zusammen und zeigt ein gutes Gespür für Preise. Ein dreigängiges Menü ist oft unter zehn Pfund zu haben. Damit den Hungrigen zwischen *blini*, Räucherlachs, Kohlgemüse und Borschtsch nicht schwindelig wird, sind einige *shots* Wodka im Endpreis inbegriffen.

Matthew Norman ist Restaurantkritiker. Wie wird man das? „Nun, die haben jemanden gesucht." Ist es schwierig? „Nein. Das kann jeder. Dafür muss man noch nicht mal Journalist sein!" Er meint es ernst. Journalist ist er schon länger als ein Jahrzehnt. Nun überbietet er, der ganz zur typischen englischen Untertreibung Wohlerzogene, sich noch. „Wer gerne isst, kann meistens auch gut darüber schreiben." Dabei fing es ganz anders an. Er wollte Jurist werden, fand keinen Spaß daran, bekam ein Volontariat bei einer Zeitung und schreibt mittlerweile über Politik, Sport und Restaurants. Politiker zittern vor seiner Vitriolfeder, hochbezahlte Sportler zeigen sich von seinen Verbalflanken schwer getroffen und ganz London lacht

über seine treffend komischen Restaurantkritiken, die etwa so klingen: „Geträpfelte Sößchen und getürmte Gerichte. Plötzlich kommt alles mit Hut daher! Respektlos ist das. Ein Wolfsbarsch soll aussehen wie ein Wolfsbarsch und nicht wie ein Hochhaus. Genauso unmöglich ist diese fetischistische Rumschnitzerei am Essen – das wird sich sowieso bald überleben."

Trotzdem ist es weniger einfach, als er vorgibt. „Gut", räumt Matthew Norman ein, „einfach ist es nicht. Nichts ist einfach. Das Problem ist, dass die Sprache nicht viele Worte bereithält. Etwas schmeckt gut, prima, lecker … da kommt ein Journalist nicht weit. Das ist einfach nicht interessant." Was mag er denn nicht an den Michelin-Sternen? „Meine Grundhaltung ist antiautoritär. Die Michelin-Sterne sind wichtigtuerisch und gespreizt. Gut, meinetwegen ist in Frankreich das Essen eine Frage auf Leben oder Tod. Aber nicht in England. Frische Zutaten, lecker gekocht, ohne großen Aufwand. Mehr braucht es nicht." Dann winkt er nach der Rechnung. „Sonst mache ich mich erpressbar! Das geht nicht. Auch wenn es hier nur um Essen geht."

Nur selten ist viel Plüsch so perfekt wie im Restaurant Patio, in das Matthew Norman gerne geht. Hier wird gutbürgerlich-polnisch gekocht – nicht italienisch, wie der Name vermuten ließe.

ADRESSE

Patio, 5 Goldhawk Road, London W12, Telefon: 020/87 43 51 94, U-Bahn: Shepherd's Bush

RESTAURANT-PR
NICHT ALLE ERFOLGE SIND HAUSGEMACHT

Die erfolgreiche Elizabeth Crompton-Batt importierte mit ihrem damaligen Mann das Prinzip der Restaurant-PR nach London. Mittlerweile ist sie so gefragt, dass sie sich unter den Neueröffnungen die Highlights herauspicken kann.

Auch das gehört zu dem vielseitigen Job einer PR-Expertin für Restaurants: Sie muss sich um die Optik kümmern. Denn die ist heutzutage in Londoner Restaurants der gehobenen Klasse sehr wichtig.

Auch wenn sie das optische Rüstzeug dazu besessen hätte – Model war für Elizabeth Crompton-Batt kein Traumberuf. Sie hat ihre Liebe zu Restaurants zum Beruf gemacht und damit in London Neuland betreten. Denn erst mit der wachsenden Beliebtheit von Restaurants haben sich zahlreiche Londoner PR-Agenturen dieses neue oder zusätzliche Betätigungsfeld gesucht: Sie machen PR für Restaurants. Elizabeth Crompton-Batt mit ihrer Drei-Frauen-Agentur ECBPR ist ihre unangefochtene Königin. Die Kon-

kurrenz nennt sie „Schlachtross der PR" und will damit ausschließlich Respekt ausdrücken, nicht etwa optische Realität, denn Elizabeth Crompton-Batt erinnert an die lässig-gestylten Pariserinnen von der Rive Gauche, gepaart mit einem Höchstmaß an englischer Bescheidenheit. „Da hatte ich Glück" oder „Der Zufall wollte es" sind die charmanten und wiederkehrenden Untertreibungen, wenn es ihr darum geht, den eigenen Erfolg zu begründen.

Die Geburtsstunde des noch jungen Berufszweigs Restaurant-PR lag in den 80er-Jahren. Damals erwarb Onkel Lord Grade, der „Mr. Television" des Landes, für seine Frau das angesehene Restaurant The Ivy im Theaterviertel des West Ends. Für seine Verdienste um die britische Unterhaltungsindustrie war der Medienzar geadelt worden. Er hatte mit den Muppets Fernseh- und mit dem Rosaroten Panther Filmgeschichte geschrieben und strebte nach neuen Ufern. Aber, erzählt seine Nichte Elizabeth Crompton-Batt heute, „meine Familie war im Showbusiness zu Hause und nicht im Restaurantgewerbe. Mei-

Das Restaurant Nobu – situiert im Metropolitan Hotel an Hyde Park Corner – versteht sich als Edelmarke. Es gehört zu der kleinen, aber feinen Gruppe von Restaurants, die Elizabeth Crompton-Batt betreut.

damals nur in New York gab. In London behalfen sich Restaurateure, die ihr Lokal lancieren oder wieder einmal in die Presse bringen wollten, damals mit PR-Agenturen, die sich auf *celebrities* spezialisiert hatten, auf Stars und Sternchen. „Das suche ich zu vermeiden. Wenn ein Restaurant sich schon im Vorfeld den Ruf erworben hat, hier würden die Stars ein- und ausgehen, werden sich zur Eröffnung natürlich auch einige Stars sehen lassen. Aber danach nie wieder." Elizabeth Crompton-Batt setzt auf eine andere Klientel: Designer, Film- und Fernsehproduzenten, Künstler. „Oft sind solche Menschen zufälligerweise mit Stars befreundet, die sie dann auf einen Restaurantbesuch mitnehmen. Doch auf diese Weise wird der unelegante Starrummel vermieden, selbst wenn der Star Madonna heißt."

ne Tante ging einfach davon aus, dass ein Restaurant von selbst läuft. Das war natürlich nicht der Fall."

Elizabeth Crompton-Batt, damals 18 Jahre alt, stellte sich der Herausforderung. „Ich stand im Ivy an der Kasse, habe bedient, den Küchenboden und das Gemüse geschrubbt. So lernte ich das Restaurantgeschäft von der Pieke auf kennen und kam eher durch Zufall zur Restaurant-PR." Nur wenige Jahre später gründete sie mit ihrem damaligen Mann eine Agentur, die sich auf Restaurant-PR spezialisierte, einen Unternehmenszweig, den es in dieser Form

Durchschnittlich eine Eröffnung bewältigt ECBPR im Monat und darf sich dabei schon lange die Rosinen herauspicken. Die Agentur betreut eines von Londons Lieblingsrestaurants, das Nobu, arbeitet für den international bekannten Hotelier Ian Schrager (St. Martin's Lane, Sanderson), für ehrgeizige Restaurantprojekte des ehemaligen Kochs Oliver Peyton, das Café des ICA (Institute of Contemporary Arts), dem Treffpunkt der zeitgenössischen Kunstelite. Die Agenturchefin geht selbst mit

Begeisterung essen. „In Restaurants kann ich mich regelrecht verlieben. Das hält wochenlang. Bis ich dann ein neues Restaurant entdecke." Eine Konstante ist das Ivy geblieben, auch wenn es längst nicht mehr in Familienbesitz ist. „Unschlagbar: der Hamburger mit *mushy peas*".

RESTAURANT-PR – EIN ARBEITSPROFIL

„Überraschend wenige Restaurantleichen", lächelt Elizabeth Crompton-Batt, „pflastern meinen Weg." Für derartigen Erfolg gibt es viele Gründe und an erster Stelle steht wohl die eigene Erfahrung im Restaurantgewerbe. Wer einmal miterlebt hat, wie viel Adrenalin in Profiküchen freigesetzt wird, und die Anspannung kennt, mit der eine Küchenbrigade auf beengtem Raum und unter Zeitdruck jeden Tag Erstklassiges

liefern muss, wird beispielsweise nicht mehr auf die Idee kommen, den Chefkoch während dieser Hochphasen anzurufen – sei der Anlass auch noch so dringend. Am Nachmittag oder nach Serviceende hingegen ist es vielleicht der Chefkoch, der nun für ein Gespräch dankbar ist. Menüauswahl, Glas und Geschirr, Design – das sind Themen, die schon im Vorfeld einer Restauranteröffnung ausführlich diskutiert werden müssen. Hier kann eine PR-Agentur beratend aktiv werden.

Ein wichtiger Aspekt ihrer Arbeit ist auch die Einschätzung der Restaurantkritiker. „Nicht alle werden jedes meiner Restaurants mögen", erklärt sie. „Professionelle Journalisten lassen sich nicht beeinflussen, und ich erwähne schon im Vorfeld, wenn ihnen ein Restaurant wahrscheinlich nicht gefallen wird."

ERBSENPÜREE DES RESTAURANTS IVY

Das Rezept für den klassischen Ivy-Hamburger wird im zweiten Kapitel dieses Buchs vorgestellt. Die Beilage Erbsenpüree, ein Klassiker der englischen Küche, passt auch zu „Fish and Chips". Für acht Personen.

70 g Butter
1 kleine Zwiebel, fein gehackt
1 kg TK-Erbsen
200 ml Gemüsebrühe
10 Minzeblätter
Salz und schwarzer Pfeffer aus der Mühle

FÜR DIE GEMÜSEBRÜHE

3 Zwiebeln, gehackt
1 kleine Sellerieknolle, gehackt
3 Lauchstangen, gehackt
5 Möhren, gehackt
2 Lorbeerblätter
1 TL Thymian
20 schwarze Pfefferkörner
1 Hand voll Petersilie
1 TL Fenchelsamen

Für die Gemüsebrühe alle Zutaten in einen Topf geben und mit kaltem Wasser bedecken. Aufkochen lassen und Schaum abheben. 30 bis 40 Minuten köcheln lassen. Durch ein Haarsieb gießen. Bei Bedarf nachwürzen und reduzieren. 20 Gramm Butter in einem Topf zerlassen und die Zwiebel darin weich dünsten. Erbsen, Brühe und Minzeblätter zugeben, zehn bis zwölf Minuten weich garen und abschmecken. In einer Küchenmaschine pürieren. Nochmals abschmecken. Vor dem Servieren erhitzen und die restliche Butter unterziehen.

FUSION FOOD
NEUE KÜCHE IN LONDON

Fusion food – eine neue Variante in der Küche, die nicht den Weg der trendigen Schnelllebigkeit gegangen ist. „Fusioniert" wurden dabei Einflüsse aus den Anrainerstaaten des Pazifik zwischen Hawaii und Vietnam, Kalifornien, Australien und Neuseeland. Der Erfolg dieser neuen Küche kam zweigleisig über Kalifornien (dort als Pacific-Rim-Küche bekannt) und Australien nach Europa.

Der gebürtige Neuseeländer Peter Gordon setzte mit seiner Küche neue Maßstäbe. Er „fusioniert" die Länderküchen des Pazifiks, daher der Name Fusion Food.

Die beiden Restaurants Vong und Sugar Club (mittlerweile auch im teuertrendigen West End angesiedelt) standen an der Speerspitze dieser neuen Küche in London. Die Speerspitze ist dabei durchaus wörtlich zu nehmen: Peter Gordon, dessen Sugar Club für den Ruhm der neuen pazifischen Küche sorgte, trägt Maori-Tattoes aus seiner Heimat Neuseeland. Viele Reisen durch den asiatischen Raum machten ihn mit den dortigen Länderküchen vertraut, die er zu einer ungewöhnlichen Mischung verarbeitete.

Nicht unerheblich an der Aufwertung der All Saints Road in Notting Hill beteiligt war das Restaurant Sugar Club. Mitten im Revier von Crackdealern eröffnete Peter Gordon mit zwei Partnern ein Restaurant, weil es lichtdurchflutet war, die richtige Größe und einen Innenhof besaß. Dass er vor dieser *no-go area* gewarnt wurde, die nicht als sicher galt, beeindruckte ihn wenig. Im neuseeländischen Wellington hatte Peter Gordon immerhin sein ursprüngliches Sugar Club in einem ebensolchen Stadtteil aufgezogen und letzterem da-

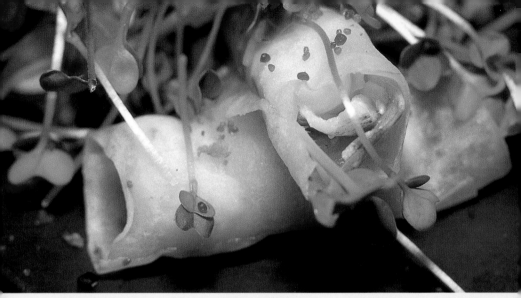

HUMMERSUSHI MIT DAIKON-RETTICH ZUM SELBSTDREHEN

Ein typisches Gericht aus dem Vong.

1 EL Honig

1 EL Tofupaste

5 EL Sherryessig

8 EL Traubenkernöl

2 cm Ingwerwurzel, geschält
und gehackt

1 Zweig Rosmarin, gerebelt

1 scharfe Chilischote, gehackt

1/2 Hummer, gekocht
und in mundgerechte Stücke zerteilt

6 Scheiben eingelegter Ingwer

Daikon-Sprossen zum Garnieren

6 Scheiben vom Daikon-Rettich,
hauchdünn längs geschnitten

Daikon-Rettichscheiben mit eingelegtem Ingwer belegen, mit Daikon-Sprossen bestreuen und einem Stück Hummer belegen. Fest zusammenrollen. Alle Zutaten mit Ausnahme des Öls in einer Küchenmaschine pürieren. Dann das Öl in einem dünnen Strahl einarbeiten. Hummersushi mit diesem Dip servieren.

mit zu einer ähnlichen Aufwertung verholfen. Doch nicht als Stadtplaner sieht er sich, sondern als diebische Elster: „Ich mixe und kombiniere den Geschmack und die Textures des Ostens mit denen des Westens, von süß bis sauer, salzig bis scharf, weich bis knusprig. Und diese Methode funktioniert immer dann, wenn das Resultat schmeckt." Im Ungewöhnlichen steht ihm Jean-Georges Vongerichten in nichts nach, nur nahm er geographisch gesehen genau den entgegengesetzten Weg. Vongerichten stammt aus dem Elsass, doch das typische *choucroute garnie* bietet er im seinem Restaurant Vong nicht an. Elsäs-

LAKSA MIT HÜHNCHENEINLAGE UND FRISCHEM KORIANDER

Aus dem südostasiatischen Raum stammt dieser klassische Eintopf mit Kokosmilch. Er findet sich in abgewandelter Form auf den Speisekarten von Restaurants wieder, die Fusion Food anbieten. Laksa enthält neben der obligatorischen Kokosmilch zumeist auch eine Nudeleinlage, die variieren kann, klassisch jedoch sind chinesische Mie-Nudeln. Für sechs Personen.

3 Stiele Zitronengras,
in feine Röllchen geschnitten
***
2–5 kleine scharfe Chilies, fein gehackt
***
4 cm Ingwerwurzel,
geputzt und gehackt
***
1 EL Shrimps-Paste
***
2–3 Schalotten, geschält und gehackt

2 Knoblauchzehen,
geschält und gehackt
***
1/2 Bund Koriander,
geputzt und gehackt
***
1 TL Kurkuma
***
1 TL Zucker
***
4 EL Tamarinden-Paste
***
250 g Mie-Nudeln
***
400 g Hühnerbrustfilet, in mundgerechte Stücke geschnitten
***
3 EL Erdnussöl
***
4–5 EL Nuoc mam
***
450 g Dose ungesüßte Kokosmilch
***
Salz und Pfeffer nach Geschmack
***
1/2 Bund Thai-Basilikum

Zitronengras, Chillies, Ingwerwurzel, Schalotten, Knoblauchzehen, Koriander, Kurkuma, Zucker sowie Schrimps- und Tamarinden-Paste in der Küchenmaschine zu einer Würzpaste verarbeiten. Mit etwas Erdnussöl versiegelt, hält sich diese Paste zwei bis drei Tage im Kühlschrank. Nun die Mie-Nudeln nach den Angaben auf der Packung garen. Das Erdnussöl in einer Pfanne erhitzen und darin zwei bis drei Teelöffel der Würzpaste erhitzen. Anschließend das Fleisch in der Würzpaste von allen Seiten anbraten. Mit Nuoc mam ablöschen. Kokosmilch angießen und mit Salz, Pfeffer und der restlichen Würzpaste abschmecken. Laksa in sechs Schüsseln geben und mit gezupftem Thai-Basilikum bestreuen.

sische Weine dagegen schon, denn die passen hervorragend zu seiner meisterlichen Küchenkombination aus französischen und thailändischen Einflüssen. Bevor er 1995 im Berkeley Hotel in Knightsbridge das Vong eröffnete, hatte der Senkrechtstarter nach Lehrjahren bei Paul Haeberlin und Paul Bocuse und einem vierjährigen Asienaufenthalt auch im verwöhnten New York Erfolg.

Der klassische Probierteller des Vong ist der *black plate*, ein durchaus erschwinglicher, feiner Rundgang durch die besten Vorspeisen des Restaurants.

ADRESSEN
Sugar Club, 21 Warwick Street, London W1, Telefon: 020/74 37 77 76, U-Bahn: Piccadilly Circus
The Providores, 109 Marylebone High Street, London W1, Telefon: 020/79 35 61 75, U-Bahn: Baker Street
Vong, Berkeley Hotel, Wilton Place, London SW1, Telefon: 020/72 35 10 10, U-Bahn: Hyde Park Corner

TIPPS UND FAUSTREGELN FÜR DEN AUFENTHALT IN LONDON

ANREISE

Die Anreise erfolgt meist über einen der fünf Flughäfen. Heathrow und London City sind die nächstgelegenen. Von letzterem fährt ein Shuttlebus nach Liverpool Station (Fahrtdauer etwa 30 Minuten); ein Taxi zum Börsenviertel braucht 40 Minuten und kostet rund 20 Pfund. Von Heathrow dauert die U-Bahn-Fahrt in das West End 40 Minuten. Alternativ lässt sich in Heathrow per Zug in 15 Minuten der Innenstadt-Bahnhof Paddington erreichen. Ein Taxi ist von Heathrow nur zu empfehlen, wenn sich die Fahrkosten teilen lassen oder man sehr viel Gepäck hat. Eine Fahrt kostet etwa 30 Pfund; per Tube ist es ein Sechstel. Luton, Gatwick und Stansted liegen außerhalb des Großraums London. Oft sind die Charterflüge zu diesen Flughäfen günstiger; aber man sollte die Fahrkosten (zwischen 10 bis 20 Pfund) dagegen aufrechnen. Zudem sind letztere nicht mehr an das U-Bahnnetz angebunden, sondern nur mit British Rail zu erreichen. Taxikosten können sich schnell auf den Preis des Rückflugs belaufen. Eine etwas preiswertere Alternative zu den klassischen Taxen sind die Mini-Cabs, ganz normale Autos. Es empfiehlt sich jedoch nur vorbestellte Mini-Cabs zu benutzen. Große Betriebe wie Computer Cabs sind in den gelben Seiten zu finden. Die Lizenzlage der Mini-Cabs ist unübersichtlich: Nicht jeder Wagen ist versichert und nicht jeder Fahrer zuverlässig.

Der Fahrpreis wird vor Fahrtantritt ausgehandelt. Lassen Sie sich auch von diesen Unternehmen beraten, wieviel Zeit für die Anfahrt gerechnet werden sollte. Je nach Jahreszeit und Wetterlage ist London mittlerweile auch tagsüber und nicht nur zur Rush Hour verstopft.

ÖFFENTLICHER NAHVERKEHR

Für jeden in diesem Buch besprochenen Ort wurde als Orientierung die nächstliegende Bahn-Station der U-Bahn (Tube) oder British Rail genannt. Busse sind nur Kennern der Stadt zu empfehlen; auch brauchen sie oft sehr lang. Als Faustregel gilt: Immer einen Zeitpuffer von einer Viertel- oder halben Stunde einplanen. U-Bahnstationen können auch schon einmal wegen Überfüllung (oder Bombendrohung) geschlossen werden, eine Tatsache, die bei den Londonern Kopfschütteln und Verwunderung hervorruft. Denn ein solcher Akt legt dann nicht nur eine U-Bahn-Station lahm, sondern möglicherweise gleich die gesamte Strecke.

U-Bahn-Strecken wie die Circle Line sind zudem für ihre Anfälligkeit berüchtigt. Dann muss mit Wartezeiten gerechnet werden und wenn nach beispielsweise einer halben Stunde der Verkehr wieder aufgenommen wird, dauert es eine Weile, bis die U-Bahn-Züge nicht mehr völlig überfüllt sind. Wer kann, benutzt die Tube weder zwischen acht und neun Uhr noch zwischen 17 bis 18 Uhr. Während dieser Verkehrsstoßzeiten kommt sie dann zwar im Minutentakt, doch an den großen U-Bahnhöfen staut sich die Schlange der Passagiere nun oft bis zu den Rolltreppen. Achtung: Fahrkarten bis zum Ende der Fahrt aufheben. Erst wenn sie durch eine Schleuse geschoben oder vom Personal am Zielbahnhof kontrolliert werden, kann man den Bahnhof verlassen. Nachts sind die U-Bahnen nicht unbedingt weniger sicher als am Tag, denn sie sind auch dann noch sehr voll. Vorsicht ist eher vor

Taschendieben geboten. Es lohnt sich, am Fahrkartenschalter nach preisgünstigen Wochenkarten zu fragen, dafür wird allerdings ein Passfoto benötigt.

RESTAURANTS

Bereits in einfacheren Restaurants gilt die Faustregel: Unbedingt reservieren. Denn obwohl es in dieser Millionenstadt scheinbar an jeder Ecke Restaurants zu geben scheint, stillen sie den Ausgeh-Hunger der Londoner noch lange nicht. Ist das Restaurant angesagt, wurde es vielleicht gerade in einer Tageszeitung besprochen oder gehört es gar zu den vom Guide Michelin ausgezeichneten, dann gestaltet sich eine Reservierung schwierig. Geduld und Flexibilität sind Voraussetzung. Am Tag der Reservierung wird ein gutes Restaurant dann telefonisch die Buchung bestätigen. Viele Restaurants beschäftigen sogar einen Mitarbeiter, der sich ausschließlich um die Buchungsbestätigungen kümmert. Das ist notwendig, denn es gilt als völlig legitim und normal, seinen Geschmack kurzfristig von einem auf das andere Restaurant zu verlegen. Selbst Manager gut eingeführter Restaurants bestätigen, dass sie ohne dieses Buchungs- und Bestätigungssystem wahrscheinlich für ein halbleeres Restaurant kochen würden. Übrigens: Telefonnummern verändern sich schnell. Kommt man mit der hier angegebenen Telefonnummer nicht weiter, hilft die Telefonauskunft.

PREISE

Vielleicht mag es den einen oder anderen verwundert haben, dass die Kapiteleinteilung des vorliegenden Buchs pauschal nach Preiskategorien erfolgt ist und keine präzisen Preise genannt werden. Aber dafür sind Preissprünge in London viel zu sehr an der Tagesordnung. Preiserhöhungen um bis zu 20 Prozent in einer Zeitspanne von ein bis zwei Jahren sind durchaus keine Seltenheit. Aus dem gleichen Grund empfiehlt es sich, die Umrechnungstabelle zu Hause zu lassen. Sie spiegelt nicht die Kaufkraft des Pfund gegenüber der DM wieder und wird es, dank des Alleingangs der Briten bei der Währungsumstellung, auch weiterhin nicht tun. Als Faustregel gilt: Umrechnen ist überflüssig, da Pfund und DM sich in London im Verhältnis 1:1, allerhöchstens noch 1:2 bewegen, aber nie 1:3, wie es laut Umrechnungstabelle sein sollte.

INFORMATION UND ORIENTIERUNG

Unverzichtbar für jeden London-Besucher ist ein Stadtplan. Denn der ist auch für jeden Londoner unverzichtbar, selbst wenn schon seine Großeltern hier aufgewachsen sind. Jeder Londoner kennt vorrangig den Mikrokosmos, in dem er lebt. Wer in Notting Hill wohnt, kennt sich meist schon im benachbarten Ladbroke Grove nicht aus, wer im Süden Londons in Kennington lebt, kennt die Gegend rund um Hampstead Heath kaum. London ist einfach zu groß. Deshalb empfiehlt sich der praktische Stadtplan London A-Z, der aussieht wie ein Taschenbuch und in verschiedenen Größen erhältlich ist. Er erspart das umständliche Auffalten viel zu großer Pläne.

Was in London los ist, darüber geben die Tageszeitungen, vor allem der Evening Standard, Auskunft und die wöchentlich erscheinende Stadtzeitung Time Out, die ihren einst alternativen Charakter längst verloren und sich zu einer guten und sehr zuverlässigen Informationsquelle gemausert hat. Ob Hinterhofgalerie oder Royal Academy of Arts, ob Flohmarkt oder Schlussverkauf bei Harvey Nichols, ob Dichterlesung oder die berühmten Proms in der Royal Albert Hall – hier erfährt auch der Londoner das Neueste über seine Stadt, intelligent und unterhaltsam aufbereitet.

SICHERHEIT

London ist eine relativ sichere Metropole. In der Innenstadt machen Taschendiebe den Polizisten viel zu schaffen. Daher empfiehlt es sich, wenig Bargeld bei sich zu tragen und beim Restaurantbesuch vorher die Kreditkarten abzufragen.

Soho (Karte 1)

1 A. Angelucci, 23b Frith Street, London W1, Tel.: 020/7437 5889, U-Bahn: Leicester Square (●●)

2 Alastair Little, 49 Frith Street, London W1, Tel.: 020/7734 5183, U-Bahn: Tottenham Court Road (●●●)

3 Algerian Coffee Stores, 52 Old Compton Street, London W1, Tel.: 020/7437 2480, U-Bahn: Leicester Square (●●)

4 Andrew Edmunds, 46 Lexington Street, London W1, Tel.: 020/7437 5708, U-Bahn: Piccadilly Circus (●●●)

5 Bar Italia, 22 Frith Street, London W1, Tel.: 020/7437 4520, U-Bahn: Leicester Square (●●)

6 Berwick Street Market und Rupert Street Market, zwischen Broadwick und Peter Street bzw. Brewer Street und Archer Street, London W1, täglich 8–18 Uhr (außer sonntags), U-Bahn: Oxford Circus, Piccadilly Circus, Tottenham Court Road (K 8/9) (●)

7 Freedom, 60 Wardour Street, London W1, Tel.: 020/7734 0071, U-Bahn: Leicester Square (●●●)

8 French House, 49 Dean Street, London W1, Tel.: 020/7437 2477, U-Bahn: Leicester Square (●●●)

9 Gay Hussar, 2 Greek Street, London W1, Tel.: 020/7437 0973, U-Bahn: Tottenham Court Road (●●●)

10 Groucho Club, 44 Dean Street, London W1, Tel.: 020/7439 4685, U-Bahn: Tottenham Court Road (●●●●●)

11 I. Camisa & Son, 61 Old Compton Street, London W1, Tel.: 020/7437 7610, U-Bahn: Leicester Square (●●●●)

12 Incognico, 117 Shaftesbury Avenue, London WC2, Tel.: 020/7836 8866, U-Bahn: Leicester Square (●●●)

13 Kettners, 29 Romilly Street, London W1, Tel.: 020/7734 6112, U-Bahn: Leicester Square (●●●)

14 Lina Stores, 18 Brewer Street, London W1, Tel.: 020/7437 6482, U-Bahn: Leicester Square (●●●●)

15 Mezzo, 100 Wardour Street, London W1, Tel.: 020/7314 0000, U-Bahn: Piccadilly Circus (●)

16 Pâtisserie Valerie, 44 Old Compton Street, London W1, Tel.: 020/7437 3466, U-Bahn: Leicester Square (●●)

17 Pizza Express (Hauptgeschäft), 10 Dean Street, London W1, Tel.: 020/7437 9595, U-Bahn: Tottenham Court Road (●●●●)

18 Prince of Wales Theatre, 3 Coventry Street, London W1, Tel.: 020/7839 5972, U-Bahn: Leicester Square (●●●)

19 Richard Corrigan at Lindsay House, 21 Romilly Street, London W1, Tel.: 020/7439 0450, U-Bahn: Leicester Square (●●●)

20 Soho House, 40 Greek Street, London W1, Tel.: 020/7734 5188, U-Bahn: Leicester Square (●●●●●)

21 St Martin's Theatre, West Street, Cambridge Circus, London WC2, Tel.: 020/7497 0578, U-Bahn: Covent Garden (●●●)

22 Sugar Club, 21 Warwick Street, London W1, Tel.: 020/7437 7776, U-Bahn: Piccadilly Circus (●●●●●)

23 The Criterion, 224 Piccadilly, London W1, Tel.: 020/7930 0488, U-Bahn: Piccadilly Circus (●)

24 Yo! Sushi, 52 Poland Street, London W1, Tel.: 020/7287 0443, U-Bahn: Oxford Circus (●●●)

LEGENDE

Die Punkte hinter den Adressen symbolisieren die fünf Preiskategorien:

(●)   = 0 £
(●●)   = 1 – 10 £
(●●●)   = 10 – 50 £
(●●●●)   = 50 – 100 £
(●●●●●) = Was mit Geld nicht zu bezahlen ist

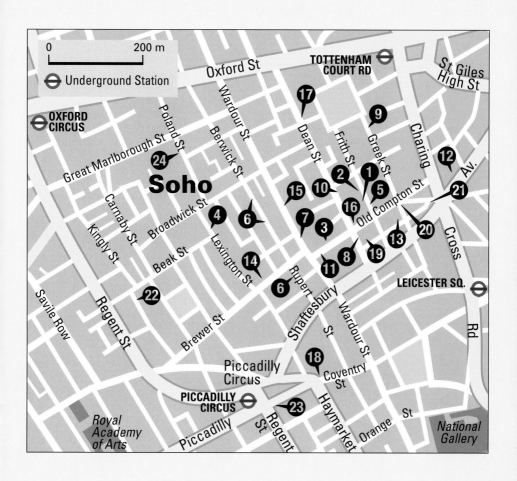

Covent Garden (Karte 2)

1 Bank, 1 Kingsway, London WC2, Tel.: 020/73799797, U-Bahn: Aldwych (•)

2 Belgo Centraal, 50 Earlham Street, London WC2, Tel.: 020/78132233, U-Bahn: Covent Garden (•••)

3 Café in the Crypt, Krypta von St. Martin-in-the-Fields, Duncannon Street, London WC2, Tel.: 020/78394342, U-Bahn: Charing Cross (••)

4 Carluccio's, 28a Neal Street, London WC2, Tel.: 020/72401487, U-Bahn: Covent Garden (•)

5 J. Sheekey, 28–32 St. Martin's Court, London WC2, Tel.: 020/72408114, U-Bahn: Leicester Square (•••)

6 Joe Allen, 13 Exeter Street, London WC2, Tel.: 020/78360651, U-Bahn: Covent Garden (•••)

7 Monmouth Coffee House, 27 Monmouth Street, London W1, Tel.: 020/78365272, U-Bahn: Covent Garden (••)

8 Neal's Yard Dairy, 17 Short Gardens, London WC2, Tel.: 020/73797646, U-Bahn: Covent Garden (•••)

9 Orso, 27 Wellington Street, London WC2, Tel.: 020/72405269, U-Bahn: Covent Garden (•••)

10 Pages Catering Equipment, 121 Shaftesbury Avenue, London WC1, Tel.: 020/75655959, U-Bahn: Tottenham Court Road (•)

11 Poetry Café, 22 Betterton Street, London WC2, Tel.: 020/42098 88, U-Bahn: Covent Garden (••)

12 Rules, 35 Maiden Lane, London WC2, Tel.: 020/78365314, U-Bahn: Covent Garden (•••••)

13 Savoy, Strand, London WC2, Tel.: 020/78364343, U-Bahn: Charing Cross (•••)

14 The Ivy, 1 West Street, London WC2, Tel.: 020/78364751, U-Bahn: Leicester Square (••)

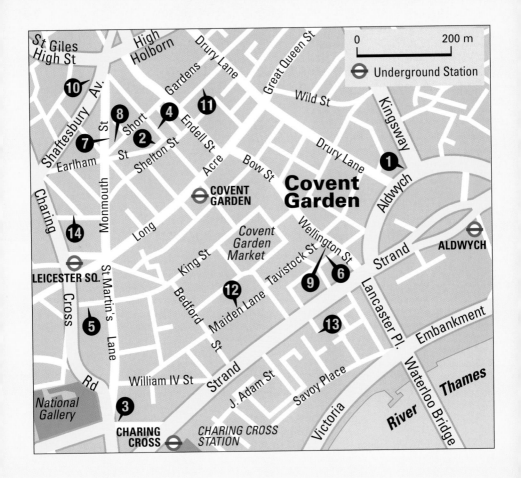

St. Giles High St

High Holborn

Drury Lane

Gardens

Great Queen St

Wild St

Kingsway

Shaftesbury Av.

10

8 Short St **4**

11

Endell St

7 St

2 Shelton St

Earlham

Drury Lane

1

Aldwych

Monmouth

Acre

Bow St

COVENT GARDEN

Covent Garden

Charing

Long

Covent Garden Market

Wellington St

ALDWYCH

14

King St

Tavistock St

Strand

LEICESTER SQ.

St Martin's Lane

Bedford St

Maiden Lane

12

9 **6**

13

Lancaster Pl.

Embankment

Cross

5

Savoy Place

Waterloo Bridge

Rd

William IV St

3

Strand

J. Adam St

Victoria

River Thames

National Gallery

CHARING CROSS

CHARING CROSS STATION

0   200 m

⊖ Underground Station

MARYLEBONE & MAYFAIR (KARTE 3)

1 Beirut Express, 112–114 Edgware Road, London W2, Tel.: 020/77242700, U-Bahn: Edgware Road (●●●)

2 Berry Bros. & Rudd, 3 St. James's Street, London SW1, Tel.: 020/73969600, U-Bahn: Green Park (●)

3 Brown's Hotel, 33–34 Albemarle Street, London W1, Tel.: 020/75184108, U-Bahn: Green Park (●●●)

4 Caviar Caspia, 18 Bruton Place, London W1, Tel.: 020/74930879, U-Bahn: Bond Street (H●●●)

5 Charbonnel et Walker, 1 The Royal Arcade, 28 Old Bond Street, London W1, Tel.: 020/74910939, U-Bahn: Green Park (●)

6 Che, 23 St. James's Street, London SW1, Tel.: 020/77479380, U-Bahn: Green Park (●●●)

7 Christie's, 8 King Street, London SW1, Tel.: 020/78399060, U-Bahn: Green Park (●●●●)

8 Claridge's, Brook Street, London W1, Tel.: 020/76298860, U-Bahn: Bond Street (●●●)

9 Cordon Bleu Culinary Institute, 114 Marylebone Lane, London W1M, Tel.: 020/79353503, U-Bahn: Baker Street (●●●●)

10 D.R. Harris & Co. Ltd., 29 St. James's Street, London SW1, Tel.: 020/79303915, U-Bahn: Green Park (●●)

11 Defune, 61 Blandford Street, London W1, Tel.: 020/79358311, U-Bahn: Marble Arch (●●●)

12 Donna Karan, 19 New Bond Street, London W1, Tel.: 020/74998089, U-Bahn: Green Park (●●●)

13 Fortnum & Mason, 181 Piccadilly, London W1, Tel.: 020/77348040, U-Bahn: Piccadilly Circus (●)

14 George, 80–81 Mount Street, London W1, Tel.: 020/76291096, U-Bahn: Green Park (●●●●)

15 H.R. Higgins (Coffeeman) Ltd, 79 Duke Street, London W1, Tel.: 020/76293913, U-Bahn: Bond Street (●)

16 Maroush IV, 68 Edgware Road, London W2, Tel.: 020/72249339, U-Bahn: Marble Arch (●●●)

17 Mirabelle, 56 Curzon Street, London W1, Tel.: 020/74994636, U-Bahn: Green Park (●●●)

18 Nobu at the Metropolitan Hotel, 19 Old Park Lane, London W1, Tel.: 020/74474747, U-Bahn: Hyde Park Corner (●●●●)

19 Oak Room, Le Méridien, 21 Piccadilly, London W1, Tel.: 020/74370202, U-Bahn: Piccadilly Circus (●●●)

20 Oriental, The Dorchester Hotel, 55 Park Lane, London W1, Tel.: 020/73176328, U-Bahn: Hyde Park Corner (●●●)

21 Orrery, 55 Marylebone High Street, London W1, Tel.: 020/76168000, U-Bahn: Baker Street (●●●●)

22 Paxton & Whitfield, 93 Jermyn Street, London SW1, Tel.: 020/79300259, U-Bahn: Piccadilly Circus (●)

23 Quaglino's, 16 Bury Street, London SW1, Tel.: 020/79306767, U-Bahn: Green Park (●●●●)

24 Ranoush Juice Bar, 43 Edgware Road, London W2, Tel.: 020/77235929, U-Bahn: Marble Arch (●●●)

25 Royal China, 40 Baker Street, London W1, Tel.: 020/74874688, U-Bahn: Baker Street (●●●)

26 Seashell, 49–51 Lisson Grove, London NW1, Tel.: 020/77238703, U-Bahn: Marylebone (●●)

27 Selfridges & Co., 400 Oxford Street, London W1, Tel.: 020/76291234, U-Bahn: Marble Arch (●)

28 Sotheby's, 34–35 New Bond Street, London W1, Tel.: 020/72935141, U-Bahn: Bond Street (●●●●)

29 The Dorchester Hotel, 53 Park Lane, London W1, Tel.: 020/76298888, U-Bahn: Hyde Park Corner (●●●)

30 The Met Bar at the Metropolitan Hotel, 19 Old Park Lane, London W1, Tel.: 020/74471000,

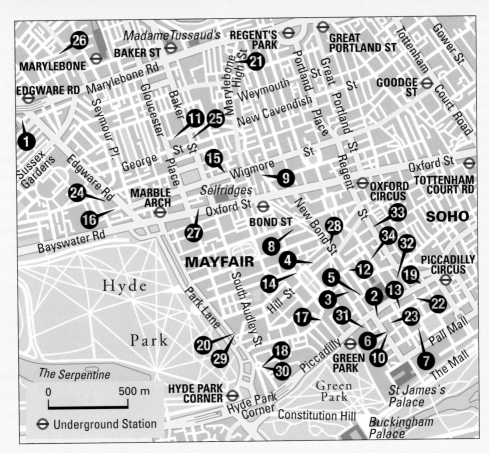

U-Bahn: Hyde Park Corner
(•••••)
31 The Ritz Hotel, 150 Piccadilly,
London W1, Tel.: 020/74938181,
U-Bahn: Green Park (•••)

32 Veeraswamy, 1. Stock, Victory
House, 101 Regent Street, London
W1, Tel.: 020/77341401,
U-Bahn: Piccadilly Circus (••)
33 Waterford Wedgwood, 158
Regent Street, London W1,
Tel.: 020/77347262,

U-Bahn: Oxford Circus (•)
34 Zinc Bar & Grill, 21 Heddon
Street, London W1, Tel.: 020/
72558899, U-Bahn: Piccadilly
Circus (••••)

BLOOMSBURY (KARTE 4)

1 British Museum, Great Russell Street, London WC1, Tel.: 020/76361555, U-Bahn: Russell Square (●●●)

2 Cyberia Café, 39 Whitfield Street, London W1, Tel.: 020/72090982, U-Bahn: Goodge Street (●●)

3 Mash, 19–21 Great Portland Street, London W1, Tel.: 020/76375555, U-Bahn: Oxford Circus (●●)

4 North Sea Fish Restaurant, 7–8 Leigh Street, London WC1, Tel.: 020/73875892, U-Bahn: Russell Square (●●)

5 Planet Organic, 22 Torrington Place, London W2, Tel.: 020/74361929, U-Bahn: Goodge Street (●●●)

6 Shoppers News, 41 Marchmont Street, London W1, Tel. 020/79161317, U-Bahn: Russell Square (●●)

7 The British Library at St Pancras, 96 Euston Road, London NW1, Tel.: 020/74127332, U-Bahn: King's Cross (●●)

8 Wagamama, 4 Streatham Street, London WC1, Tel.: 020/73239223, U-Bahn: Tottenham Court Road (●●)

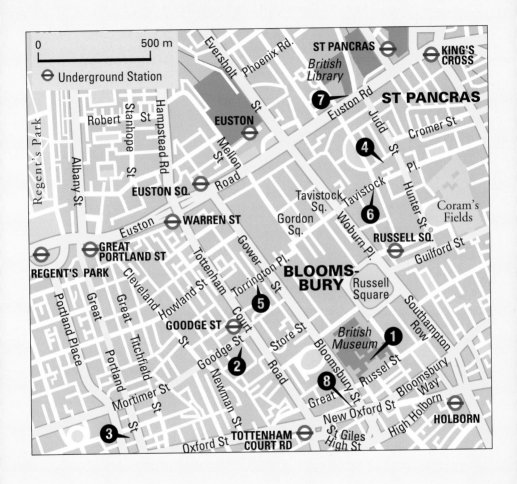

City (Karte 5)

1 Bleeding Heart Tavern, Bleeding Heart Yard, 19 Greville Street, London EC1, Tel.: 020/74040333, U-Bahn: Farringdon (•)

2 Borough Cafe, 11 Park Street, London SE1, Tel.: 20/74075048, U-Bahn: London Bridge (••)

3 Borough Market, 8 Southwark Street, London SE1, Tel.: 020/74071002, U-Bahn: London Bridge (•)

4 Bramah Museum of Tea & Coffee, The Clove Building, Maguire Street, Butlers Wharf, London SE1, Tel.: 020/73780222, U-Bahn: London Bridge (••)

5 Brick Lane Beigel Bake, 159 Brick Lane, London E1, Tel.: 020/77290616, U-Bahn: Shoreditch (••)

6 Butlers Wharf Chop House, 36e Shad Thames, London SE1, Tel.: 020/74033403, U-Bahn: London Bridge (••••)

7 Café Spice Namaste, 16 Prescot Street, London E1, Tel.: 020/74889242, U-Bahn: Tower Hill (••)

8 Cellar Gascon, 55 West Smithfield, London EC1, Tel.: 020/72535853, U-Bahn: Barbican (•••••)

9 Cicada, 132–136 St. John Street, London EC1, Tel.: 20/76081550, U-Bahn: Farringdon (•)

10 Club Gascon, 57 West Smithfield, London EC1, Tel.: 020/77960600, U-Bahn: Barbican (•••••)

11 Comptoir Gascon, 61–63 Charterhouse Street, London EC1, Tel.: 020/76080851, U-Bahn: Barbican (•••••)

12 fish!, Cathedral Street, Borough Market, London SE1, Tel.: 020/72343333, U-Bahn: London Bridge (•)

13 Fox & Anchor, 115 Charterhouse Street, London EC1, Tel.: 020/72534838, U-Bahn: Farringdon (•)

14 Gaudí, 63 Clerkenwell Road, London EC1, Tel.: 20/72501057, U-Bahn: Farringdon (•)

15 Konditor & Cook, 22 Cornwall Road, London SE1, Tel.: 020/72610456, U-Bahn: Waterloo (•)

16 L. Terroni & Sons, 138–140 Clerkenwell Road, London EC1, Tel.: 020/78371712, U-Bahn: Farringdon (••••)

17 Moro, 34–36 Exmouth Street, London EC1, Tel.: 20/78338336, U-Bahn: Farringdon (•)

18 Museum of London, 150 London Wall, London EC2, Tel.: 020/76003699, U-Bahn: Barbican (••)

19 Neal's Yard Dairy, 6 Park Street, London SE1, Tel.: 020/76453554, U-Bahn: London Bridge (•)

20 Neat, Second Floor, Oxo Tower Wharf Barge House, Barge House Street, London SE1, Tel.: 020/79284433, U-Bahn: Blackfriars (••••)

21 Old Thameside Inn, Pickford's Wharf, 1 Clink Street, London SE1, Tel.: 020/74034243, U-Bahn: London Bridge (•••)

22 One Fine Thing, 70 St. John Street, London EC1, Tel.: 020/73368832, U-Bahn: Farringdon (•)

23 Oxo Tower (und Brasserie), Barge House Street, London SE1, Tel.: 020/78033888, U-Bahn: Blackfriars (••••)

24 R. Twining & Co, 216 Strand, London WC2, Tel.: 020/73533511, U-Bahn: Temple oder Aldwych (••)

25 St. John, 26 St. John Street, London EC1, Tel.: 020/72510848, U-Bahn: Farringdon (•)

26 Tate Modern, 25 Sumner Street, London SE1, Tel.: 020/78878000, U-Bahn: Southwark (•••)

27 The Crown Tavern, Clerkenwell Green, London EC1, Tel.: 020/72500757, U-Bahn: Farringdon (•)

28 The Eagle, 159 Farringdon Road, London EC1, Tel.: 020/78371353, U-Bahn: Farringdon (••)

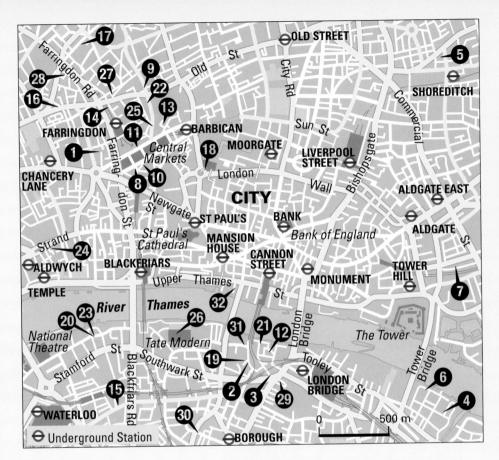

29 The George Inn, 77 Borough High Street, London SE1, Tel.: 020/74072056, U-Bahn: London Bridge (●)

30 The London Fire Brigade Museum, Winchester House, 94a Southwark Bridge Road, London SE1, Tel.: 020/75872894, U-Bahn: Borough (Führungen tel.isch beantragen) (●●●●●)

31 Vinopolis, 1 Bank End, London SE1, Tel.: 0870/4444777, U-Bahn: London Bridge (●●●●)

32 WSET, Five Kings House, 1 Queen Street Place, London EC4, Tel.: 020/72363551, U-Bahn: Cannon Street (●●●●●)

1 Bibendum, Michelin House, 81 Fulham Road, London SW3, Tel.: 020/72 25 12 22, U-Bahn: South Kensington (●)

2 Bluebird und Bluebird 2 U, 350 King's Road, London SW3, Tel.: 020/75 59 10 00, U-Bahn: South Kensington (●●●●)

3 David Linley, 60 Pimlico Road, London SW1, Tel.: 020/77 30 73 00, U-Bahn: Sloane Square (●)

4 David Mellor, 4 Sloane Square, London SW1, Tel.: 020/77 30 42 59, U-Bahn: Sloane Square (●)

5 Emporio Armani Express, 191 Brompton Road, London SW3, Tel.: 020/78 23 88 18, U-Bahn: Knightsbridge (●●●)

6 Farr Vintners Ltd, 19 Sussex Street, London SW1, Tel.: 020/78 21 20 00, U-Bahn: Victoria (●●●●)

7 Gordon Ramsay, 68–69 Royal Hospital Road, London SW3, Tel.: 020/73 52 44 41, U-Bahn: Sloane Square (●●●●)

8 Harrods, 78–135 Brompton Road, London SW1, Tel.: 020/77 30 12 34, U-Bahn: Knightsbridge (●)

9 Harvey Nichols, 109–125 Knightsbride, London SW1, Tel.: 020/72 35 50 00, U-Bahn: Knightsbridge (●)

10 Jane Asher Party Cakes, 22–24 Cale Street, London SW3, Tel.: 020/75 84 61 77, U-Bahn: South Kensington (●●●)

11 Jerry's Home Store, 163–167 Fulham Road, London SW3, Tel.: 020/75 81 09 09, U-Bahn: South Kensington (●)

12 La Tante Claire, The Berkeley Hotel, Wilton Place, London SW1, Tel.: 020/78 23 20 03, U-Bahn: Hyde Park Corner (●●●●●)

13 Mr. Chow, 151 Knightsbridge, London SW1, Tel.: 020/75 89 73 47, U-Bahn: Knightsbridge (●●●)

14 Partridges of Sloane Street, 132–134 Sloane Street, London SW1, Tel.: 020/77 30 06 51, U-Bahn: Sloane Square (●)

15 The Conran Shop, Michelin House, 81 Fulham Road, London SW3, Tel.: 020/75 89 74 01, U-Bahn: South Kensington (●)

16 The Fifth Floor Restaurant at Harvey Nichols, 109–125 Knightsbridge, London SW1, Tel.: 020/72 35 52 50, U-Bahn: Knightsbridge (●)

17 The Lanesborough Hotel, Hyde Park Corner, London SW1, Tel.: 020/72 59 55 99, U-Bahn: Hyde Park Corner (●●●)

18 Victoria & Albert Museum, Cromwell Road, London SW7, Tel.: 020/79 38 85 00, U-Bahn: South Kensington (●●●)

19 Vong, Berkeley Hotel, Wilton Place, London SW1, Tel.: 020/72 35 10 10, U-Bahn: Hyde Park Corner (●●●●●)

20 Zafferano, 15 Lowndes Street, London SW1, Tel.: 020/72 35 58 00, U-Bahn: Knightsbridge (●●●●)

Hyde Park

HYDE PARK
CORNER

Green Park

Constitution Hill

Knightsbridge

KNIGHTSBRIDGE

Hyde Park
Corner

Buckingham
Palace

Royal
Albert Hall

Grosvenor Place

The Royal
Mews

Belgrave
Square

Victoria &
Albert
Museum

Brompton Rd

St

Belgrave
Pl.

VICTORIA

Natural Hist.
Museum

Cromwell Rd

Sloane St

Pont

King's Rd

Victoria

BROMPTON

Buckingham Palace Rd

Belgrave Rd

SOUTH
KENSINGTON

BELGRAVIA

SLOANE SQ.

Warwick Way

Old Brompton Rd

Sloane Av.

Sutherland St

Fulham Rd

Cale St

King's Rd

Pimlico Rd

Ebury Bridge Rd

Sydney St

Chelsea Bridge Rd

Grosvenor Rd

CHELSEA

Royal Hospital Rd

King's Rd

Oakley St

Chelsea Embankment

Beaufort St

Albert Bridge

River Thames

Battersea Park

| 0 | 500 m |

⊖ Underground Station

Notting Hill (Karte 7)

1 192, 192 Kensington Park Road, London W11, Tel.: 020/72290482, U-Bahn: Notting Hill Gate (●●●●)

2 Assaggi, The Chepstow, 39 Chepstow Place, London W2, Tel.: 020/77925501 U-Bahn: Notting Hill Gate (●●●●)

3 Books For Cooks, 4 Blenheim Crescent, London W11, Tel.: 020/72211992, U-Bahn: Ladbroke Grove (●)

4 Clarke's Restaurant und Laden, 122–124 Kensington Church Street, London W8, Tel.: 020/72292190, U-Bahn: Notting Hill Gate (●●)

5 Cobden Club, Kensal Road, London W10, Tel.: 020/89604222, U-Bahn: Kensington High Street (●●●●●)

6 Costas Fish Restaurant, 18 Hillgate Street, London W8, Tel.: 020/77274310, U-Bahn: Notting Hill Gate (●●)

7 Jeroboams, 96 Holland Park Avenue, London W11, Tel.: 020/77279359, U-Bahn: Holland Park (●)

8 Kensington Place, 201–208 Kensington Church Street, London W8, Tel.: 020/77273184, U-Bahn: Notting Hill Gate (●)

9 Ladbroke Arms, 54 Ladbroke Road, London W11, Tel.: 020/77276648, U-Bahn: Holland Park (●●●●)

10 Leith's School of Food & Wine, 21 St Alban's Grove, London W8, Tel.: 020/72290177, U-Bahn: High Street Kensington (●●●●)

11 Liquid Lounge, 209 Westbourne Park Road, London W11, Tel.: 020/72430914, U-Bahn: Westbourne Park (●●●●)

12 Mandarin Kitchen, 14–16 Queensway, London W2, Tel.: 020/77279012, U-Bahn: Queensway (●●●)

13 Pharmacy, 150 Notting Hill Gate, London W11, Tel.: 020/72212442, U-Bahn: Notting Hill Gate (●●●●)

14 Planet Organic, 42 Westbourne Grove, London W2, Tel.: 020/72217171, U-Bahn: Bayswater (●●●)

15 Portobello Food Market, täglich außer sonntags, Portobello Road, zwischen Colville Terrace und Lancaster Road, London W11, U-Bahn: Ladbroke Grove (●)

16 Portobello Star, 171 Portobello Road, London W11, Tel.: 020/72298016, U-Bahn: Notting Hill Gate (●●●●)

17 Prince Bonaparte, 80 Chepstow Road, London W2, Tel.: 020/73139491, U-Bahn: Notting Hill Gate (●●●●)

18 Sticky Fingers, 1a Phillimore Gardens, London W8, Tel.: 020/79385338, U-Bahn: High Street Kensington (●●)

19 The Cow, 89 Westbourne Park Road, London W2, Tel.: 020/72215400, U-Bahn: Westbourne Park (●●●●)

20 The Notting Hill Carnival Limited, 332 Ladbroke Road, London W10, Tel.: 020/89640544, U-Bahn: Ladbroke Grove (●●●●)

21 The Travel Bookshop, 13 Blenheim Crescent, London W11, Tel.: 020/72295260, U-Bahn: Notting Hill Gate

22 The Westbourne, 101 Westbourne Park Villas, London W2, Tel.: 020/72211332, U-Bahn: Westbourne Park (●●●●)

23 Urban Espresso Training School, 63–65 Goldney Road, London W9, Tel.: 020/72861700, U-Bahn: Westbourne Park (●●●●)

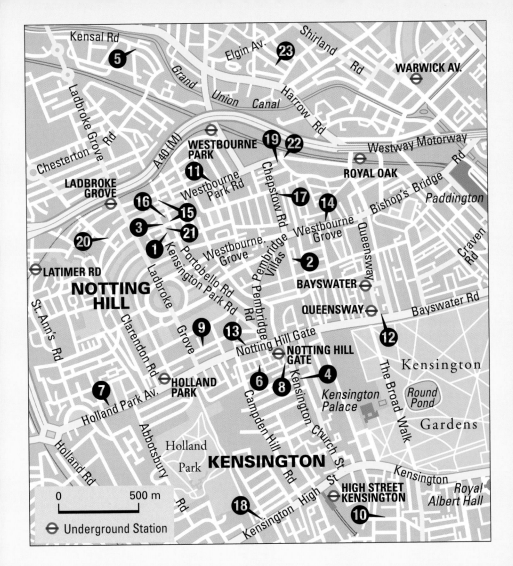

Kensal Rd

5

Elgin Av.

Shirland Rd

23

WARWICK AV.

Grand Union Canal

Harrow Rd

Ladbroke Grove Rd

Chesterton Rd

A 40 (M)

WESTBOURNE PARK

19

22

Westway Motorway

LADBROKE GROVE

11

Westbourne Park Rd

Chepstow Rd

ROYAL OAK

Bishop's Bridge Rd

Paddington

16

15

17

14

Pembridge Villas

Westbourne Grove

Queensway

Craven Rd

3

21

20

1

Westbourne Grove

Pembridge Rd

2

LATIMER RD

Kensington Park Rd

Portobello Rd

BAYSWATER

NOTTING HILL

QUEENSWAY

Bayswater Rd

St. Ann's Rd

Ladbroke Grove

12

Clarendon Rd

9

13

Notting Hill Gate

NOTTING HILL GATE

Kensington

Round Pond

7

HOLLAND PARK

Holland Park Av.

6

8

4

The Broad Walk

Kensington Palace

Gardens

Abbotsbury Rd

Campden Hill Rd

Kensington Church St

Holland Rd

Holland Park

KENSINGTON

18

Kensington High St

HIGH STREET KENSINGTON

10

Kensington

Royal Albert Hall

0   500 m

⊖ Underground Station

431

KLEINES KULINARISCHES WÖRTERBUCH

Afternoon tea – Gehaltvoller nachmittäglicher Imbiss, der auch ein Abendessen ersetzt

Ale – Obergäriges Bier, oft aus kleinen Brauereien

Americano – Aus Amerika importierte moderne Kaffeezubereitung

Asafoetida – Sehr intensives Würzmittel aus der indischen Küche

Bagel (beigel) – Klassischer Teigkringel aus der jüdische Küche

Bangers – Würstchen, die meist zu Kartoffelbrei (*mash*) serviert werden

Billingsgate – Der Fischmarkt gab einst einer recht anzüglichen Umgangssprache den Namen

Bitter – Das Lieblingsbier der Engländer

Blinis – Die feinen Pfannkuchen der russisch-jüdischen Küche passen zu Lachs und Kaviar

Bread sauce – Die mit Milch zubereitete und mit Brot angereicherte Sauce wird zu Wildgeflügel gereicht

Caffe latte – Klassischer italienischer Milchkaffee, in den USA neu entdeckt und nach London importiert

Chicken-fried sandwich – Sandwich mit Rindfleischfüllung, die wie Hühnerfleisch frittiert wird

Chippie – Liebevoller Ausdruck für einen altmodischen Fish-and-Chips-Laden

Chollah – Brotzopf aus der jüdischen Küche

Chopped liver – Klassisches jüdisches Gericht mit Leber

Cider – Aus speziellen Äpfeln hergestellter, leicht alkoholisierter Saft

Cockney rhyming slang – Noch heute gesprochener Dialekt des East End

Cod – Kabeljau, der in London für Fish'n'Chips verwendet wird

Cream tea – Edler Nachmittagsimbiss mit süßen Leckereien

Crema – Beschreibt die Farbe eines guten Kaffees

Dal – Oberbegriff für die in Indien beliebten Hülsenfrüchte

Fish pie – Je nach Vorliebe nur mit Lachs oder verschiedenen Fischen und Meeresfrüchten zubereiteter klassischer englischer Pie

Fish 'n' Chips – Bratfisch mit Pommes Frites

Falafel – Gesundes Fast Food aus dem Nahen Osten

Flapjacks – Klassisches Krümelgebäck mit Haferflocken und viel braunem Zucker

Focaccia – Italienische Brotsorte

Garam masala – Unverzichtbare indische Gewürzmischung

Gefilte Fisch – Köstliches, aber aufwendiges Fischgericht aus der ostjüdischen Küche

Ghee – Geklärte Butter, gebräuchlich in der indischen Küche
Greasy Spoons – Liebenswerte einfache Imbissläden, auch *kaffs* genannt

Haloumi – Dem Mozzarella nicht unähnlicher Käse aus der mediterranen Küche
High tea – Afternoon tea

Itamae – Erst nach mehreren Jahren der Ausbildung darf sich ein Sushikoch so nennen

Jam – Oberbegriff für alle Marmeladensorten außer der aus Zitrusfrüchten hergestellten *marmalade*
Jellied eel – Klassische Aalzubereitung aus der Küche des East End

Kaff – Altmodische Imbissstuben abseits der Touristenpfade

Last orders! – Um 22.50 Uhr wird in den Pubs mit einer Glocke die letzte Runde eingeläutet. Sein Glas darf man noch austrinken.

Liquor – Sauce mit Petersiliengeschmack und ohne Alkohol

Marmalade – Oberbegriff für Marmeladen aus Zitrusfrüchten
Mash – Die englische Variante des Kartoffelbreis
Mezze – Die Vorspeisenplatte aus dem mediterranen Raum und dem Nahen Osten ist in London sehr beliebt
Mincemeat – Früher enthielt die Füllung für die Weihnachtsküchlein *mince pies* auch Fleisch
Mushy peas – Beilage aus pürierten grünen Erbsen

Naan – Indisches Fladenbrot, ursprünglich aus dem Tandoori-Ofen

Peking duck – Pekingente
Pie – Pastete oder Auflauf
Pint – Die englische Maßeinheit im Pub trotzt erfolgreich dem metrischen Maß. Ein Pint entspricht 0,568 Litern
Ploughman's lunch – Die schönste Art, englischen Käse zu genießen: mit Tomaten,

Chutney, Cornichons appetitlich angerichtet
Porter – Gehaltvolles Dunkelbier
Pound cake – Klassischer englischer Kuchen

Ramen – Nudelsuppe aus der asiatischen Küche
Roti – Aus dem nordindischen Tandoori-Ofen stammt dieses Brot
Royal warrant – Geschäfte, die das Königshaus beliefern, werden mit diesem Gütesiegel ausgezeichnet
Ruby murray – *Cockney rhyming slang* für ein Curry

Shepherd's pie – Dieser Kartoffelauflauf mit Fleisch gehört zu einer klassischen Pub-Speisekarte
Straws and cream – Erdbeeren mit Sahne: der typische Imbiss beim Tennisturnier von Wimbledon

Tandoori – Traditionelle Lehmöfen aus Nordindien, in denen gebacken und gekocht wird. Früher wurden sie gemeinschaftlich genutzt.

BIBLIOGRAFIE

KAPITEL 1

Lynda Brown „The Modern Cook's Handbook", Penguin (1995). Eine ungewöhnliche Mischung aus Einsteiger- und Profikochbuch; die „kulinarische Bibel" wurde von der Guild of Foodwriters ausgezeichnet.

Samantha Hardingham „eat london", Ellipsis (1998). Ein präziser Westentaschenführer durch die beeindruckende Architektur Londoner Restaurants, Bars und Cafés. Die Autorin ist Mitinhaberin des Crowbar Coffee.

Phil Harriss „London Markets", Cadogan (1999). Der perfekte Marktführer rund um London, dem eine interessante Marktgeschichte vorangestellt ist. Zu jedem der detailgenau beschriebenen Märkte empfiehlt der Autor auch kleine Restaurants und Cafés in Gehweite.

Dorothy Hartley „Food in England", Little, Brown and Company (1999). Erstmals 1954 erschienen, beschwört dieser kluge Klassiker nostalgische Zeiten herauf, in denen der Toast noch zwischen heißen, umwickelten Ziegelsteinen warmgehalten wurde, jeder im Garten seine eigenen Kartoffeln zog und die Apfelernte scheibchenweise an langen Schnüren zum Trocknen aufhing.

Fergus Henderson „Nose to Tail Eating", Macmillan (1999). Mit diesem Kochbuch in ansprechender Schwarzweißoptik machte der Chefkoch des Restaurants St. John Furore. Die Auswahl der Rezepte, zum Beispiel Knuspriger Schweineschwanz mit Senf, Zunge mit Kräutersauce, gebackenes Knochenmark mit Petersiliensalat, weisen schon darauf hin, dass diese Küche nichts für Zartbesaitete ist.

Simon Hopkinson und Lindsay Bareham „The Prawn Cocktail Years", Macmillan (1997). Eine nostalgische Rezeptsammlung großer Klassiker der internationalen Küche, gesammelt vom Gründungskoch des Restaurants Bibendum und seiner Koautorin Lindsay Bareham mit dem Glenfiddich Award ausgezeichnet.

Rosie Kindersley (Hrsg.) „One Year At Books For Cooks", Pryor Publications (1999). Jährlich erscheint diese Rezeptsammlung der besten Gerichte der besten Köche von Books for Cooks. Auszugsweise ist sie auch im vierteljährlichen Newsletter gratis erhältlich.

Mark Kurlansky „Kabeljau. Der Fisch, der die Welt veränderte", Claassen (1997). Ungemein spannend liest sich die kulturhistorische Entwicklungsgeschichte des Kabeljaus, die dem Autor den begehrten Glenfiddich Award einbrachte.

Bill Lavenders liebevoll gestaltete und sehr ausführliche www.cockney.co.uk ist der Cockney-Kultur gewidmet.

Jenny Linford „A Taste of London", Metro (1997). Ein engagierter Streifzug durch die Länderküchen und Märkte der Stadt, mit interessanten Rezepten und klugen Anmerkungen.

Christina Rista (Hrsg.) **„The Essential Guide to London's Best Food Shops"**, New Holland (2000). Ein appetitlich aufgemachter, junger Führer durch die besten Lebensmittelläden der Stadt.

Claudia Roden **„The Book of Jewish Food"**, Viking (1997). Auf über 560 Seiten widmet sich die aus Kairo stammende, vielfach ausgezeichnete Kochbuchautorin der Geschichte der jüdischen Küche. Ihre beeindruckend sorgfältige Recherche brachte 800 Rezepte und viele Geschichten rund um das Essen hervor.

Simon Scrutton (Hrsg.) **„Gray's Guide to London Food Shops"**, Cheyne (1999). Die klassische Handbuchvariante für die besten Lebensmittelläden der Stadt.

Delia Smith **„Complete Cookery Course"**, BBC Books (1997). „Überarbeitet für die 90er-Jahre" wurde dieser Klassiker, der seit 1978 teilweise mehrfach jährlich aufgelegt wurde. Kein Wunder:

Die Rezepte sind so präzise, als wären sie in Zeitlupe geschrieben.

Delia Smith **„How To Cook I"**, BBC Books (1998). Bei seinem Erscheinen wurde das Kochbuch heftigst in der Presse diskutiert: Ist es wirklich nötig, den Lesern sechs Seiten über das Ei zu präsentieren? Kann das nicht jeder? „Mitnichten", sagte Delia Smith. In ansprechenden Fotos und mit der ihr typischen Präzision erklärte sie beispielsweise, dass Wachteleier am besten nicht ganz frisch sein sollten und fünf Minuten nur in köchelndem Wasser sieden.

Reay Tannahill **„Food in History"**, Penguin (1973). Im Vorwort erinnert sich die schottische Historikerin und Sozialwissenschaftlerin an ihre Verwunderung darüber, dass noch niemand vor ihr auf die Idee gekommen war, eine umfassende Geschichte des Essens zu schreiben. Sieben Jahre später habe dann auch sie begriffen warum: Keiner, der einen Funken Verstand besitzt, hätte sich auf ein so umfangreiches Projekt eingelassen. Ob es um die Entstehung der Märkte, die Ernährung bei den Nomaden, die Tischmanieren im

ausgehenden Mittelalter oder moderne Backöfen geht – Reay Tannahill hat keinen Aspekt ausgelassen.

Kapitel 2

Sally Clarke **„Sally Clarke's Book"**, Macmillan (1999). In ihrem gleichnamigen Restaurant hat sich die am Pariser Cordon Bleu Institute ausgebildete Köchin und Autorin der modernen, frischen Küche verschrieben und ein ungewöhnliches Konzept durchgesetzt. *No choice* heißt, dass es ein täglich wechselndes, festgelegtes Menü gibt. Ihr Kochbuch eignet sich für das Nachkochen in der Amateurküche.

Elizabeth David **„A Book of Mediterranean Food"**, Lehmann (1950). Zu einer Zeit, als das Olivenöl nur im Rezeptfläschchen in der Apotheke zu erwerben war und Oliven selten erhältlich, weckte Elizabeth David mit ihrer beeindruckenden Sammlung an Rezepten und Impressionen rund um das Mittelmeer die Sehnsucht nach gutem, einfachem Essen.

Clare Ferguson **„street food"**, Ryland Peters & Small (1999).

Eine „Küche des Überlebens" nennt die Autorin die Tradition der Happen, die man auf der Straße zu sich nimmt. Die leicht nachzukochenden Rezepte hat sie auf der ganzen Welt gesammelt.

Simon Garner **„the London café book"**, Vega (1997). Ein Schwarzweißbuch, das den Charakter der *kaffs* und *cafés* besonders gut wiedergibt. Das ansprechende Layout lässt sogar, die ebenfalls schwarzweißen Rezeptfotos recht appetitlich wirken. Ein ansprechender Führer, dem man die Liebe zum Thema ansieht.

AA Gill **„The Ivy – The Restaurant and its Recipes"**. Hodder & Stoughton (1999). Edelfeder AA Gill widmet sich nicht nur der richtigen Herstellung von Bang Bang Chicken und anderen Klassikern, sondern erzählt eine fast 24-stündige, spannende Geschichte vom (un)typischen Alltag hinter den Kulissen.

Jane Grigson **„Good Things"**, Penguin (1991). Bereits 1971 erschien Jane Grigsons Bibel der guten Dinge und machte die studierte Anglizistin und spätere Übersetzerin landesweit bekannt. Ihre Tochter Sophie Grigson schickt sich als Kochbuchautorin und Fernsehmoderatorin an, in die Erfolgsstapfen der früh verstorbenen Mutter zu treten.

Christina Hardyment **„Slice of Life – The British Way of Eating since 1945"**, BBC Books (1995). Eine mit Anekdoten gespickte Geschichte über die Veränderung der Essgewohnheiten ihrer Landsleute liefert Christina Hardyment, die selbst am liebsten frühstückt.

Sybil Kapoor **„Modern British Food"**, Penguin (1995). Eine kluge Monatseinteilung zwischen Januar und Dezember achtet zwischen Suppen, Soufflés und sommerlichen Braten darauf, immer das saisonal frische Angebot zu verarbeiten.

George Orwell **„Down and Out in Paris and London"**, Harcourt Brace (1983). Als schlecht bezahlter Gemüseputzer stand Orwell bis zu 18 Stunden täglich in der Küche von Restaurants und Hotels, um am eigenen Leibe zu erfahren, wie sich wirkliche Armut anfühlt. Die Originalausgabe erschien 1933.

Craig John Wilson **„Veggie London"**, Metro Publications (1997). Eine Mischung aus Landeskunde und Restaurantführer. Ob nun jüdisch oder thailändisch – jede Küche, so weiß Craig John Wilson – hat interessante vegetarische Gerichte zu bieten. Die besten Restaurants dazu kennt der Autor ebenfalls.

KAPITEL 3
Michelle Berriedale-Johnson **„The British Museum Cookbook"**, British Museum Press (1999). Die Autorin gilt als Spezialistin für Kochbücher aus vergangenen Tagen, darunter dem „Victorian Cookbook" und „Pepys at Table". Bei ihrer langjährigen Arbeit an alten Rezepten, so sagt die Autorin, hätte sie zwar Anpassungen an die Neuzeit vornehmen müssen, aber immer wieder die Erfahrung gemacht, alten Rezepten mehr vertrauen zu können als denen heutiger Tage.

Joanna Blythman **„The Food We Eat"**, Michael Joseph Ltd. (1996). „Sie können es sich nicht leisten, dieses Buch zu ignorieren" erklärt der Untertitel, denn Joanna Blythman ist Lebensmittelskandalen auf der Spur wie andere investigative Reporter einer Drogenwaschanlage. Das Buch wurde mit dem begehrten Glenfiddich Award ausgezeichnet.

Kevin Gould **„Dishy"**, Hodder & Stoughton (2000). Kevin Goulds amüsantes Kochbuch eroberte nicht nur optisch Grenzbereiche. Neben einem „Irgendwie deutscher Kartoffelsalat" hat er auch ein Rezept für Pekingente im Angebot. Seine Variante geht wesentlich schneller. Für die Erstellung benötigt man neben einer Packung Gummihandschuhe auch einen Haarfön. Besonders Männern ist dieses Kochbuch zu empfehlen, worauf auch die schnörkellose Formulierungsweise von Kevin Gould schließen lässt.

Maggie Lane **„Jane Austen and Food"**, The Hambledon Press (1995). Die Austen-Expertin und Autorin Maggie Lane widmet sich in einem liebevollen und gleichzeitig wissenschaftlichen Exkurs der Bedeutung des Essens in den zeittypischen und dennoch heute relevanten Romanen von Jane Austen. Dem Roman „Emma" ist gleich ein ganzes Kapitel gewidmet.

www.london.se.1.co.uk Der Londoner Stadtbezirk SE1 hat eine sehr anschauliche, übersichtliche und informative Webseite, die neben politischen Informationen und geschichtlichen Daten auch Infos zu den Puböffnungszeiten bietet.

Jean-Christophe Novelli **„your place or mine? cooking at home with restaurant style"**, Quadrille (1998). Einem kometenhaften Aufstieg folgte ein ebensolcher Absturz. Binnen zwei Jahren eröffnete Jean-Christophe Novelli nach Maison Novelli noch drei weitere Restaurants und konzentrierte seine Energien nebenbei auf die Fernsehbranche. Eindeutig hatte er sich übernommen, doch das wiederum war zu verstehen, denn Jean-Christophe Novelli ist einer der herausragenden Köche des Landes. Seine Leidenschaft für das Kochen, die an Besessenheit grenzt, fand auch in diesem wunderschön aufgemachten Kochbuch Niederschlag. Wie es sich für eine Michelin-Küche gehört, erfordern die meisten Rezepte ein bisschen Küchenerfahrung.

Judy Ridgway **„The Cheese Companion – The Connaisseur's**

Guide", Apple (1999). Jeder der 187 internationalen Käsesorten ist eine ganze Seite mit Abbildung gewidmet: Das macht die Zuordnung beim Kauf leicht. Auch die passenden Weine werden empfohlen.

Claudia Roden **„A New Book of Middle Eastern Food"**, Penguin (1986). 1968 erschien die Originalausgabe, die das Abendland erstmals aufmerksam auf die Küche des Vorderen und Mittleren Orients machte. Auf über 500 Seiten ist vieles kulinarisch (und anthropologisch) Wissenswerte aus Syrien, dem Libanon, Ägypten, Iran, Türkei, Griechenland, dem Irak, Saudi-Arabien, dem Yemen, Sudan, Algerien, Tunesien, Marokko und Israel zusammengetragen. Die Küchen dieser Länder sind – trotz ihrer kulturellen und religiösen Unterschiede – stark miteinander verbunden. Knapp 30 Jahre später gelang Claudia Roden ein weiterer Klassiker: Als sephardische Jüdin sammelte sie Rezepte und Geschichten rund um die jüdische Küche, die in „A Book of Jewish Food" veröffentlicht wurden.

Ruth Rogers, Rose Gray **„River Café Cookbook Green"**, Ebury (2000). Dem Trend zur vegetarischen Küche hat sich das River Café nur scheinbar angeschlossen. Denn Italien kommt landstrichweise sehr gut ohne Fleisch aus.

Ruth Rogers, Rose Gray **„River Café Cookbook II"**, Ebury (1998). Einfache Rezepte mit sehr guten Zutaten zu beachtlichen Preisen – dem Erfolgsrezept des Restaurants muss sich der Koch daheim jedoch nicht anschließen, denn die meisten in diesem Buch empfohlenen Zutaten sind preiswert.

Nada Saleh **„Fragrance of the Earth – Lebanese Home Cooking"**, Saqi Books (1996). Den Duft der Erde, die Freude am Einfachen will Nada Saleh in ihrer umfangreichen Rezeptsammlung dokumentieren. Dabei hat sie auf Originalität geachtet. Doch als Ernährungswissenschaftlerin interessiert sie auch der Trend zur fettarmen Ernährung; oft sind bei den Rezepten gesündere Alternativen angegeben.

Yan-kit So **„Classic Food of China"**, Macmillan (1994). Die Kochbuchautorin ist promovierte Historikerin und gilt in ihrer Wahlheimat völlig zu Recht als beste Kennerin der chinesischen Küche. Ihr Buch enthält nur wenige Fotos und beschäftigt sich mit kulinarischen Traditionen Chinas und den Grundzügen der vier Regionalküchen. Selbst chinesischen Kochbüchern hat sie ein Kapitel gewidmet.

Marco-Pierre White **„The Mirabelle Cookbook"**, Ebury Press (1999). Eine Hommage an sein Lieblingsrestaurant, für das der Inhaber alte Menüs, Weinlisten und Fotomaterial zusammengestellt hat. Die Rezeptfotos sind hingegen appetitlich frisch, und die Gerichte mixen gekonnt (englische) Tradition und französische Raffinesse.

Marco-Pierre White **„White Heat"**, Mitchell Beazley (1998). Schwarzweiße Momentaufnahmen in der Küche und perfekt arrangierte, Michelin-würdige Gerichte, garniert mit Lebensweisheiten, Humor und einem großen Gespür für Technik in der Küche. Der Klassiker sorgte optisch und inhaltlich für Furore. Wann sieht man schon einmal einen wort-

lich ausgekochten Chefkoch, der sich nach dem Service in der Küche völlig erschöpft eine Zigarette anzündet?

Aldo Zilli **„Foolproof Italian Cooking"**, BBC Books (2001). Aldo Zilli vertritt die klassische italienische Küche, auch in seinem gleichnamigen Restaurant. Dass Restaurantküche sich auch von weniger Kundigen nachkochen lässt, ist hier bewiesen.

KAPITEL 4

Marcus Binney **„The Ritz Hotel London"**, Thames & Hudson (1999), ist ein mit viel Akribie und Gefühl für Details gestalteter Prachtband über das Hotel. Er enthält neben Bauplänen und Skizzen auch viel historisches Fotomaterial aus der Bauzeit.

Richard Bramble **„The Star Chefs Cookbook"**, Blake (1998). Richard Bramble ist Aquarellmaler und von Restaurants fasziniert. In diesem Buch, an dem er vier Jahre arbeitete, hat er Lieblingsrezepte aller mit Michelin-Sternen ausgezeichneter Köche des Landes gesammelt und diese gemalt (und die Restaurants und Küchen gleich mit).

Michael Broadbent „**Broadbent's Wein-Notizen**", Hallwag (1994), ist ein Klassiker. Es enthält umfangreiche Probenotizen zu vielen alten Weinen und kann auch Besitzern bzw. Erben von Kellern mit Weinraritäten helfen, den Wert der Weine einzuschätzen.

Robert Carrier „**Great Dishes of the World**", Nelson (1963). Nur noch antiquarisch erhältlicher Klassiker, der eine Mischung aus nostalgischer Zeitreise und beeindruckender Fachkenntnis darstellt. Die Antiquariate rund um die Shaftesbury Avenue sind für solche Zufallsfunde übrigens hervorragend geeignet.

David Eyre „**Big Flavours and Rough Edges**", Headline (2001). Dem Drang, ein Kochbuch zu publizieren, hat sich nun auch der Gastropub Eagle angeschlossen. Aber er hat bessere Gründe dafür als viele andere Restaurants, er war einer der ersten, der die klassische Pubküche revolutionierte.

Keith Floyd, Far Flung Floyd „**BBC Books**" (1993). Der BBC gelingt es immer wieder, herausragende Köche zu Medienstars zu machen. Keith Floyd ist einer von ihnen. Sein Führer in die südostasiatische Küche ist vergnüglich zu lesen und leicht nachzukochen. Auch Frankreich und den USA hat er sich gewidmet.

Sasha Judelson (Hrsg.) „**East West Food**", Hamlyn (1998). Optisch und inhaltlich sehr ansprechend gestalteter Führer über die Fusion-Küche, der die Rezepte der besten Köche zwischen San Fransisco, Christchurch, Melbourne und London für dieses Buch gesammelt hat. Ungewöhnlich (und schon deshalb empfehlenswert): ein Schokoladendessert mit Chilischoten.

Thomas Keller, Susie Heller „**The French Cookbook**", Artisan (2000). Das Kochbuch des gleichnamigen kalifornischen Restaurants ist aufgeführt, weil das Restaurant zu den Lieblingen von Gordon Ramsay gehört und er einen Austausch an Jungköchen mit den Kollegen auf der anderen Seite der Erde pflegt. Große und nicht ganz einfache Restaurantküche.

Pierre Koffmann „**Memories of Gascony**", Van Nostrand Reinhold (1990). Kulinarische Erinnerungen des französischen Kochs, der nicht in der heimischen Gascogne, sondern in London zu Ruhm, Ehren und Michelinsternen kam.

Kenji Kumagai „**The Sushi Handbook – A Guide to Eating Japan's Favorite Delicacy**", Heian (1983). Kleines, aber sehr ausführliches und kundiges Handbuch.

Gordon Ramsay with Roz Denny „**Passion for Seafood**", Conran Octopus (1999). Eins von vier Kochbüchern des gebürtigen Schotten, die auch in der heimischen Küche gewisse Erfahrungen voraussetzen, wie auch die Bereitschaft, für den Erfolg einige Zeit in derselben zu stehen. Hohe Kochkunst, Weinempfehlung eingeschlossen.

Barbara Tims (Hrsg.) „**Food in Vogue**", Pyramid Books (1988). Herausragende Foodjournalisten und –autoren arbeiten bereits seit den 20er-Jahren für die englische Ausgabe der Zeitschrift Vogue. Dieses Buch hat die besten Rezepte aus 70 Jahren zusammengestellt – nicht nur als Anregung für Hobbyköche, sondern auch als Zeitreise, die den Luxus der frühen Jahre widerspiegelt sowie die Lebensmittelknappheit der 40er-Jahre und die spätere Öffnung zur internationalen Küche.

Jean-Georges Vongerichten and Mark Bittman **„Simple Good Food"**, Kyle Cathie Limited (1999). Zwei Könner am Werk: Mark Bittman ist New Yorker Kochbuchautor, Vongerichten einer der bekanntesten Köche der anglo-amerikanischen Welt. Gerichte wie Jakobsmuscheln in einer Sauce mit Kapern und Rosinen, Gepfefferte Aprikosen oder das typische Vong-Probierbüffet mit Satayspießen und Frühlingsrollen auf allerhöchstem Niveau sind in diesem Rezeptbuch vertreten, das mit wenigen Foodfotos auskommt und nur auf den ersten Blick etwas für Fortgeschrittene ist.

Jeni Wright, Eric Treuillé **„Cordon Bleu Complete Cooking Techniques"**, William Morrow (1997). Umfassender und sehr detaillierter Leitfaden des gleichnamigen Kochinstituts, der auch Pflichtlektüre für alle Studenten dieser teuren und strengen Schule ist.

KAPITEL 5

Jancis Robinson **„The Oxford Companion to Wine"**, Oxford University Press (1994). Internationale Bibel aus dem renommierten Fachverlag, die zu den Verkaufsschlagern zählt.

STANDARDWERKE

„Brewster's Dictionary of Phrase & Fable", Cassell (1996). Dieses umfangreiche Referenzbuch beschäftigt sich mit Sprache und Allgemeinbildung. Dass der Fischmarkt Billingsgate einst einem groben Dialekt den Namen gab, erfährt man zum Beispiel hier.

„Das große Buch vom Fisch", Teubner Edition (1997). Die mehrsprachige Warenkunde zu Fischen macht die Identifizierung leicht. Auch **„Das große Buch der Exoten"**, Teubner Edition (1990) und **„Das große Buch der Gemüse"**, Teubner Edition (1995) enthalten interessante Rezepte neben einer umfangreichen, soliden Warenkunde.

Alan Davidson **„The Oxford Companion to Food"**, Oxford University Press (1999). Auf fast 900 Seiten hat der Autor und

Publizist, dessen Bücher über die Fischküche im angelsächsischen Raum große Beliebtheit genießen, mit der Unterstützung von vielen Autoren eine faszinierende Lebensmittelkunde rund um das Essen zusammengestellt, die sich streckenweise wie ein Krimi, ein Historienroman oder eine Kulturgeschichte liest.

Guide Michelin, Michelin Tyre PLC, 38 Clarendon Road, Watford. Ausgabe London. Erscheint jährlich und hat sich dank seiner Benutzerfreundlichkeit bewährt.

Sharon Tyler Herbst **„The New Food Lover's Companion"**, Barron's Cooking Guide (1995). Sehr sauber und umfassend recherchiertes Nachschlagewerk, das sich mit den wichtigen Länderküchen der Welt beschäftigt.

Annette Hope, **„Londoners Larder"**, Mainstream Publishing (1990). William Shakespeare, Virginia Woolf und Oscar Wilde sind nur einige der Schriftsteller, an denen die Journalistin Annette Hope ihre Geschichte der englischen Küche in London festgemacht hat. Historische Abbildungen ergänzen den klugen Führer.

„Larousse Gastronomique", Mandarin Paperbacks (1990), ist zwar schon über 60 Jahre alt, gilt aber heute – komplett überarbeitet – noch immer als eines der überzeugendsten Nachschlagewerke für die Gastronomie.

Museumskatalog **„London Eats Out"**, Museum of London, Philip Wilson Publishers (1999). Eine ehrgeizige Ausstellung, die sich einer Londoner Lieblingsbeschäftigung widmet – dem Ausgehen.

Von der Abendzeitung „Evening Standard" wurde der **„London Restaurant Guide 2000"** ihres Autoren Nick Foulkes veröffentlicht. Übersichtlich von A–Z gegliedert, werden im typischen Foulkes-Stil Restaurants knapp und köstlich kritisiert. Wichtig auch die Hinweise, ob Mobiltelefone oder Zigarren erlaubt sind. Ebenso wichtig: die Kleiderfrage wird geklärt.

Anton Mosimann, Holger Hofmann **„Das große Buch der Meeresfrüchte"**, Teubner Edition (1985).

Die ausführliche Warenkunde der liebevoll gestalteten Bücher aus der Teubner Edition richtet sich an Profiköche, ist aber auch für Laien interessant.

Jährlich veröffentlicht der Verlag **„Rough Guide"** einen gleichnamigen Führer durch die Londoner Restaurants. Im Westentaschenformat gehalten, orientiert er sich im Gegensatz zu dem ebenfalls jährlich erscheinenden Führer des Stadtmagazin „Time Out", das die Aufteilung nach Länderküchen vornimmt, an den Stadtteilen Londons. Autor und Herausgeber Charles Campion wurde bereits mit dem prestigeträchtigen Glenfiddich Award als Restaurantkritiker ausgezeichnet. In der Beilage „ES" der Londoner Boulevardzeitung „Evening Standard" kann man seine Kritiken ebenfalls regelmäßig lesen.

Jährlich erscheint auch der Restaurantführer **„Square Meal"**. Er unterscheidet sich von anderen Führern durch seine Zielgruppe, ist er doch für die besser verdienenden Angestellten und Führungskräfte gemacht, deren Assistentinnen diesem Führer entnehmen

können, ob es guten Champagner gibt und das Mittagsmenü den hohen Preis auch wirklich rechtfertigt.

Jährlich veröffentlicht das Stadtmagazin **„Time Out"** neben dem Restaurantführer **„Eating & Drinking Guide"** auch einen Führer nur über Pubs und Bars. 1000 von Londons besten „Tränken" sind aufgeführt und präzise beschrie-ben; ungewöhnliche Biersorten, außergewöhnliche Öffnungszeiten und der Grad an Kinderfreundlichkeit sind nur einige Kriterien des trinkfesten und unbestechlichen Autorenteams, das für **„The Time Out Guide to Pubs & Bars"** verantwortlich zeichnet.

Der Stadtmagazinverlag **„Time Out – Book of London Walks"** Time Out (1998) hat einen Band mit empfohlenen Wanderwegen quer durch die Stadt herausgebracht. Geschrieben wurde er von bekannten Autoren, darunter den Schriftstellerinnen Margaret Drabble und Margaret Forster, dem Bürgerrechtler und Fernsehmoderator Darcus Howe und der Kolumnistin Irma Kurtz.

TEXTNACHWEIS

Der Verlag hat sich bis Produktionsschluss intensiv bemüht, alle Inhaber von Textrechten ausfindig zu machen. Personen und Institutionen, die möglicherweise nicht erreicht wurden, werden gebeten, sich nachträglich mit dem Verlag in Verbindung zu setzen.

TEXTE

Folgende Texte stammen von Elisabeth Ernest-Hahn: „Malcolm Gluck – Weintester par excellence" (S. 184–187), „Sotheby's und Christie's – Das schwierige Geschäft mit alten Weinen" (S. 302–309), „Master of Wine – Korkenzieher bei der Arbeit" (S. 382–385). Den Text „Nur zum Anschauen – Food-Stillleben in der National Gallery" (S. 44–47) verfasste Roswitha Neu-Kock.

REZEPTE

Folgende Rezepte haben wir mit freundlicher Genehmigung der Rechteinhaber aus anderen Publikationen wie jeweils angegeben zitiert:

Seite 21: „Celeriac Rémoulade", „Schokoladen-Törtchen mit Kapstachelbeeren": © Eric Treuillé, London. Zitiert nach: One Year at Books for Cooks No. 4, Pryor Publications 1999.

Seite 84: „Hamanohren": © Claudia Roden, Großbritannien. Zitiert nach: Claudia Roden, Jewish Food, Viking Press 1997.

Seite 125: „The Ivy Hamburger": © The Ivy, London. Zitiert nach: AA Gill, The Ivy.

The Restaurant and its Recipes. Hodder & Stoughton 1997.

Seite 131: „Haferhonigbrot im Blumentopf": © Macmillan Publishers Ltd., London. Zitiert nach: Sally Clarke: Sally Clarke's Book. Recipes from a Restaurant, Shop & Bakery, Macmillan 1999.

Seite 131: „Prinz Alberts Kekse": © The Worshipful Company of Bakers, City of London. Zitiert nach: www.bakers.co.uk.

Seite 155: „Mince Pies": © Bloomsbury Publishing Plc., London. Zitiert nach: Caroline Waldegrave, The Best of Leith's. More than 100 Favourite Recipes from Leith's School of Food & Wine. Bloomsbury 1998.

Seite 179: „Spinat mit Dill": © Madhur Jaffrey, Großbritannien. Zitiert nach: Madhur Jaffrey, A Taste of India. The Definitive Guide to Regional Cooking, Pavillion Books, 1. Auflage 1985.

Seite 183: „Tandoori Chicken": © Merchant Ivory Productions, New York. Zitiert nach: www.iChef.com.

Seite 209: „Terence Stamps Käsesoufflé": © The Random House Group Limited, Rushden, Northants. Zitiert nach: Terence Stamp, The Terence Stamp Collection, Ebury 1997.

Seite 218: „Koresh Faisinjan": © 1987 Michelle Berriedale-Johnson. Zitiert nach: Michelle Berriedale-Johnson, The British Museum Cookbook. British Museum Press, London 1987.

Seite 221: „M'Tabal Al-Batinjan": © Nada Saleh, United Kingdom. Zitiert nach: Nada Saleh,

Fragrance of the Earth: Lebanese Home Cooking, Saqi Books 1996.

Seite 252: „Thunfisch mit Sauce Vierge": © The Random House Group Limited, Rushden, Northants. Zitiert nach: Marco Pierre White, The Mirabelle Cookbook, Ebury 1999.

Seite 322: „Focaccia mit Käse": © Bloomsbury Publishing Plc., London. Zitiert nach: Caroline Waldegrave, The Best of Leith's. More than 100 Favourite Recipes from Leith's School of Food & Wine. Bloomsbury 1998.

Seite 333: „Polenta con cavolo nero e salsicce": © The Random House Group Limited, Rushden, Northants. Zitiert nach: Rose Gray and Ruth Rogers, River Café Cookbook, Ebury 1998.

Seite 339: „Matthew Harris' Lamm aus dem Bibendum": © Matthew Harris, Chef at the Bibendum Restaurant, London. Zitiert nach: www.bibendum.co.uk.

Seite 375: „Pied de Cochon mit Morchelsauce": © Pierre Koffmann, La Tante Claire, London. Zitiert nach: Richard Bramble, The Star Chefs Cookbook, Blake Publishing 1998.

Seite 411: „Erbsenpüree des Restaurants Ivy": © The Ivy, London. Zitiert nach: AA Gill, The Ivy. The Restaurant and its Recipes. Hodder & Stoughton 1997.

Alle anderen Rezepte stammen von der Autorin dieses Buches selbst oder wurden ihr von den Liebhabern kulinarischer Genüsse, die in diesem Buch Erwähnung finden, persönlich übergeben und zum Abdruck in dieser Publikation zur Verfügung gestellt.

Rezepte

REGISTER

BILDNACHWEIS

Autoren und Fotografen

Sabine Ernest-Hahn, geboren 1966, ist Weinexpertin, Referentin und Jurorin. Nach einer Ausbildung zur Hotelfachfrau spezialisierte sie sich im südenglischen Chewton Glen Hotel als Sommelière und trat frühzeitig in Kontakt mit der englischen Weinwelt. Ihr Weg führte sie weiter nach Frankreich an die Weinuniversität von Bordeaux, wo sie das „Diplôme Universitaire d'Aptitude à la Dégustation" erwarb. Seit 1995 ist sie selbstständig als Weinexpertin tätig. Häufige Studienaufenthalte in London machen sie zu einer versierten Kennerin der britischen Weinszene.

Gabriele Gugetzer, geboren 1956, schloss ihr Hochschulstudium in Amerikanistik und Politikwissenschaft in Kalifornien mit einem amerikanischen Magistergrad ab, siedelte dann nach London über. Arbeitete als Radiomoderatorin und Übersetzerin. Heute lebt sie in Hamburg. Sie ist freie Autorin und Produzentin für Buchverlage und schreibt zudem den mehrseitigen Essen-und-Trinken-Teil einer monatlich erscheinenden großen deutschen Frauenzeitschrift. Im nächsten Leben wird sie allerdings Feuerwehrmann.

Dr. Roswitha Neu-Kock, geboren 1946. Studium der Kunstgeschichte, Archäologie und Geschichte in Münster und Berlin. Promotion über Tafelmalerei des Hochmittelalters, danach Tätigkeit in Museen, Denkmalpflege und Universität. Von 1985 bis 1989 Geschäftsführerin des „Fördervereins Romanische Kirchen Köln e.V." und Schriftleiterin des Jahrbuches „Colonia Romanica". Seit 1989 Leiterin des Rheinischen Bildarchivs der Stadt Köln. Veröffentlichungen zur mittelalterlichen und modernen Kunst sowie zur Fotografie.

Peer Kugler, geboren 1966. Studium der Fotografie in Fort Lauderdale, Miami und New York. Veröffentlichungen in zahlreichen deutschen Zeitungen und Zeitschriften, Gruppenausstellungen in Berlin und New York. Sein Arbeitsfeld sind Reportagen, Dokumentarfotografie und Porträts. Er lebt und arbeitet als freier Fotograf in New York.

Richard Moran, geboren 1969. Nach einer Ausbildung als Caterer, die er mit 16 Jahren begann, studierte er in Leeds Fotografie und trat damit in die Fußstapfen seines Vaters.

Nachdem er eine Weile in einer Agentur für verschiedene britische Zeitungen gearbeitet hatte, machte er sich 1991 selbstständig. Richard Moran ist spezialisiert auf Porträts, Mode, Lifestyle und Dokumentarfotografie und wurde im Jahr 1996 Nikon-Preisträger (Fotograf des Jahres) in diesem Genre. Die Arbeit zu London Food verband seine frühen Erfahrungen als Caterer mit der Liebe zur Fotografie.

DANK

Wie schon unzähligen Menschen vorher, ist auch mir London unter die Haut gegangen. Seit meinem 15. Lebensjahr liebe ich diese spannende Stadt und ihre wunderbaren Menschen. Mit diesem Buch bot sich die Möglichkeit, die Lebendigkeit, die Toleranz, den Humor, die Vielseitigkeit und die Menschlichkeit, die sich dort auf Schritt und Tritt erschließen, zu würdigen. Dennoch wäre „London Food" ohne die Vielen, die an seiner Entstehung teil hatten, nicht möglich gewesen, und ich möchte ihnen danken, ohne dass es mir möglich ist, alle Namen an dieser Stelle zu nennen.

Mein besonderer Dank gilt vor allem Jonathan Attwood, Lynda Brown, Elizabeth Collins, Mike Downey, Suzanne Norman, Cathelyne Oudemans, Eric Treuillé und seiner Frau Rosie Kindersley für die gastfreundliche und großzügige Weise, in der sie ihre Küchen geöffnet und ihre Rezepte und ihr Wissen zur Verfügung gestellt haben.

Zahlreiche PR-Agenturen und Mitarbeiter von Restaurants und Hotels sorgten mit viel Engagement, Organisationstalent und Feingefühl bereits im Vorfeld dafür, dass Gespräche mit berühmten Köchen und anderen Persönlichkeiten zustande kommen konnten und dass in ihren Räumlichkeiten fotografiert werden durfte. Hier möchte ich besonders Chris Hutcheson, den Geschäftsführer von Gordon Ramsay, erwähnen, ebenso wie Sarah Manser, die die PR-Abteilung des Hotels und Restaurants Ritz leitet und Martine de Geus, die das Hotel Dorchester und das Restaurant Oriental federführend betreut.

Ich danke Marco Pierre White für seine Geduld mit mir und Pascal Aussignac dafür, dass ich einen halben Tag vor Ort in seinem Restaurant sein durfte. Constable George Parry verschaffte mir einen Eintritt in die unvergleichliche Fischwelt von Billingsgate und Brigadechef Steve Roach und seine „red brigade" von der Feuerwehrwache in Chelsea gestatteten mir einen Einblick in ein aufregendes und Außenstehenden nicht leicht zugängliches Universum. In der Küche des Toff's hingegen durfte ich Grundlegendes über Fish'n'Chips lernen.

Lesley Cohens Engagement, Ideen, Kontakte und liebevolle Kenntnis ihrer Stadt ziehen sich wie ein roter Faden durch das ganze Buch.

Last but not least: Barbara Esser und Peter Noelke haben mit Umsicht und großem Zeitaufwand Konzeptkritik geübt, Karen und Achim Rudloff und Maggie Fitzgibbon für die Unterbringung gesorgt, Ingeborg Heick besaß Vertrauen in das Projekt und Ello Bolz bewies ihre typische Klugheit.